スーザン・マグサメン　アイビー・ロス［著］
Susan Magsamen　Ivy Ross

須川綾子［訳］
Ayako Sugawa

アート脳

YOUR BRAIN ON ART

How the Arts Transform Us

PHP

YOUR BRAIN ON ART:
How the Arts Transform Us

by Susan Magsamen and Ivy Ross

This edition published by arrangement with Random House, an imprint and division of Penguin Random House LLC through The English Agency (Japan) Ltd.

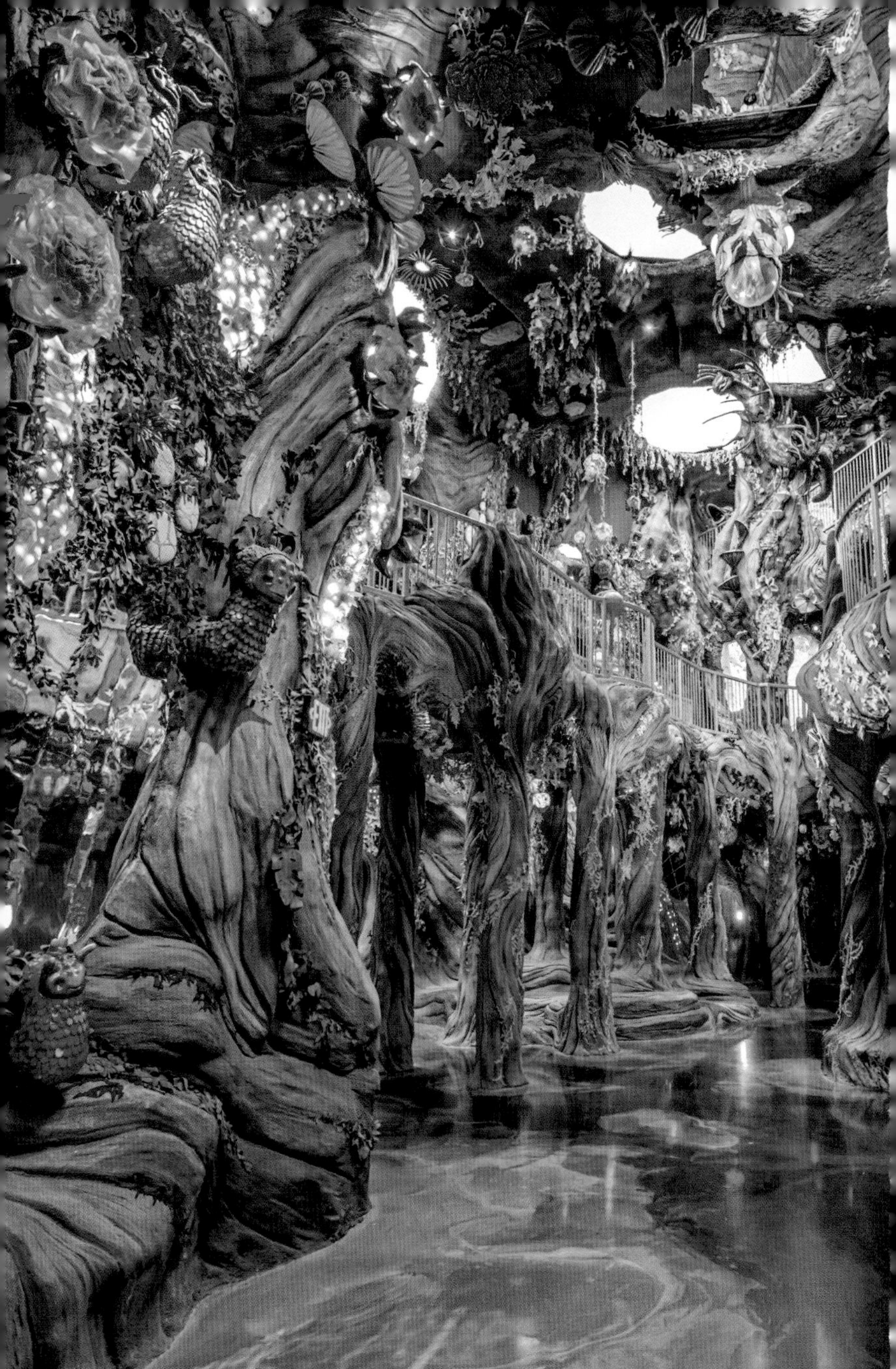

A：ハウス・オブ・エターナル・リターン Jess Bernstein

B：スペース・フォー・ビーイング Edorado Delille and Google

C：リトル・アイランド Timothy Shenck

D：《脳》Greg Dunn and Brain Edwards

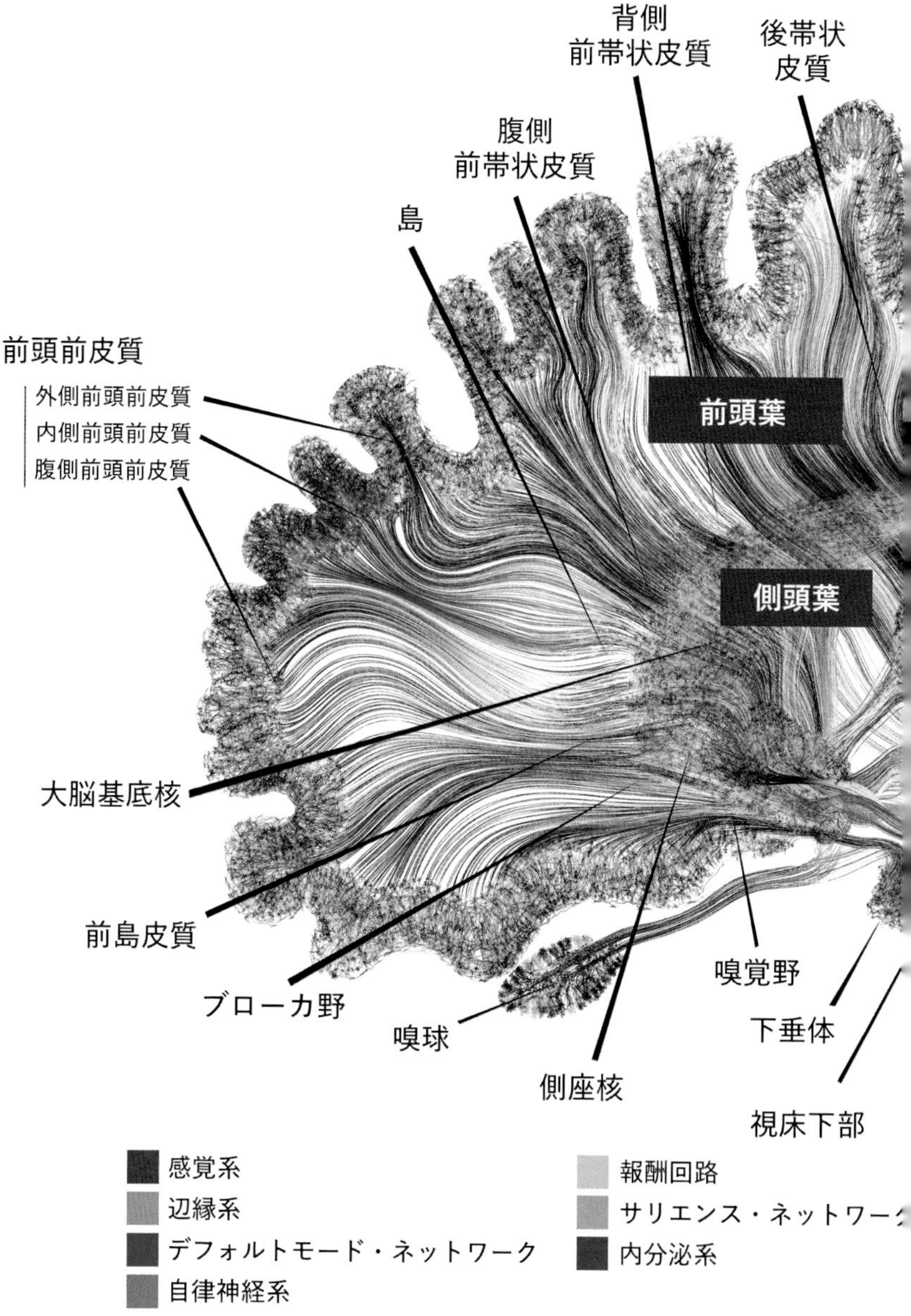
背側
前帯状皮質
後帯状
皮質
腹側
前帯状皮質
島
前頭前皮質
外側前頭前皮質
内側前頭前皮質
腹側前頭前皮質
前頭葉
側頭葉
大脳基底核
前島皮質
ブローカ野
嗅球
側座核
嗅覚野
下垂体
視床下部
感覚系
辺縁系
デフォルトモード・ネットワーク
自律神経系
報酬回路
サリエンス・ネットワーク
内分泌系

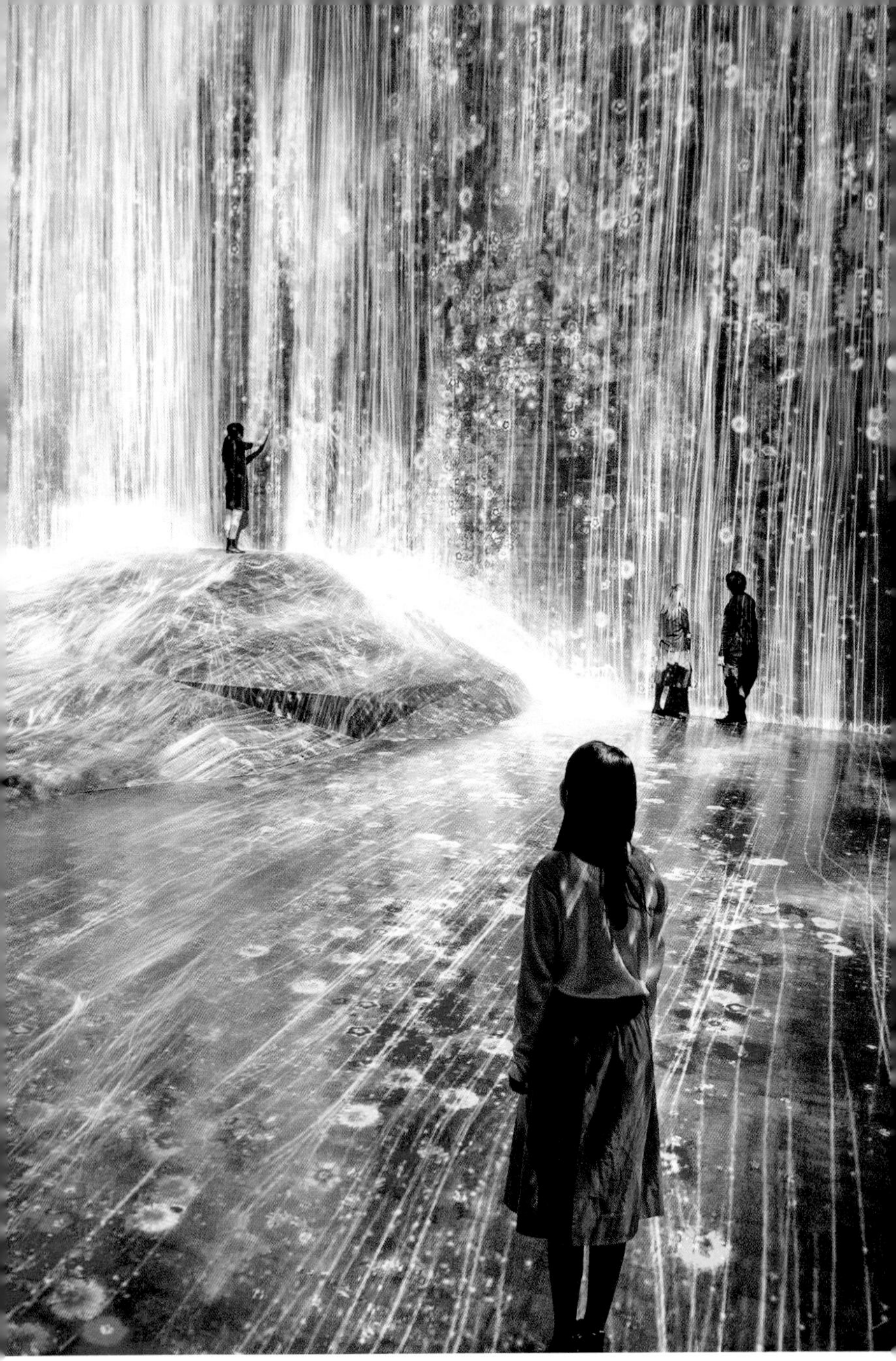

E：チームラボ・ボーダレス teamLab,Universe of Water Particles on a Rock where People Gather © teamLab

F:《継続する絵画》Judy Tuwaleststiwa

G：ソーク研究所 Chris Keeney

H：没入型アート空間 Refik Anadol Studio

I: 永遠や保護をテーマとするオブジェ Creative Growth Art Center

Your Brain on Art：How the Arts Transform Us
by Susan Magsamen and Ivy Ross

アートの力を解き明かしている人々に捧ぐ

アート脳　目次

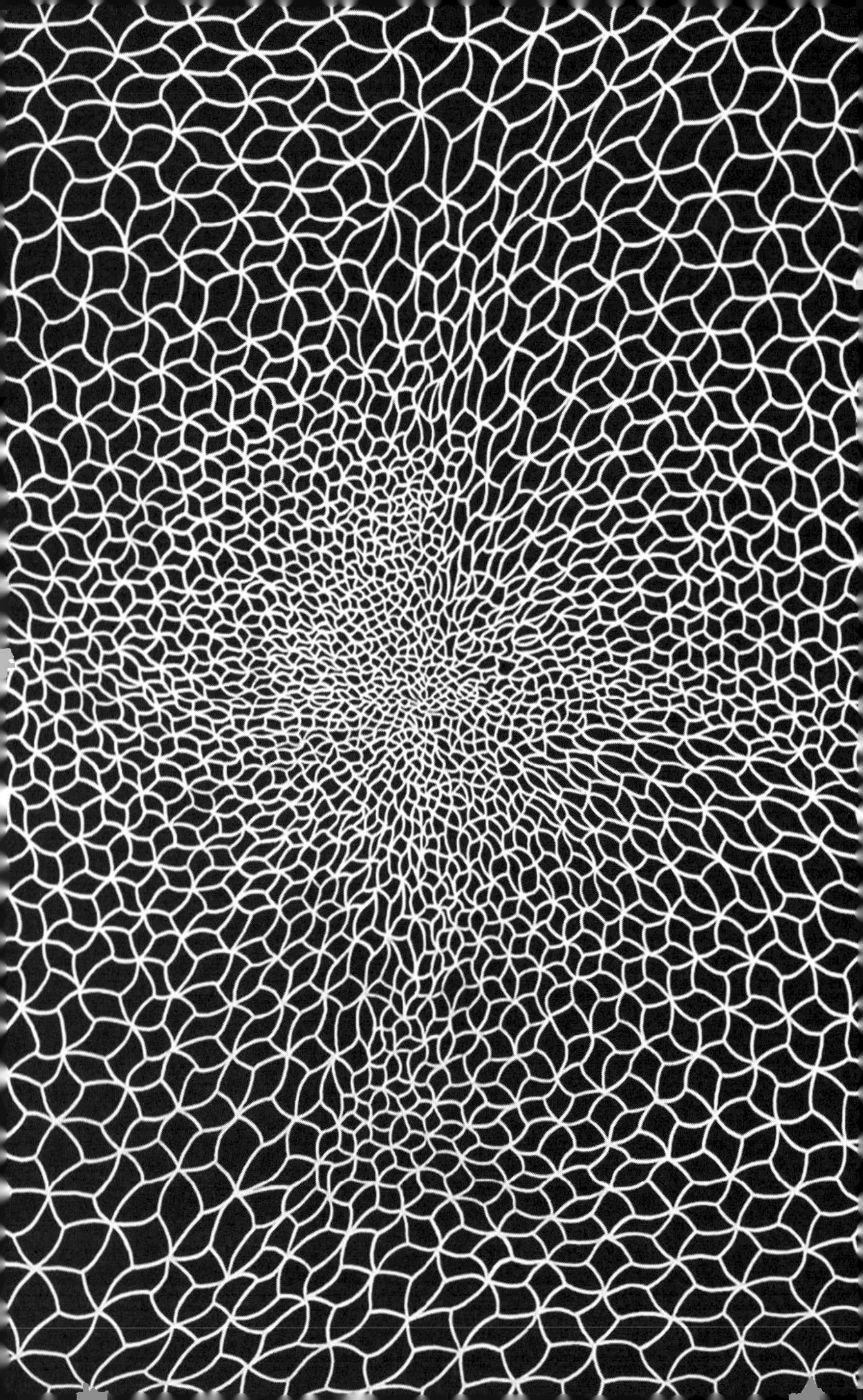

Introduction

はじめに——人間を変えるアートの効用

アートは比類のない、真の世界言語だ……さらけ出し、癒され、変わりたいという我々の欲求に語りかける。日常生活の枠組みを超え、可能性について想像させるのだ。

——リチャード・カムラー（アーティスト、活動家）

アートは変革をもたらす力強い存在だ。音楽、絵画、映画や演劇に夢中になり、自分のなかで何かが変化したように感じた経験はないだろうか。

心を奪われた本を友だちに無理やり押しつけたり、感動した曲を何度も聴き直し、歌詞を一字一句覚えたり。アートは喜びだけでなく、インスピレーションや幸福感、知識、そして救済まで与えてくれる。言葉で説明するのは難しいが、このような体験はまぎれもなく、本物で真実だと実感できたのではないだろうか。それどころか、**アートが生存のために必要不可欠であることは、科学的にも証明されている。**

アートは数えきれないほど多様なかたちで心と体を癒してくれる。**本書では、アートがいかにして私たちの生活の質を高め、より良いコミュニティを築いていくのかについて、科学的根拠とともに示していく。**日々のさまざまな美的経験によって、どのような生物学的変化が起きるのか、その仕組みについても説明する。

「20分の落書き」が心を癒し、健康にする
――ようこそ神経美学の世界へ

最新のテクノロジーにより、人間の生理学に関する研究は近年目覚ましく進歩し、異なる専門領域を横断的に調査する研究者のコミュニティが発展している。そこではアートや美学が人間にもたらす影響が研究され、アートが持つ力の認識や解釈を根本的に変えるような学術分野が出現している。それが神経美学（neuroaesthetics／neuroarts）と呼ばれる分野だ。

要するに、**アートや美学には、私たちに変化をもたらし、結果的に人生をも変革させる力があるのだ。**

本書はあらゆる読者を対象にしている――これまでアートや科学にあまり縁のなかった人にも、この分野の専門家にも読んでいただきたい。私たち著者が目指すのは、神経美学の基本的要素を読者と共有することである。それが読者と家族、同僚やコミュニティを豊かにし、インスピレーションをもたらすことを願っている。

一般的に、アートは娯楽や現実逃避だと思われることが多い。ある種の贅沢品だ、と。しかし本書を読んでいただければ、アートの奥深さを理解できるだろう。アートは日常生活を根本的に変える力を秘めている。**体とメンタルヘルスに関わる健康上の深刻な問題に働きかけ、驚くべき効果を発揮する力がある。そしてさらに、学習し、持続的な幸福を得る手助けもしてくれる。**

いくつか例を挙げよう。

- ニューヨーク州北部では、アルツハイマー病の症状が進んだ男性が昔よく聴いていた曲を聴き、5年ぶりに息子を認識した。
- フィンランドでは、産後うつを患《わずら》った若い母親が生まれたばかりのわが子に歌を歌い、抗うつ剤だけに頼るより早く回復している。
- バージニア州では、緊急救援隊員が絵を描くことによって最前線での救助活動のトラウマを解放し、兵士は仮面づくりの経験を通してPTSDから回復しようとしている。イスラエルでは、感覚的経験を考慮したがん専門病院が設計され、患者の速《すみ》やかな回復を促している。

・世界各地の医療現場では、美術館を訪れることが患者に処方されている。デジタルデザイナーは認知神経科学者と協力して注意欠如・多動症（ADHD）の新しい治療法を探り、脳の健康を高めようとしている。痛みを軽減する仮想現実（VR）のプログラムもある。

・感覚的に豊かな環境では学習の効率が高まり、記憶の定着率が高いという近年の研究結果から、多くの学校や職場、公共施設では環境が見直され、新たな設計の可能性が模索されている。

こうした流れの背景にあるのが神経美学の発展だ。

20世紀末に神経科学という分野が誕生し、脳の理解に革命をもたらした。同様に神経美学という分野が発展したことで、脳とアートの関係を示す重要なエビデンスが次々と発見されつつあり、今後も増え続けるだろう。

この「はじめに」の冒頭に掲載したノーマン・ガリンスキーの『**スパイラル・クラスター**』（4ページ）という作品は、アートと科学のダイナミックな関係を象徴している。

生物学的な発見や研究成果によって、アートに基づいて個人に最適化された疾病予防やウエルネスプログラムが相次いで開発され、いまや健康管理と公衆衛生の主流に位置づけられようとしている。アートが実際に人々を癒し、健康にするというエビデンスが蓄積され、臨床医や保険事業者もそれを受け入れているからだ。

簡単にいつでも、どこでも取り組める「アート活動」は、人生をより良いものにしてくれる。美のささやかな投与はすでに広まりつつある。

つわりを軽減するために特定の香りを用い、光源を調整して活動量を加減し、不安の軽減に特殊な音を使用する。コレステロールを下げるために運動によって脳内のセロトニンを増やすように、ほんの20分でも落書きやハミングをするだけで、心身の状態を改善できる。

実際、アートや美が私たちの健康に生理学的な恩恵をもたらすことを示す研究があまりにも多いので、本書のタイトルを『20分間のアート』にすべきか議論したほどだ。

著者である私たちとって、本書は万華鏡のようなものだ。それぞれの物語や事実が色とりどりの姿を見せ、美しい模様や形を織りなす。万華鏡を覗《のぞ》きながらほんの少し回してみれば、さまざまな側面を持ち合わせた情景に対する見方が変わり、これまでに見たことのないものが現れるだろう。そして可能性は無限である。

それは理想や知識に偏《かたよ》ったものではない。

あくまでも具体的で根拠があり、実用的なものだ。

本書はこれを解明していく。

TEST

テスト　生活にアートを取り入れる
――美的マインドセット

世界は神秘的なものにあふれ、私たちの感覚が研《と》ぎ澄まされるのを辛抱強く待っている。

――作者不明

「美的マインドセット」とは、簡単に言えば身の回りのアートや美の存在に気づき、目的を持って自分の生活に取り入れる姿勢である。

美的マインドセットがある人には、主に4つの特徴がある。

（1）好奇心が強い

(2)遊び心のある、終わりのない探究を好む
(3)鋭敏な感覚を持つことを意識する
そして、
(4)創造者もしくは鑑賞者として創造的活動に参加する意欲がある

アイルランドの詩人ジョン・オドノヒューは「アートとは認知の本質である」と述べている。美的マインドセットとは、自分が存在する環境と関わり合い、調和する姿勢にほかならない。そうすることで感覚的な経験と現在進行形でつながることができ、**アートを創造し、美的経験を楽しむための扉が開き、最終的にあなた自身が変わる。**

以下に簡単なテストを用意した。

この「美的マインドセット傾向指数」は、ドイツのフランクフルトにあるマックス・プランク経験美学研究所の認知神経科学研究員であるエド・ヴェッセルと同僚が開発した美的反応評価(Aesthetic Responsiveness Assessment、AReA)という研究ツールをもとにしている。私たちは彼と協力してAReAを修正し、あなたの美的マインドセットや、美とアートからあなたがどのような影響を受けているかを調べる項目を追加した。**まずはすぐに取り組んでみよう。**

その後、本書で紹介するアイデアをいくつかじっくり試し、1〜2カ月してから改めてテストしてほしい。果たしてどのように点数が変わるだろうか。

▶点数の計算方法

評価項目は、以下3つのカテゴリーに分けられる。

「**美的理解力**」は、美的経験と環境の美的側面にどのくらい敏感に反応しているかを示す。
「**強力な美的経験**」は、美的経験に対して、平均的な人の反応よりも強い反応がみられる度合いを示す。
「**創造的行動**」は、アートの創作などの創造的意欲の度合いを示す。

以下の手順に従い、各カテゴリーにおける点数と総合点を出してみよう。総合点はあなたの美的反応の全体像を表している。

カテゴリー毎の点数:各項目の点数を足して、項目の数で割る。

美的理解力:項目1、2、3、4、6、9、13、14の点数の合計

_____ ÷8 =______

強力な美的経験:項目8、12、13の点数の合計

_____ ÷3 =______

創造的行動:項目5、7、10、11の点数の合計

_____ ÷4 =______

総合点:総合点を求めるには、14項目すべての点数を合計し、14で割る。

______ ÷14 =______

評価:3つのカテゴリー別の点数と総合点を以下の指標と照らし合わせ、美に対する反応がどの程度であるか把握していただきたい。

1 低い
2 平均より下
3 平均的
4 平均より上
5 高い

例えば、美的理解力が3、強力な美的経験が2、創造的行動が5、総合点が4という結果になるかもしれない。

テスト

各項目を読み、もっともよく当てはまる回答の数字に丸をつけよう。

[1:まったくない　2:ほとんどない　3:ときどきある　4:よくある　5:とてもよくある]

1. 音楽やダンスの公演、演劇、美術館、デジタルアートなどのイベントに行く。
[1 2 3 4 5]

2. アートを鑑賞したり体験したりすると美しさを感じる。
[1 2 3 4 5]

3. 音楽に感情を揺さぶられる。
[1 2 3 4 5]

4. アート作品の均整のとれた美しさに感動する。
[1 2 3 4 5]

5. 彫刻、絵画、工芸品、映像作品、デザインなどを創作する。
[1 2 3 4 5]

6. アートを鑑賞すると、前向きなエネルギーや活気を得られる。
[1 2 3 4 5]

7. 詩、歌詞、ノンフィクション、フィクションなどを創作する。
[1 2 3 4 5]

8. アートを鑑賞すると、心拍数が上がるなど、身体的に影響を受ける。
[1 2 3 4 5]

9. 建物やインテリアのデザインに興味がある。
[1 2 3 4 5]

10. アート、工芸、文芸、美学などの教室に通っている(もしくは通っていた)。
[1 2 3 4 5]

11. アートの創作や鑑賞を通して連帯感やコミュニティとのつながりを感じる。
[1 2 3 4 5]

12. アートを体験するとき、宇宙、自然、存在、神との調和、一体感もしくはつながりを感じる。
[1 2 3 4 5]

13. アートを目にすると深く感動する。
[1 2 3 4 5]

14. アートを創作したり鑑賞したりすると、喜び、安らぎ、その他の前向きな感情が得られる。
[1 2 3 4 5]

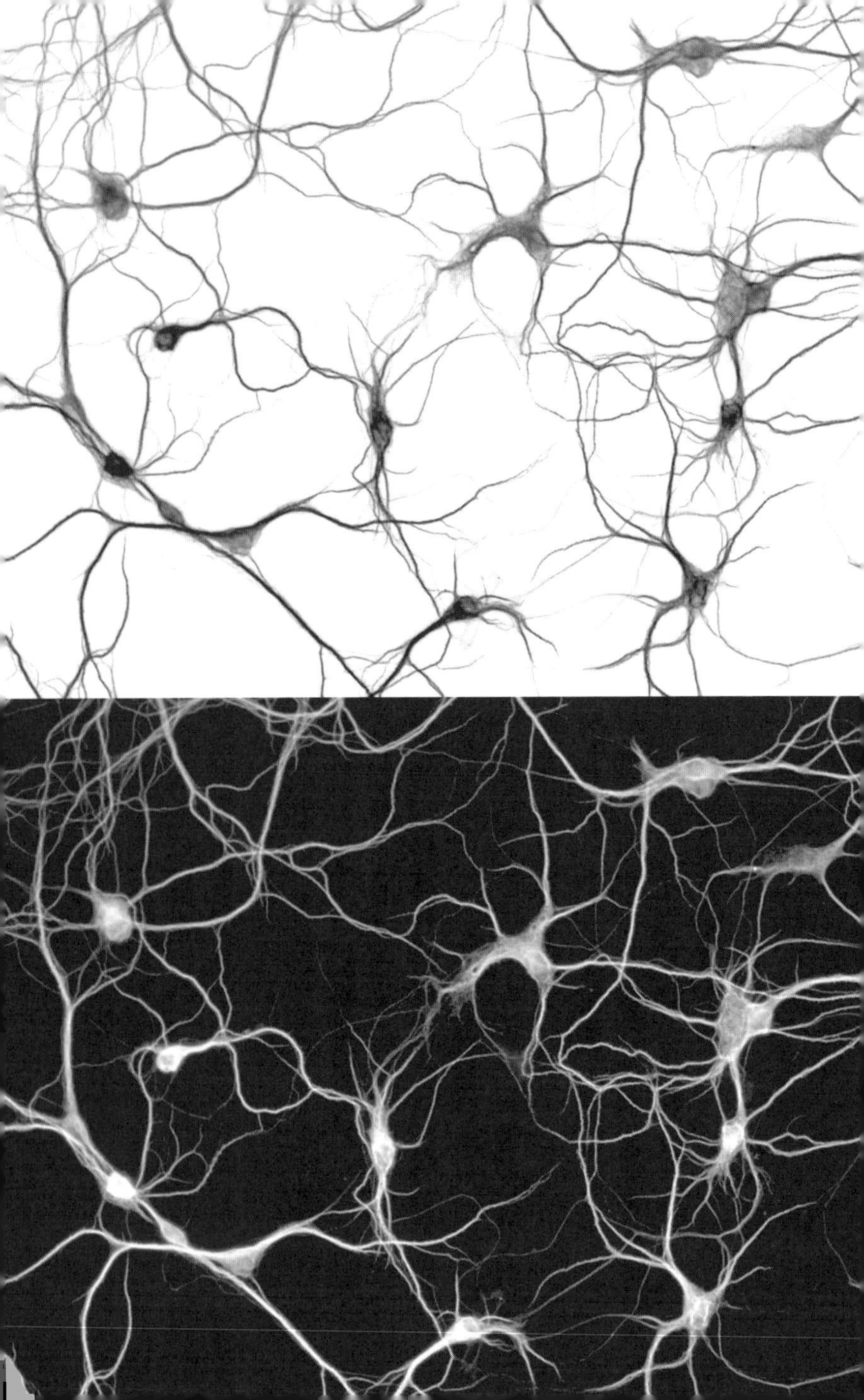

Chapter

1

体と美の不思議でおもしろい関係
——アートの解剖学

活力、生命力、エネルギー、胎動といったものは、あなたを通じて動きへと変わる。あなたはどんなときも唯一無二《ゆいいつむに》の存在だから、その表現もまた比類ないものなのです。

——マーサ・グレアム（舞踊家、振付師）

私たちは「はじめに」で大胆な主張をした。アートや美的経験は健康や幸福感を高め、さらには学習し成長する能力を高める、と。

その根拠を解き明かすため、まずは基礎を固めよう。

これから基礎となる科学的知識に触れ、あなたがアートとどのように結びついているかを

理解するため、体の各器官について簡単に見ていく。自分のなかで何が起きるのかを把握しておけば、本書の内容、つまりアートや美がどのように心身に影響を及ぼすのか、より良く理解できるはずだ。この章はアートの解剖学の早見表だと思っていただきたい。

嗅覚――人類の進化で最古の感覚

アートや美に人生を変える性質があることを知るには、五感の仕組みを知ることが重要だ。この章の前に紹介した美的思考の傾向テストを試した方は、自分がアートをどのように経験し、環境における美的要素にどの程度反応しているのか理解を深められただろう。

ここではさらに踏み込み、今まさに身を置いている感覚的経験と結びつくエクササイズを行なってみよう。

まずはその場でリラックスする。鼻から空気を吸い込む。

どんな匂いがするだろう？　目を閉じ、その感覚だけに集中する。朝のコーヒー、グラスに注がれた赤ワイン、近くにあるキャンドルのいつもの香り。そんな匂いがするかもしれない。呼吸を続けよう。

最初に感じた匂いの次に感じるのはなんだろう？　ソムリエや調香師として訓練を受けたことがあるなら、最初に感じるのはトップノートと呼ばれる匂いで、その下にさまざまな匂いがあることに気づくだろう。ほこりっぽい本棚のかび臭さ。窓が開いていれば、雨が降り始めたときの独特の匂いが漂ってきているかもしれない。乾いた地面に雨が落ちてきたときの、驚くほど土っぽいあの匂いだ。

嗅覚とは、人類の進化において最古の感覚の1つである。人の鼻は、30〜60日で置き換えられる400種類以上の嗅覚受容体によって、1兆種類もの匂いを嗅《か》ぎ分けることができる。匂いによってはイヌをしのぐほど優れた嗅覚が備わっている。

身の回りの物質から微粒子が放出されると、嗅覚受容体が刺激される。微粒子は鼻に入り、鼻孔を通って鼻腔の上部にある嗅上皮という粘膜の粘液に溶け込む。ここから脳と神経系の基本的な構成要素である神経細胞ニューロンが、軸索という長い神経線維を主嗅球へと伸ばす。軸索はそこで匂いの特徴を感知する細胞と結びつく。

興味深いのはここからだ。**嗅皮質は脳の側頭葉という感情や記憶を広く司《つかさど》る領域に位置している。**匂いを嗅いだ瞬間に身体的・精神的な反応が強く引き起こされるのはこのためだ。

例えば、新生児の匂いは神経ペプチドの一種であるオキシトシンの分泌を促す。オキシトシンは愛着、共感、信頼といった感情を活性化するため「愛情ホルモン」とも呼ばれる。ある香水やコロンをひと嗅ぎしただけで、長らく忘れていた人間関係を思い出すこともある。草を刈ると放出される数種類の化学物質は扁桃体と海馬を刺激し、コルチゾールの分泌量を下げるため、ストレスを緩和する。これらはすべて、嗅皮質と側頭葉の結びつきによるものだ。

味覚――古い記憶を一瞬で呼び起こす

嗅覚と同じく、味覚も化学物質によって引き起こされる。

食物を摂取すると、1万以上もある味蕾《みらい》が刺激されて電気信号を生成し、口内から脳の味覚野へと伝達する。**脳のこの領域は直感的・情動的体験に関わるとされ、味覚がもっとも効果的に記憶をエンコード（符号化）する感覚の1つであることを説明する手掛かりになる。**

欧米に暮らす人々はナツメグやクローブ、シナモンの味に秋と冬の祝日を感じる。結婚式に食用の花がつきもののインドでは、ハーブと柑橘《かんきつ》系の味がするマリーゴールドの花は祝い事を連想させる。

スーザンがほっとしたいときにおばあちゃん直伝のチキン・ダンプリングスープをつくるのも、アイビー定番のしっとりとしたチョコレートケーキが、子ども時代の日曜日にいつも食べていたおばちゃんの濃厚プディングからヒントを得ているのもそんな理由からだ。

聴覚――複雑で精密ゆえに心身に与える影響大

今度は目を閉じ、耳に集中してみよう。電化製品のかすかな音、パソコンのファンが回る音、鳥のさえずり。行き交う車。近くでは何が起きているだろう？　遠くではどんな音がしているか？　**聴覚は、脳による情報処理、感覚系、音波が関わる複雑なシステムである。**

あなたはこの章を読みながら音楽を聴いているかもしれない。音楽や音声は神経美学でもとくに研究が盛んなアート形態であり、説得力のある研究結果については本書でも随時紹介していく。私たちの聴力は複雑で精密だ。外界の音が外耳道《がいじどう》に入ると鼓膜が振動する。

音波は耳小骨を通って蝸牛《かぎゅう》に伝わり、内部のリンパ液が海の波のように揺れる。蝸牛の内部には何千もの小さな有毛細胞があり、液体が動くとこれらの細胞も活性化して聴神経に信号を送り、そこからさらに脳へと信号が伝達される。聴覚皮質もまた側頭葉に位置し、耳の後ろのこの領域は記憶や知覚にも関わる場所である。

テンポ、言語、音量のちがいは、感情、精神活動、身体的反応に影響を及ぼす。[01]　スタンフォード大学の研究者たちは脳波計を用い、1分間に60拍を刻むテンポの曲を聴かせた被験者の脳波の活動を測定し、脳のアルファ波が拍子とシンクロすることを確認した。[02]

アルファ波はリラックスした状態と結びついている。さらに遅いテンポはデルタ波とシンクロし、入眠を促すこともある。

しかも聴神経は双方向に働く。**耳に働きかけて外部の騒音を抑制し、脳が大切だと認識する音だけに集中させることもできる。**読書やアート鑑賞に夢中になっている人をうっかり驚かせてしまうことがあるのはそのためだ。相手はそんなとき、あなたが近づいてきた音が本当に耳に入っていないのだ。

ともすると、音は具体的で分かりやすいものと考えられている。お気に入りの曲や恋人の声色、車のクラクションなど。本書では、脳が周波数や振動、音色にも化学的に反応し、そうした化学的トリガーが気分や知覚を大きく変化させ、さらには神経疾患や精神的な病《やまい》にまで働きかける可能性があることを明らかにする。

視覚――カメラのように、目にしたものを脳に伝える

それでは目を開こう。あなたの視野には光と色と物が溢れている。視覚障害があり、色や顔、形を識別できない人でも、その8割以上は明暗を区別できると言われている。

私たちがものを見るには、複雑なシステムによって光を処理しなければならない。目はカメラと似た仕組みを持っている。**見たものは光受容体によって電気信号に変換される。視神経はこの信号を脳の後方にある後頭葉に伝え、目にしているものの姿に変換する。**

私たちはここで物を知覚し、認識し、評価しており、神経科学者たちはこの後頭葉の一部分（外側後頭部）がアートに対する美的認識を処理し、構築するうえで貢献していることを突き止めつつある。[03]

触覚――豊かな知覚経験を伴う有効なコミュニケーション手段

感覚を巡る旅の最後に、近くにある何かを手で触ってみよう。椅子のでこぼことした生地やテーブルの滑《なめ》らかな表面。戸外にいるなら、ひんやりした木の皮や、ビーチの砂の暖かい粒。**手足や指や皮膚は驚くほど敏感で、ほんのわずかな手がかりを拾い上げ、それが生理学的反応や心理学的反応を引き起こす。**

足にはそれぞれ70万カ所以上もの神経終末があり、つねに身体的感覚を得ている。皮膚にある触覚受容体は、脳の中央に位置する脳幹上部の視床へと達する感覚神経を経て、脊髄内のニューロンとつながる。[04]

そして感触や質感の情報は、頭頂葉にある体性感覚野に伝達される。[05] 触覚を処理するうえで体性感覚野はきわめて重要だ。

脳で触覚を処理するニューロンは、受容体が伝達するさまざまな特徴に対し、それぞれ異なった反応を示す。ざらざら、やわらかい、ふわふわ、なめらか――触感を表現する形容詞が山ほどあることを思えば、触覚が非常に豊かな知覚経験だと気づくだろう。

触覚はとくに強力な認知的コミュニケーションの手段の1つであり、感覚系のなかでも最初に進化した感覚の1つとされる。[06]

私たちは手をつないだり、ハグをしたりするだけで気持ちや感情を共有できる。触覚は、神経伝達物質のオキシトシンを分泌させることで、神経生物学的にも、精神的にも、急激な変化をもたらす。オキシトシンは愛情ホルモンと呼ばれると述べたが、愛情だけでなく信頼や寛容、共感といった感情によっても分泌され、不安を軽減する。

触覚に関する実験からは、ある人物の心情（悲しみ、喜び、不安、興奮の表現）が感覚器官を通じて他者に読み取られ、模倣されることが明らかになっている。脳が感情を認識するのに触覚が関わっているため、人は触覚を通じて文字通り「話す」ことができるのだ。

また、**触覚にはほかの感覚より記憶を長く定着させる働きがあることも見逃せない。**

最近の研究からは、私たちの触覚は体性感覚野を刺激するだけでなく、視覚信号を処理する脳の領域とも関わっていることがわかっている。[07] たとえ目隠しをされていたとしてもそれは変わらない。ある実験では、目隠しをした被験者たちに身近な家庭用品を触ってもらった。例えばスプーンを触ってから目隠しを外し、ひじょうによく似た2本のスプーンを見せたところ、目で見ただけでどちらを触ったのか、73％の正答率で当てることができた。しかもこの記憶は、数週間後に同じ質問をしたときも保持されていたのである。

脳はつねに何百万もの刺激を吸収している

嗅覚、味覚、視覚、聴覚、触覚は驚異的な速度で生体反応を引き起こす。[08] 聴覚は約０・００３秒で認識される。触覚は０・05秒以内に脳で検知される。

あなたは脳だけでなく、体全体で世界を取り込んでいるが、そのほとんどは無意識に行なわれている。認知神経科学者によると、**私たちは自らの精神活動のわずか５％ほどしか意識していない。残りの経験は、身体的にも、感情的にも、感覚的にも、無意識に行なっている。**脳はつねに刺激を処理し、スポンジのように何百万もの感覚信号を吸収し続けている。

つまり、脳が処理するすべての情報が意識に到達しているわけではない。外界にあって感覚器官に働きかける無数の刺激のうち、あなたが実際に「認識する」ものはどれなのか。その認識においては、何に注意を向けるのかというプロセスが大きな役割を果たすのである。

例を挙げよう。ある部屋に入ったとき、あなたの体はランプの光や壁の色、室温、匂い、質感などに反応しているが、そのすべてを意識することはないだろう。

あなたは自分の体が独立した状態で世界を移動していると思っているかもしれないが、じつは周囲のあらゆるものと相互に結びつき、その一部となっている。

あなたとまわりの環境は不可分だ。これまで五感について述べてきたが、**五感のメカニズムを知れば、アートや美がいかに健康や幸福の増進に役立つかを理解できる**はずだ。感覚の入力は絶えず行なわれているが、そうした刺激が伝わったとき、あなたの脳のなかでは実際にどのようなことが起きているのだろうか？

頭のなかの世界を見てみよう

脳を地球のような球体だと想像してみよう。片側には4つの異なる形の「大陸」がぴったりと隣接している。反対側もこれと同じようになっている。いわば合わせ鏡のようなイメージだ。これがあなたの大脳（脳葉）である。

大脳は2つの半球から成り立ち、中央部の一部が脳梁《のうりょう》によってつながっている。脳梁は脳の半球の間で信号を伝達し、互いのコミュニケーションを図っている。脳の右側は体の左側を、左側は右側をコントロールする。

実際の地球の大陸と同じく、脳の各領域も独自の特徴と機能を備えている。大脳は前から後ろに向かって前頭葉、側頭葉、頭頂葉、後頭葉の4つに分かれている。

大まかに言うと、**前頭葉は計画、注意、感情などに関わる実行機能を司る。側頭葉には海馬があり、記憶の形成に関わっている。頭頂葉には体性感覚野があり、触覚や痛みなどの身体感覚の情報を受け取り、解釈する。後頭葉は視覚的イメージを処理する。**

後頭葉のすぐ下には、丸みを帯びた球形の小脳がある。小脳は平衡感覚、動作、協調、習慣形成を制御し、あなたの体が歩行などの動作を毎回学び直さなくても繰り返せるようにする「手続き記憶」の一種を司っている。

もちろん、いずれの領域も単独で機能するわけではない。あなたが最大限のパフォーマンスを発揮できるように、すべての領域が協力しあっているのである。

脳葉のなかにはいくつもの構造があり、辺縁系を構成している。これは「原始的な」脳のネットワークと呼ばれることもあり、感情や行動を支えている。逃げるか、動きを止めるか、戦うかをとっさに判断する本能はここに根差している。

辺縁系には体の恒常性（ホメオスタシス）を維持し、安定した状態に保つための構造も存在している。辺縁系に含まれる視床下部は、心拍数、体温、血圧を調整している。視床は嗅覚を除くすべての感覚情報を脳内に伝達する。そしてアーモンド形をしている扁桃体には、危険な刺激を察知し、即座に反応する役割がある。

脳は脳幹とつながっており、脳幹は脊髄とやりとりをする。**自律神経系は脳および脊髄内の構造から成り立ち、交感神経系と副交感神経系の2種類で構成されている。**2車線の道路を想像してみよう。交感神経系は動作の準備をし、戦うか逃げるかといった反応を促す。副交感神経系は休息や体をリセットする機能を司り、消化を促進する役割などを担《にな》う。

本書では、神経科学者でアーティストのグレッグ・ダンによる脳のイラストを**カラーページD**に掲載した。グレッグの図を見れば、本書で論じるさまざまなシステムや脳の領域がどこにあるのか一目で分かる。必要に応じて参照してほしい。

脳の全体像をざっと理解したところで、神経美学という科学の4つの主要概念について紹介していこう。これらについては、本書で繰り返し触れることになる。

まずは神経可塑《かそ》性、つまり脳が神経のネットワークを自らつなげ、配線し直す仕組みについて見てゆこう。

神経美学の主要概念❶ 神経可塑性

引き続き脳を地球に見立ててみよう。あらゆる地域が何百万もの道や高速道路、橋で覆われ、何兆個もの街灯が設置されている。場所によって街灯がとくに明るいところもあれば、やや暗いところもある。交通量が少なそうに見える道路もあれば、渋滞しているように見える道路もある。脳における電気的な神経結合もこのようなイメージだ。

では、交通量の多い道路、つまり神経回路はどのように形成され、なぜ重要なのだろうか？

私たちには、ごく身近にこのトピックの専門家がいる。スーザンの夫のリチャード（リック）・フガニールはジョンズ・ホプキンス大学医学部の神経科学部長であり、40年以上にわたって神経可塑性について研究してきた神経科学者だ。

2人が交際し始めて間もない頃、リックは玄関先でおやすみのキスをし、それから神経可塑性の研究について説明した。彼はのちに、そのときのキスが彼の脳の回路を変えたと振り返っている。スーザンもまさにそのとき、その場所で、彼こそが運命の相手だと感じていた。

リックは神経可塑性について説明するのがかなりうまい。**神経可塑性とは、脳がつねに神経のつながりを形成し、再構築し、回路を配線し直す能力のことである。**

先ほど私たちが皆さんにしたように、彼もまずは人の脳を思い描くようにと呼びかける。記憶のなかからイメージを引き出し、目の前に取り出すことができるのは、情報を取り込み、保管する脳の驚くべき能力のほんの一例である。

あなたが思い描いた脳には、およそ1000億個ものニューロンによる相互接続ネットワークが存在する。その途方もない量を想像してみよう。たとえ漠然としていて不正確でも、1000億個という数をイメージできるのではないだろうか。

あなたの脳は実際にこうした膨大《ぼうだい》な数を概念化することができるが、それは生まれつき数を理解する能力が備わっているからだ。

次に、リックはズームインして、顕微鏡で観察すると1000億個のニューロンがどう見えるのか説明する。

多くの人にとって、ニューロンは枝が互いに重なり合い、つながっている木のように見える。樹木など自然界にあるものと比較することで、この膨大なシステムの姿や複雑さは想像しやすくなる。それはなぜか？　脳はうまい比喩が大好きなのだ。実際にある物を手でつかめるように、脳も概念をつかむことができるのである。

ニューロンの中心には細胞核があり、それを細胞体が取り囲んでいる。木の幹の内部が辺材と樹皮で覆われているような構造だ。幹に見立てた細胞体からは樹状突起が枝のように伸び、他のニューロンから信号を受け取る。一方で、軸索は根のように伸び、信号を送り出す。

こうしたシナプスを介した結合の複雑さは、**本章の冒頭に掲載した画像**を見れば一目瞭然《いちもくりょうぜん》だ。これはリックが実際に撮影した写真であり、シャーレ上の神経ネットワークを顕微鏡で見たときのようすだ。

ニューロンはシナプス伝達という方法で情報をやりとりし、結合しており、リックはこのようなシナプス結合が成立する仕組みを解明すべく、人生を捧げて研究してきた。その結果、ニューロンはかなり社会的な細胞であることが明らかになった。**ニューロンが生き延びるには、他の細胞との情報交換が不可欠なのだ。**

1000億個のニューロンの一つひとつは、シナプス伝達によって約1万個の他のニューロンと結合している。人には1000兆個ものシナプス結合があり、脳の至るところで無数の回路をつくり出している。

リックによると、この回路は体の動作や感情、記憶など、ありとあらゆる行動を支えている。記憶したり、学習したりするとき、脳ではあるシナプス結合が強化される一方で、別のシナプス結合は弱められる。そうすることで、以前は存在しなかった新しい回路が文字通り刻まれ、記憶が符号化される。そしてこれこそが可塑性なのである。

「初めてのキス」が記憶に刻まれるのはなぜか

リックの説明を聞いた人は、今は亡き神経科学者ドナルド・O・ヘッブが初めてシナプスの仕組みについて言及したときの「同時に発火《ファイアー》する細胞同士は互いにつながる《ワイアー》」という有名なフレーズを思い出すかもしれない。

これは神経可塑性の原則を示しており、脳は韻《いん》を踏んだ表現が好きなため、簡単に思い出せるシンプルな格言だ。しかし、これは実際とはちがうとリックは指摘する。

シナプス同士は確かに同時に燃焼し、互いにやりとりができる。しかし、結びついて回路を形成するには、特別な何かが必要なのである。**ニューロンが刺激を受けて交信し**（化学的メッセージを発火させる）、**しかもシナプス結合につながるほどのエネルギーでそれが行なわれるかどうかは、感覚刺激の強さに依存する。**強力なシナプス結合は神経化学物質のスープのなかで形成され、経験の「サリエンシー」を反映している。

「**サリエンシー**（顕著性）」という言葉は本書で繰り返し登場する。人は体に入ってくるすべての感覚刺激や、その刺激によって生じる数多くの感情や思いにいちいち注意を払っていられない。

脳は、自分には無関係だと判断したインプットは遮断し、関連があると判断した事柄にのみ注意を集中させることに長《た》けている。サリエンシーがあるものは、私たちにとって実質的に重要か、感情的に重要かのどちらかである。目立つものとも言える。

例えば、黒い点で埋め尽くされた紙に1つだけ赤い点があれば、どこに注意が引きつけられるだろう？　赤い点に注目するはずだが、それはつまり、脳がサリエンシーに基づく判断を行なったということだ。

今度パーティーに参加したときか、混雑したにぎやかな部屋を訪れたときに、サリエンシーを思い起こして欲しい。仲の良い友人がやって来ておしゃべりを始めたら、何が起きるだろう？　まわりの音は小さくなり、友人の話に意識を集中し、自然と聞き取れるようになるだろう。これは「カクテルパーティー効果」と呼ばれる現象である。

サリエンシーがあるものは、ドーパミンやノルエピネフリンといった神経伝達物質の分泌を促し、シナプスを活性化してシナプス可塑性を高める。これが記憶の形成を調整している、とリックは言う。

サリエンシーが強ければ強いほど、シナプス可塑性も強くなる。なぜなら、経験した瞬間にたくさんの細胞が活性化され、多くの神経化学物質を分泌し、シナプス結合を変化させるからだ。より強くなる結合もあれば、弱くなる結合もある。それが記憶の形成に関わるシナプス回路の変更を促し、記憶の長期定着をもたらしているのである。

例えば、リックはスーザンとの初めてのキスをいつまでも忘れないだろう。なぜなら、彼が特別な相手を見つけたため、彼がそのことを「悟り」、「記憶する」ようにニューロンが必死に神経化学物質を分泌していたからだ。

脳には、サリエント（突出している）かどうかの判断を手助けする役割を果たす領域がいくつかあり、それは前島皮質と背側前帯状皮質に存在する。[09] これが「サリエンシー・ネットワーク」とみなされてきたものである。本書では、大きなサリエンシーを得る主要な手段としてアートと美的経験を取り上げる。

つまり**アートや美は、文字通り脳の回路をつなぎ直すことができるのだ。**新しいシナプス結合の形成を促すための、秘伝のソースのようなものである。

脳はエネルギーの浪費を嫌う

神経可塑性はより強固なシナプスを構築する作用がある一方で、シナプスを弱め、さらには取り除くこともできる。**シナプス結合が除去される現象は「刈り込み」と呼ばれる。**

では、脳はなぜ結合を刈り込もうとするのだろう。理由は庭師が木や茂みの枝を剪定《せんてい》するのと同じだ。より強く、健康的な形状に成長するよう促すためである。加えて、脳はエネルギーの浪費を嫌う。ある行動を起こすために使用する細胞、すなわちシナプスが少ない方が、エネルギー効率が高まるのである。

理想的な状況では、脳が結合を強化しつつ、刈り込みを行なう。重要でない結合は取り除かれる。脳が新しい道を発見し、古い道が不要になったと考えてみればよい。

例えば、車で帰宅するのにかなり時間がかかっていたが、近道を見つけてからいつもより早く、効率的に帰宅できるようになったとしよう。もうかつての道は忘れてもかまわない。

脳がサリエントな経験に関係ないシナプスを刈り込むのも、それと同じである。不要なシナプス結合は刺激の欠乏により衰《おとろ》え、永遠に断ち切られる。

環境が変化すると、脳内の神経回路もまた変化する。これが神経可塑性の基本だ。脳はあなたがどんな環境に置かれても順応すべく後押しをするように設計されている。

あなたが置かれた環境において、あなたにとって重要な刺激がサリエントになり、それが脳内のシナプス結合を変化させる。神経美学を支える2つ目の主要概念となる「豊かな環境」は、サリエントな刺激に満ちている。

神経美学の主要概念❷ 豊かな環境

1960年初頭、神経科学者マリアン・ダイアモンドは、脳の敏捷《びんしょう》性について論争の的になっていた理論を証明するため、ある実験を行なった。当時の大多数の科学者たちは、脳は変化せず、年齢とともに衰えると考えていた。
ダイアモンドの見方はちがった。まだ証明されていなかった神経可塑性を信じていた。**脳は時間とともに変化するという仮説を立て、変化を促す主要な刺激は生活環境であると予想した。**

仮説を証明するため、彼女はラットのグループを3種類の異なるケージに入れた。どのケージも餌と飲み水、明るさなどの基本条件は変わらない。

ただし、1つ目のグループには「豊かな環境」を用意した——おもちゃや布地のほか、興味を引きつけ、遊べるものをケージに入れた。ダイアモンドはそれらを定期的に交換し、目新しさや驚きを与えるようにした。2つ目のグループには回し車のついたよくあるケージを用意したが、回し車の入れ替えは行なわなかった。3つ目のグループは、興味を引く物や刺激がまったくない「貧しい」空間に入れられた。

数週間後、ダイアモンドはラットの脳を解剖し、脳の外層である大脳皮質の厚さを調べた。**豊かな環境のグループは貧しい環境のグループに比べ、大脳皮質の厚さが6%増していた。**一方で、貧しい環境のグループの脳は萎縮していた。「このとき初めて、環境的経験に応じて動物の脳に構造的変化が生じることが確認された」とダイアモンドはのちに記している。[10]

ダイアモンドは神経可塑性をいち早く観測した研究者の1人となった。それだけでなく、この実験は、環境が良くも悪くも脳にきわめて大きな影響を与える可能性があることを証明した。彼女は実験を繰り返して発見を裏づけ、１９６４年に「豊かな環境が大脳皮質の組織構造に与える影響について」と題する論文を発表した。

彼女の発見は、主に男性研究者たちから怒りに満ちた非難を浴びた。ある神経科学者からは、ものすごい剣幕で「お嬢さん、脳っていうのは変化しないんだよ！」と言われたこともあった。[11]

それでもダイアモンドは、２０１７年に90歳で亡くなるまで神経可塑性の研究を粘り強く続けた。今日《こんにち》では、現代神経科学の創始者の１人とみなされている。

そして彼女の先見の明のある洞察力と不屈の精神のおかげで、脳が生涯にわたって環境的な刺激に反応し、物理的に回路を書き換え、新たな経路を生成することが明らかになった。

研究者たちは以来、環境が私たちにもたらす蓄積効果について研究してきた。**人が構築した環境、つまり手つかずの自然ではなく、人によってデザインされた環境の状態は、時とともに個人にもコミュニティにも大きな影響をもたらす**。これは学習、健康、人間関係の向上といった計測データから明らかになっている。

豊かな環境ではポジティブな成果が見込まれ、貧しい環境では健康や幸福がゆっくりと蝕《むしば》まれていくというダイアモンドの発見は、神経科学と生物学の面からも裏づけられ、さらに探求されている。

ポジティブな成果は「環境」から

究極に豊かな環境は自然である。自然はもっとも美しい場所であり、それは私たちが生まれた場所であるからにほかならない。本書では、自然は神経美学の研究対象である美的経験として繰り返し登場する。

また自然界を模倣する色や形、匂い、模様、触感、視覚を用いて感覚を活性化する手段についても説明する。建築、インテリア、さまざまな物のデザインにおいても、自然界の要素を取り入れたものが増えている。

だからこそ、人が育つ環境、暮らし、働き、遊ぶ場所はとても重要である。あなたを取り巻く美と、それがもたらす生理学的感覚は、あなたの経験の中心的要素であり、ここから私たちの3つ目の概念である「美の3要素」が導かれる。

神経美学の主要概念❸ 美の3要素

美的経験をしているとき、あなたの脳と体のなかでは何が起きているのだろう？

これはアンジャン・チャタジーが長年抱いてきた疑問だ。彼はペンシルベニア大学で神経学、心理学、建築学を研究する教授であり、神経科学と美しさを研究する機関としては世界の先駆けとなるペンシルベニア大学神経美学センターを開設した人物である。

2014年頃、アンジャンと同僚は「美の3要素」として知られる理論モデルを構築した。つまり、**感覚運動系、報酬系、認知的知識および意味づけという3つの要素が結びつき、美的瞬間を形成するようすを説明するモデル**である。

このモデルは互いに重なり合う3つの円から成るベン図で表現され、個々人の美意識の形成過程のダイナミックな性質を示している。

この章の冒頭では、**体と脳が感覚運動系を介して情報を取り入れる仕組みを説明したが、これが美の3要素の1つ目の円**である。

2つ目の円は脳の報酬系だ。これは幸福感や喜びを味わったときに活性化する一連の神経構造、または回路である。報酬系が働くと、その引き金となった行動を繰り返す可能性が高まる。

通常、報酬系を活性化させる行動は、生存のために必要な、食べる、飲む、眠るといった行動か、生殖行動のような種の存続に欠かせない行動だ。

報酬系は、愛や、例えば素晴らしい食事に伴う喜びとも関わっている。

アンジャンはこう説明する。「私たちは好みについて話すとき、報酬系全体を活性化させていますが、これは食事やセックスといった基本的な欲求にも用いられています。私たちがアートから得る喜び、つまりそのアートを美しいと感じたときの喜びも、まったく同じ基本的な反応をもたらすのです」。

3つ目の円となる「意味づけ」では、美的経験は文脈と密接に関係する。文化、経歴、生きている時代や場所といったことのすべてが、物事をどのように受け止め、反応するかを特徴づける。

これら3つの円が交わる中心に、あなたが美しいと認識する経験がある。その経験は、あなたと、あなたの生物学的特質と環境に特有の要素が混ざり合ったものから成り立っているが、同時にあらゆる人々が美しいと思わずにはいられない普遍的な要素も含んでいる。

アート鑑賞後に「意味づけ」は変化する

美しさと美的経験は混同されることが多いので、美しさをどのように定義すべきかアンジャンに問いかけた。これは、「愛」を定義するような難題だが、彼は果敢に挑んでくれた。彼はまず、美しさと美しさに対する私たちの認識を、人、場所、物という重なり合う3つの領域に切り分けた。

人と場所については、ある特定の要素が共通して好まれる傾向にある。例えば、美しい顔は世界中でほとんど同じように認識されることが知られている。私たちはさまざまな顔を見せられたとき、美しさの要因として対称性や優しそうな雰囲気といった共通の特徴に着目するのだ。

風景についても同じことが言える。例えば、海に沈む夕日など、特定の要素が普遍的に好まれる。アンジャンらの研究によると、私たちは顔や場所を美しいと判断したとき、腹内側前頭前野が活発になることが明らかになっている。

顔と風景については、人は何千年もの間、その両方に接しながら進化してきたため、脳内の反応には比較的一貫性があるとアンジャンは言う。

ところが物に対しては、脳は多様な反応を示す。「アートでも建築でも、人が創造した物はその形になってからほんの数千年しか経っていない」と彼は説く。「しかし、脳は更新世〔約258万年前から1万年前までの期間で、原人が出現したとされる時期〕というとてつもなく長い時間をかけて進化してきた」。

アートに関して言うなら、知覚にそれほどの一貫性はない。アンジャンはこう言う。「あなたはジャクソン・ポロックが好きで、私はエドワード・ホッパーが好きだとして、私たちはどちらも美しさを経験しているが、その経験をもたらすものはまるで異なることがあるのです」。つまり、美しさはいかなるときも、見る者の目のなかにのみ存在している。

一例として色について考えてみよう。アンジャンの家族の故郷インドでは、伝統的な喪服の色はアメリカなどで見られる黒ではなく、白である。「インドのサリーは色彩豊かだ。したがって、白とは色をなくした状態にほかならない。それが喪に服すということなのです」と彼は説明する。

文化による好みの傾向は、彼の3要素の3つ目の円である意味づけによって説明できる。**私たちがどこで生まれ、どのように育ち、それぞれどのような経験をしてきたのかといったことが重なり、何を美しいと感じるかが決まる。**

「意味づけは自分自身がすでに持ち合わせているもの、例えば生い立ちなどだけで決まるわけではありません。アート鑑賞という経験の深みによってもちがってきます。その経験後の世界において、自分の解釈や理解にどのような変化が起きたかによって変わってくるのです」と彼は言う。

酸いも、甘いも、アートを味わう

アートと美が関わるのは美しいものだけではない。それらは人間のありとあらゆる経験に感情的に結びつくことを可能にする。

「アートは心地良い経験をもたらしますが、けっしてそれだけではありません」とアンジャンは言う。「アートの領域では、何か困難なことがあり、しかもそれが不快なものだとしても、自らが積極的に向き合えばその不快さは何らかの変化、変革を起こす可能性があります。それもまた力強い美的経験となり得るのです」。

アートはこのように、本来ならば難解で不快な考えや概念に向き合うための媒体となる。ピカソは１９３７年に傑作《ゲルニカ》を描いたとき、スペイン内戦がもたらした悲惨で残酷な戦争の本質を捉え、普遍的な苦しみについて考える手段を世界に示した。

劇作家のロレイン・ハンズベリーは戯曲『ア・レーズン・イン・ザ・サン（陽なたの干しぶどう）』を執筆し、感動的な家族の暮らしぶりを描きつつ、人種差別に立ち向かう人々とアメリカンドリームの追求を軸に力強い物語を提示した。

本書では繰り返し述べることになるが、**アートには神経化学物質、ホルモン、エンドルフィンの分泌を促し、感情を解放させる作用がある。**

アート体験として、例えばバーチャルリアリティ（ＶＲ）を体験したり、詩や小説を読んだり、映画や音楽を鑑賞したり、踊ったりすると、あなたには生物学的な変化が生じる。神経化学的なやり取りが発生し、アリストテレスがカタルシスと呼んだ感情の解放に至ることもあり、解放されたあとには自分自身や他者とのつながりが深まったように感じられる。

本書では折に触れ、個別のアート形式が特定のホルモンや神経化学物質の分泌を促し、それが生理機能と行動に影響をもたらすことを示す研究についても詳しく紹介していく。

アンジャンいわく、アートは同時に生じる感情の結びつきによって初めて現れる特性を引き出す。アートと美的経験は、同時にいくつもの感情的要素をもたらすのだ。「上質なオレンジでも、ただ甘いだけなら味気なく感じるでしょう」とアンジャンは喩える。

「本当に美味《おい》しいと感じるにはわずかな酸味が必要であり、アートはそれをもっと複雑な方法で実践しているのです」。異なる感情を掻き立てるアートはサリエントになり、結果的に神経回路を組み替えるのである。

自分が好きなものとそうでないものを自覚し、アートとの出合いでどのような影響を受け、何を知り、どう変化するのかについて理解を深めれば、自分自身の知覚の好みを人生の多くの場面で生かす機会が生まれる。

アートをこのように個人に適した方法で用いると強力な効果が得られるが、これには4番目にして最後の主要概念である「デフォルトモード・ネットワーク」が関わっている。

神経美学の主要概念❹ デフォルトモード・ネットワーク

アートや美に対する反応は、雪の結晶のように人それぞれだ。モーツァルトのソナタやポルトガルの民謡「ファド」に夢中になる人もいれば、大昔のイランの書道家タブリーズィーによるペルシア書道や、ヘナのインクの匂いで気分が高揚する人もいる。

あるいは映画に引き込まれたり、詩を朗読したりすると調子がよくなる人もいる。人によっては雑音でも、別の人にはシンフォニーに聞こえることもある。そしてあなたの知覚は、あくまでもあなたにとっての現実にほかならない。

アートと美に関する経験がそのように特異なものであるのは、脳の接続パターンが人それぞれだからだ。脳内では経験によって無数の新しいシナプスが形成され、そのルートが記憶された知識と反応を蓄える保管所を構築し、それは指紋のように唯一無二のものだ。この地球上にあなたとまったく同じ脳を持つ人は1人も存在しない。

現在では、自己意識を支える神経基盤はデフォルトモード・ネットワーク（Default Mode Network, ＤＭＮ）に存在すると考えられている。

神経生物学者たちは脳のマッピングによって、どうやら脳のいくつかの領域が特定の種類の活動を支えながら相互に協力して機能していることに気づき始めている。さまざまな種類の神経回路がどのような働きをし、何のために存在するのか、解明が進められている。

神経回路については道路に喩えたが、これらのネットワークは高速道路のようなもので、特定の目的地に到着できるように、脳のさまざまな領域に縦横に張り巡らされている。

ＤＭＮはこうしたネットワークの1つである。前頭葉と頭頂葉の両方に存在し、脳の血流の変化を可視化する機能的磁気共鳴画像法（ｆＭＲＩ）によってその活動を観察できる。

脳の異なる領域が接続されたこのネットワークは、あなたが外界ではなく、自己の内面に意識を集中したときに活性化する。刺激のない、ありのままの自分でいるときだ。自分自身に関する出来事や知識の集積である記憶は、このネットワークで保管される。

またDMNは、マインドワンダリングや夢や白昼夢といった活動の拠点としても知られている。記憶の取捨選択を促すのも、将来を思い描くことを手助けするのもDMNである。あれこれ考えるきっかけにもなれば、明確なゴールのない事柄について思考をめぐらせる場所にもなる。さらには、アートを創造するときに、自分自身をどう表現するかを決めるのもこのネットワークが関係している。

DMNはあなたが美しいと思うもの、記憶すべきだと思うもの、意味があると思うものを、それ以外のものと区別するフィルターであり、アートと美を私たち1人ひとりにとって、きわめて個人的な体験にする役割を担っている。

私たちが美的思考傾向指数を開発するのを助けてくれたエド・ヴェッセルは、長年にわたってDMNを研究している。エドは、人によって心に響く事柄が違うことに興味を抱いていた。「『わぁ、素晴らしい！』と思う絵もあれば、そう思えない絵があるのはなぜだろう？」と彼は私たちに問いかけた。

彼が悟ったのは、**アートと美は私たちが意味づけを行ない、好みを確立し、判断することを後押しする**ということだ。脳は点と点とを結びつけ、パターンを見つけて理解し、その結果として神経回路を構築する点で、意味づけを行なう機械である。

「アート作品を鑑賞するときや、美的に心地良いものを見つけたとき、世界がそれまでとはまったくちがって見えるひらめきの瞬間が訪れるのは注目に値する」とエドは説く。「アートの創作者の立場からは、アートの技法によってかつてできなかった表現を可能にし、問題を新たな視点から捉えることが可能になる」。あなたのDMNでは、このような意味づけが行なわれているのである。

つまり、DMNはアート作品や音楽、特定の自然の風景があなたにとって重要な意味を成すとき、あなたに一連の行為を促す神経の容器である。

2019年春、私たち2人はこうした神経美学の研究を融合させ、知覚が身体に与える影響や豊かな環境がもたらす作用、人々がそれぞれ独自の方法で周囲の世界を取り入れるようすをリアルタイムで明らかにする機会を得た。私たちは初めて、神経美学の科学と理論を世界の人々に示すことができたのだ。

グーグルのデザインチームが企画した「感情を形にした部屋」

コロナ禍《か》以前、毎年春になると、イタリアのミラノで「ミラノサローネ」という国際的なデザイン見本市が開催され、170カ国から約40万人が集《つど》っていた。

2019年にグーグルの「ハードウェアデザイングループ」は、神経美学の概念を来場者が体験できる展示を企画した。アイビーと彼女が率いるグループは、色や素材、形、音に秘められた力があることを以前から認識しており、今回のイベントでそれを具体的に提示したいと考えた。チームはグーグルの研究開発チーム「アドヴァンスドテクノロジー&プロジェクツ」と協力し、このプロジェクトに必要なソフトウェアを開発した。

アイビーはスーザンを招き、展示の土台となる神経美学の原則の策定を依頼した。また、ニューヨークに拠点を置く建築家スーチ・レディと、家具をデザインするムート社と提携し、「スペース・フォー・ビーイング」をつくりあげた。

これは来場者が足を踏み入れて実際に体験する「没入型インスタレーション」として、異なる知覚的環境に対する身体反応を明らかにした。

実際のようすは**カラーページB**をご覧いただきたい。これはかつてない取り組みだった。空間と生理学的な反応の相互作用の調査のために特別に構築された環境において、これほど大規模なバイオマーカー（基本的な生物学的活動を反映する身体測定値）の分析を試みたのは初めてのことだった。

スーチと私たちは、神経美学の原則に基づいて3つの部屋をデザインした。それぞれ「エッセンシャル」ルーム、「バイタル」ルーム、「トランスフォーメーショナル」ルームと名づけ、家具、アート作品、色彩、質感、照明、音響、香りといったデザイン要素を取り入れ、異なる感覚的な特徴をもたせた。

スーチはよく「形は感情を模倣する」と言うが、これはまさに私たちがスペース・フォー・ビーイングで創造したかった世界だ。

「オシャレ」と思った部屋が、本当に心地いいとは限らない

来場者にはリストバンドが渡された。グーグルのハードウェアグループが心拍数、呼吸、体温の変化などの生理反応を測定するために考案したものだ。脳をスキャンするほど正確ではないが、はるかに実用的な方法だ。そして来場者には、座ったり、触れたり、歩き回ったりして各部屋を自由に体験してもらった。

人々は早速、思いのままに各部屋を見て回った。誰かと話す必要もなく、何にも邪魔されない状況で、空間と時間を贈られたのだ。好奇心が刺激され、感覚的な驚きに溢れた、ただ「そこにいる」だけでいい空間である。来場者は最後に個人データを受け取る。リアルタイムで測定された生物学的フィードバックに基づき、もっともリラックスできた空間を可視化したデータだ。ここで大きな発見があった。大勢の人々が、**自身の生物学的反応と、もっとも落ち着くと思い込んでいた部屋が一致しない**ことに驚きを感じたのだ。

この相違の理由からは、きわめて重要な見解を導くことができる。つまり、私たちが意識的に考えることと、生物学的な感覚は必ずしも一致しないということだ。

神経科学者は脳の画像診断により、思考に伴うニューロンのエネルギーを追跡し、刺激によって（例えば、誰かにある言葉を繰り返すよう指示されるといったこと）前頭前野皮質が脳に認知的処理

と反応を促すようすをマッピングすることができる。[12]

一方で、感情は脳の奥深くに位置する辺縁系で処理されるため、つねに意識的に記録されるわけではない。ときとして私たちの運動皮質は、前頭前野が起きていることを解釈するよりも速く稼働することがあり、それゆえに私たちは自分が間抜けに見えるのではないかという感情的な恐怖から、脳の処理が追いつかないうちに話し始めてしまうのかもしれない。

ときには意識して考えたことが、生物学的事実と真っ向から対立することもある。デザインジャーナリストのラブ・メッシーナは、この展示空間を歩いたときに意識的に考えたことと、のちに明らかになった身体的データが驚くほどかけ離れていたと書いている。

メッシーナは1番目と3番目の部屋に魅了された。洗練された質の高いデザインだと感じたからだ。それに対して、色彩が鮮やかで本がある2番目の部屋からは逃げ出したくなった。**にもかかわらず、生物学的フィードバックが議論の余地もなく、もっともくつろいでいると示したのは、この2番目の部屋だった**のである。[13]

彼女はこれが、自身の奥深くに根づく人種と階級に関わる感情に基づいていると気づいた。メッシーナは南米で生まれ育ち、そこでは「植民地主義の影響がいまだに色濃く残っている」という。彼女は複数の人種的背景を持つ女性として「ある種の美しくデザインされた空間では、肌の色が濃い人々が買い物をしたり、くつろいだり、食事をしたり、あるいはただそこに存在したりするのを妨げる目に見えない境界線」があると感じていたと書いている。

優雅にまとめられた空間は「白人のエリートにふさわしい」という考えから、そのような場所ではくつろげなかった。しかしながら、デザインジャーナリストになった彼女はそのような感情を脇にやり、意識的に自信をもって洗練されたデザインの世界へと足を踏み入れた。それでも、体が実際にリラックスできたのは、デザイン性がもっとも低いと判断した部屋だった。「私は自分の帰属意識について自分自身に嘘をつくことはできたが、データは正直だった」と彼女は書いている。

自分の美意識を疑ってみよう

スペース・フォー・ビーイングは体験した人々に、私たちには自分が関わるものや周囲の環境に対して主体的な力があり、それが心身の健康に貢献することを気づかせた。著者にとっては、豊かな環境が生理学的にどれだけ大きな影響をもたらし、過去の体験が現在の現実をどれだけ大きく左右するかということを改めて認識する機会となった。

スペース・フォー・ビーイングで学んだことはあなたの生活にも応用できる。それにはまず自分自身に注意を向けることだ。

日々を過ごすなかで、風景の変化が体の感覚にどのようなかすかな影響を与えるか注目してみよう。ある部屋に入ると元気が出るのに、別の部屋ではだるく感じるかもしれない。

あるいは、もう一度訪れたいと思う通りや、建物、景観がある一方で、行きたくないと思う場所があるかもしれない。自分を取り巻く世界に美的マインドセットを取り入れ、それがどんな影響をもたらすか興味をもってみよう。

まずは特定の要素に絞り込んでもかまわない。匂い。色。部屋の形。ある特定の場所で何かを感じたら、自問自答してみよう――周囲に対する自分の美意識は、ラブ・メッシーナの例のように、先入観や偏見、長年の考え方にとらわれていないか？

自分の美意識が感情をどのように左右するかに注目することで、自分自身についてどんなことが分かってくるのか想像してみよう。

次章からは、アートや美が精神の健康を支えるためにどのように用いられているのかを紹介していく。**健康と学習の質を高め、コミュニティを発展させ、繁栄する能力を高める具体例を示す**。本章で述べた基本概念についてはこれからも繰り返し言及する。そんなときは、さらに良く理解するためにいつでも本章に戻り、それぞれの項目を参照してほしい。

私たちはかなりの努力を重ね、アートと美によって脳がどのように機能し、変化するのかという問題について生物学的な基礎を築いてきた。まだ解明できていないことの方が多いが、次章からは画期的な研究成果をたっぷりと紹介する。

しかし、何よりも知っていただきたいのは、アートをめぐるこの新たな科学が、あなたの生き方を根本的に変える力を秘めているということである。

Chapter

2

部屋の照明、周囲の音、匂いが最高の美的経験になる

——幸福感を育む

思うに、私たちは生きているという状態の経験を追い求めており、人生において純粋に物理的に経験したことは、私たちの内面のもっとも奥深くにある自己の存在や現実と共鳴し、結果として生きているという大いなる喜びを実感できるのである。

——ジョーゼフ・キャンベル（作家、教授）

私たちには弁護士として活躍している友人がいるが、彼女は気分転換をしたくなったときのためにオフィスにぬり絵を数冊置いている。

また、ある大学のカウンセラーは、精神的に落ち込んだ学生を見つけると、不安を和らげ

るために陶芸のワークショップへの参加を勧めている。スーザンの場合は編み物やガーデニング、コラージュが効果的で、それで気持ちを落ち着かせ、同時に自分の感情と向き合うことができる。アイビーは音叉《おんさ》をカバンに入れて持ち歩いている。ストレスを感じたときにドとソの共鳴音を聞くと、気持ちが和らぐからだ。

人は誰でも人生に行き詰まりを感じ、不安や極度の疲労に襲われることがある。ストレスを和らげることは、食事をしたり、水を飲んだり、眠ったりするのと同じくらい大切だ。

そしてそんなとき、使い方さえ心得ていれば、アートや美はとても大きな効果を発揮する。**アートとは自分の身体状況あるいは感情の状態を変化させ、幸福感を高める活動である。**

なぜ45分間の創作でストレスが減ったのか

あなたは食事の栄養を見直したり、運動量を増やしたり、睡眠を重視したりするかもしれないが、それと同じようにアートを習慣として取り入れれば、内面の浮き沈みをコントロールするのに役立つツールを手に入れたようなものだ。

しかも、この恩恵を享受するには、アートの創作に長けている必要もなければ、得意である必要すらない。ドレクセル大学の特別研究機構副学部長でクリエイティブ・アーツセラピー学部准教授のギリジャ・カイマルの研究によると、**わずか45分間アートの創作に取り組む**

だけで、大半の人々において、スキルや経験の有無とは一切関係なく、ストレスホルモンとして知られるコルチゾールの低下が見られた。アートの創作には生理的な鎮静作用があるのだ。

ギリジャはこう説明する。「この研究は、参加者が自分自身で望んだ表現をできるように、必要に応じていつでもアートセラピストが手助けできる環境で行ないました。評価や期待は一切なく、参加者には創作過程そのものに集中し、安心して取り組むように奨励し、その結果ストレスと不安が軽減したのです」。簡単な材料などを用意して、出来栄えを気にせずに取り組めば、誰でも自宅で同じことができると、彼女は強調する。

アートは個人の心の健康の問題だけでなく、時代の集団的感情に対しても、さまざまな効果をもたらす。**自己効力感や対処能力、感情をコントロールする力を高め、心理状態を改善してくれる**のだ。また、ストレスホルモンの分泌を低下させ、免疫機能と心臓血管反応を高め、生理機能を向上させる。しかも、これらはほんの序の口だ。

過去20年間で何千件もの研究が行なわれ、アートの創作者にとっても、鑑賞者にとっても、さまざまなアートの実践が私たちの心理状態を向上させる理由を明らかにしてきた。一例として、デイジー・ファンコートによる研究を見てみよう。

彼女はユニバーシティ・カレッジ・ロンドンで精神生物学と疫学を専門とするイギリス人研究者で、アートが健康に与える影響を研究してきた。そして2020年にイギリスにおいて、数万人が参加する画期的な調査を行なった。

2人の研究パートナーとともに、日常生活のなかの複数の変数を考慮した複雑な統計的手法を用い、週に1回以上アート活動を行なうか、少なくとも年に1、2回は文化的な催しに参加する人は、そうでない人よりも生活の満足度が有意に高いことを突き止めたのだ。これは社会経済的レベルが異なっていても変わらなかった。アートに関わる人々は精神的苦痛が少なく、精神機能が優れ、生活の質が高いことが分かったのである。なぜか？

私たちの多くは、自分が感情を抱く思慮深い生き物だと思い込んでいる。しかし神経解剖学者のジル・テイラーが指摘するように、実際には、思考力のある感情的な生き物という方がふさわしい。**私たちはつねに、内外の刺激に対する複雑な神経化学反応であるさまざまな感情で溢れている。**そのなかでも誰もが望む感情がある。

私たちはみな、つながりや落ち着き、安らぎを感じたいと思っている。幸せと安心を求めている。前向きで心が広く、どんなことが起きても精神的に対処できるよう努力している。

世界保健機関（WHO）はメンタルヘルスを適切に定義した。「個人が自分自身の能力を発揮し、日常のストレスに対応でき、生産的かつ効果的に働き、コミュニティに貢献できるウェルビーイング（身体的・精神的・社会的に良好な状態）な状態」。

しかし、メンタルヘルスの質を向上させたり、維持したりするのはそう簡単ではない。世界で10億人近くがメンタルヘルスの問題を抱えている。その最たるものが「うつ病」だ。不安、孤独、過度なストレスも増加しており、体の健康にも悪影響を及ぼす可能性がある。思春期や青年期の世代にも、精神的苦痛は蔓延している。

このようなデータが収集されるようになってから初めて、精神疾患が身体的疾患よりも速いペースで増加しつつある。不登校や休職の増加や離婚率の上昇など、その影響は明らかに広がっている。また、世の中全体に憂慮すべき絶望感が漂い、希望がますます失われている。薬物やアルコールの過剰摂取、アルコール性肝臓疾患、自殺など、「絶望の病」も増加している。

精神状態が原因でひどく落ち込むことは誰にでもある。そんなときは何をしてもうまくいかない。まるで霧のなかにいるようだ。疲れ切っている。気が短くなり、冷静さを失うこともあるかもしれない。胸の内を語りたくないという思いから、気がつけば人と距離を置いていることもある。友情にひびが入るなど、動揺する出来事によってストレスや不安な気持ちが生じた瞬間がはっきりと分かることもある。

一方で、自分でもなぜ急に機嫌が悪くなったのか分からないこともある。まるで体と精神が乗っ取られたような感覚だ。体重が増減する。打ちのめされた気分になる。ときにはそうした感情に閉じ込められ、どうしても抜け出せそうにないこともある。

詩人ウォルト・ホイットマンは「だってぼくは大きくて、中身がどっさり詰まっているんだ」（『草の葉・上』ホイットマン作、酒本雅之訳、岩波文庫）と書いているが、なかなか的を射ている。

人は進化の過程で体内にさまざまな感情的反応を抱くようになり、私たちの生存に役立っている。**人類が有する感情の正確な数については諸説ある。一部の心理学者たちは、明確な感情だけでも3万4000種類にのぼる可能性があると考えている。**

興味深いのは、私たちのなかを通り過ぎていく無数の感情が、生理的欲求によって変わることだ。アメリカの心理学者ロバート・プルチックによると、感情には基本感情として、喜び、悲しみ、信頼、嫌悪、恐れ、怒り、驚き、期待（予期）の8種類があり、そこから何千ものさまざまな程度が派生する。例えば怒りは、ほんのかすかな苛立ちから激しい怒りまでの幅があり、その間に微妙に異なる数多くの感情が存在する。

私たちはよく、医療従事者や教師、同僚、社会全体などから、複雑な自我は無視するようにと教えられる。感情は回避し、抑え、コントロールすべきものとされる。これはまるで、胃に向かって食べ物を消化するなと言うようなものだ。

あなたの内部で感情が生じるのは、心臓が鼓動し、肺が呼気から酸素を取り入れるのと同じくらい確かなことだ。自分のなかに次々と湧きあがる人間らしい感情を押しとどめることはできない。生理学的に不可能だ。そして感情を押しとどめようとしてはいけない。

そもそも、感情そのものに問題があるわけではない。感情は何千年もの間、私たちが生き延びるのを手助けするために進化してきた生物学的伝達手段だ。問題が生じるのは、感情に「はまり込んだ」ときである。そこで目指すべきは、感情が通り過ぎるよう促すことだ。

健全な精神状態とは、たとえ困難な感情を抱いても、人生の日々の浮き沈みをうまく受け流す内面的能力と才覚を備えていることにほかならない。

気分や感情を理解したいという欲求は数多くの理論や論争を生んだが、心理学の理解は定まらない。感情に伴う行動をめぐる認識に相違があるのは、人や動物の感情の土台となる神経基盤の研究が困難なためだ。近年では、脳を可視化する技術の急速な進歩がそうした研究を後押ししている。

スーパーで「懐メロ」が流れたときに起きる感情の変化

アートが感情のウェルネスにとってきわめて有効なツールであることを理解するため、まずは感情と気分のちがいを区別することが役に立つ。

ともに南カリフォルニア大学神経科学の教授であるアントニオとハナ・ダマジオ夫妻は、長年にわたり感情と気分に関する神経生物学の研究に取り組んできた。そしてマリアン・ダイアモンドと同じく、環境的な刺激に対して体内で反射的に生物学的変化が起きるようすを明らかにしてきた。

感情とは環境的刺激、内的欲求、衝動に対する反応の最初の表れであり、気分は体が経験していることに対する認識である。

多くの場合、まずは感情とそれに伴う動きが脳と体で生じ、次にこうした感情の状態が主観的に認識され、それが気分を表すが、必ずしも気分が認識されるわけではない。

多くの研究者たちが何十年もかけて学んだのは、神経生物学的な立場から見て、私たちが外界と関わっているとき、体と脳の複数のシステムがともに働いており、私たちは直観的にも、無意識にも、意識的にも、そのようにしてもたらされるデータの解釈を絶えず行なっているということだ。感情は私たちが気分を認識する前に生じ、これらの感情の状態は意識的に自覚されていないことも多い。

気分とそれを生じさせるメカニズムは人と動物に共通したものだが、人の大脳皮質ははるかに複雑であり、自己の内面的世界と対人関係を伴う世界に関係する高度な抽象性を支えている。そのため、外的刺激と内的刺激への身体的反応に対する意識的な知覚（気分）は、より細分化され、繊細なのである。

スーパーで夕飯の買い物をしているところを思い浮かべてみよう。店内に子どもの頃に流行っていた曲が流れる。あなたは青果売り場で品物を選んでいるが、体内では別のことが起きている。脳はただちに活性化し、別の部位への血液の流れが増加する。報酬系が反応し、ドーパミンをはじめとする快楽の神経伝達物質が分泌される[01]。

あなたは柑橘類が並ぶコーナーで、ふと気づけば中学時代の親友のことを考え、2人でその歌を大きな声で歌っていたのを思い出す。口元にほほ笑みが浮かぶ。あたたかく、ポジティブな気持ちで満たされたからだ。あなたが感じているのは喜びに関わる複雑な感情、つまり懐かしさである。ありふれた曲があなたの心の状態を一変させたのだ。

私たちは、知覚に影響を与え、精神状態を変化させる経験でつねに満たされている。五感は絶えず影響し合い、世界に対する独自の印象や気分をつくりだしている。そしてアートとは、その性質上、複雑なシステムに強く働きかける感覚的入力信号であると捉えられ、したがってアートは相互に絡み合った神経回路に独自の方法で働きかけ、私たちが感情を処理し、気分に名前をつけて表現し、さらには無意識の領域にまで働きかけることを可能にする。

私たちは生きるうえで感情的な紆余曲折《うよきょくせつ》に必ず直面するため、これはきわめて貴重なことだ。**アートを利用すれば、喜びや満足感といったポジティブな感情を増幅させ、全般的な幸福感を導く力になる。**また、アートにはストレスを和らげる効果もあり、これは私たちが日々出合う内外の刺激に対する知覚を変えることもめずらしくない。

振動に注目する——天然のストレス緩和剤

１９９０年代末、アイビーはアメリカの玩具会社マテル社の上級副社長として、女児向け製品のデザインと開発の責任者を務めていた。

彼女はある日、研究者と同僚から成るチームとともに、５歳の女の子たちが人形で遊ぶようすを観察していた。チームは玩具の新たな遊び方の開発に何カ月も費やし、いよいよその成果が明らかになろうとしていた。ところが、控えめに言っても反応は今ひとつだった。

それどころか、子どもたちはだんだんと人形への興味を失っていくようだった。アイビーは同僚の1人がそわそわし始めたことに気づいた。同僚は明らかに落ち着きを失い、ストレスがどんどん募っているようだった。

アイビーはリュックから2本の音叉とアイスホッケーのパックを取り出した。今でこそ、玩具会社で働いていればこのようなものを持ち歩くのはそれほど不自然とは思わないかもしれないが、同僚は驚いたようすで、アイビーが音叉を厚いゴム製のパックに打ちつけ、深く豊かに響く音を鳴らすのを見守った。

アイビーは振動する音叉を同僚の両耳にそれぞれ近づけた。30秒もしないうちに、彼女は長い安堵のため息を漏らした。「すごい。ありがとう」と彼女は言った。「なんだか分からないけど、すごく気分が良くなった。いったい何をしたの？」。

アイビーは音響療法（サウンドセラピー）という手法を用い、同僚のストレスを軽減したのである。

ストレスとは気分や感情ではなく、感情に対する生理的な反応だ。ストレスの原因には物理的なものと心理的なものがある。「トラがいる！」というように実在のものもあれば、「あの影がトラに見える！」というように想像上のものもある。ストレスは私たちが本当に危険な場面を生き延びられるように発達した、有効な生物物理学的戦略だが、ともすると裏目に出ることもある。

アイビーの同僚はおもちゃが失敗作かもしれないと考え、それに対して感情的に強く反応していた。

この場合、彼女にとってはきわめて現実的に思えたかもしれないが、想像上のシナリオがストレスの引き金になった。今回の実験がうまくいくかどうかはまだ分からなかったが、彼女は失敗に終わるのを恐れていた。それがストレスを引き起こし、体が反応したのだ。

ストレスの第1段階は「警告」である。彼女の体は、危険な事態を察知して恐怖の感情を表した。神経生物学的に言えば、脳の視床下部と下垂体、副腎を経由して自律神経系が活性化し、戦うか、逃げるかの闘争・逃走反応を引き起こした。

コルチゾールやアドレナリン等のホルモンの分泌量が急増し、心拍数と血圧が上昇した。逃走などの行動に備え、血糖値も急上昇していただろう。しかし、彼女は逃げずに部屋に留まり、不快感は高まる一方だった。この一連の出来事は一瞬のうちに起きており、本人は自分が反応していることとすら自覚する間もない。

仮にこのストレス反応がすぐに取り除かれず、彼女がこの経験を自宅へと持ち帰って週末を過ごした場合、第2段階の「適応」へと移行する。この段階では、体は長期戦に備えようとストレスホルモンを分泌し続け、それが不眠や筋肉痛、消化不良、さらにはアレルギーや軽い風邪まで引き起こすことがある。集中力を保つのが難しくなり、焦りや苛立ちを感じるようになるかもしれない。

第3段階となる「回復」に速やかに移行するには、体がストレス要因を克服し、恒常性を取り戻す必要がある。

人間の体はひじょうに賢く、現実と想像による要因がきっかけとなるストレス反応に対処するため、3つの段階を素早く、効率的に通過することができる。ストレスは日々のプレッシャーに対する自然な反応であり、正常なものだ。しかしストレスが高まり、それが長期間持続すると健康に悪影響をもたらす。

体はストレスにとらわれると自らの資源が奪われるため、あなたは疲労と消耗を感じ、場合によっては気分が落ち込む。また、喫煙、飲酒、過食など、不健康な気晴らしに走ることにもなりかねない。

いずれもニコチンやアルコール、チョコレートなどを食べることで分泌されるエンドルフィンや神経ホルモンのドーパミン、セロトニンといった心地良さを感じる脳内化学物質によって脳内の化学反応を変え、気分を良くしようとする無益な試みだ。ほとんどの場合、ほんのわずかな間はリラックスできるが、それにも増して健康への悪影響が大きい。

ストレス反応にとらわれ、なかなか抜け出せなくなっている人々は増加する一方だ。ストレスに関するアメリカの最新の報告書のなかで、アメリカ心理学会はあらゆる年代において

「メンタルヘルスの重大な危機」が認められると警鐘を鳴らしている。[02]

もっとも憂慮すべきは若年層の状況だ。報告書によると、Z世代のティーンエージャー（13～17歳）およびZ世代の成人（18～23歳）は、人生においてきわめて大きな不確実性に直面している。具体的には、不安定な地政学や経済状況、気候変動に関する脅威、世界的パンデミックから、社会構造に起因する暴力、性自認、人種差別に至るまで多岐にわたり、つねに不安を抱えていることによってストレスが高まる。長期的なストレスや不安による症状の報告はすでに枚挙にいとまがない。

極端なストレスは燃え尽き症候群を招くこともある。これは心理性の症候群で、慢性的ストレスに長期間反応することで引き起こされ、疲労を感じ、物事に無関心になり、懐疑的になる。仕事が関係していることが多いが、子育てや介護、さらには社会奉仕活動など、生活のさまざまな場面において見られる。病気や高齢の家族を世話する人々を含め、医療に関わる大勢の人々にとくに顕著だ。

全米退職者協会と全米介護者連合による2020年の報告書によると、家族を世話する介護者の心身の健康状態はわずか5年前と比べてはるかに悪化している。[03] しかもこれはコロナウイルスによるパンデミックの影響が理解される前のことだった。世界保健機関によると、「要介護者」にあたると考えられる人々の数は3億4900万人にものぼる。[04]

「ドとソ」の音が、冷静さを取り戻して心を落ち着かせる

ストレスを軽減し、緩和する効果のある美的経験のなかでも、音がとくに有効だと聞くと、意外に思うかもしれない。しかし、音が体のなかでどのように作用するかを知れば、納得できるはずだ。

音というのは、物、空気中の分子、鼓膜の3つの要素から成り立っている。何らかの物によって音が発生すると、空気の分子が振動し、音波を発生させる。私たちが聞いているのはこの音波である。

1秒あたりの振動数は周波数といい、人は20から2万ヘルツの間の周波数を感知できる。例えば、誰かに向かって手を振ったときの空気の振動音は、周波数が低すぎるため聞こえない。

あなたが耳にする音は鼓膜が振動し、その振動が内耳のなかのリンパ液を振動させることで聞こえる。耳栓をしたり、耳を覆ったりすると音を聞く能力が低下するのはそのためだ。振動する空気の分子が鼓膜まで到達できないのである。

内耳のなかのリンパ液が有毛細胞の感覚毛を揺らし、それが神経インパルスという信号を発生させ、脳へと伝えられる。**こうしたインパルスは強い感情や記憶を呼び起こす神経回路を通って脳へと伝達される。そして気分や行動を一瞬で変化させる。**

音の振動には体を恒常性の状態に戻し、闘争・逃走反応から抜け出させる作用がある。アイビーは音叉によって同僚の生理機能に働きかけ、ストレスの悪循環を断ち切る手助けをしたのである。そのおかげで同僚は落ち着きと柔軟さを取り戻し、課題をしっかりと受け入れることができた。つまり、玩具に手を加えるか、見直す必要があると理解できたのだった。

アイビーは、メンタルヘルスのために音響療法を取り入れた第一人者、ジョン・ボーリューからこの手法を教わった。ジョンは心理学者にしてミュージシャンでもあり、40年以上前にニューヨークのベルビュー病院精神科で重度の精神疾患のある患者たちと接したとき、音に感情の状態を改善する効果があることを初めて観察した。現在では、会話を用いた従来のトークセラピーに音を取り入れて患者の力になっている。

「私のところには怒りやストレスを取り除きたい、悲しい気持ちになりたくない、という人たちが大勢やって来る」とジョンは言う。「私が伝えるのは、人生においてあらゆる種類の感情を抱かないようにするのは不可能であり、ストレスはつねに存在するということ。誰であろうと例外はなく、変化に適応することこそが大切です」。

感情は変化するエネルギーであり、それぞれに固有の周波数がある。心理学では、その周波数を「情調」と呼ぶ。あの日、アイビーが職場で音叉を使って鳴らしたドとソは地球の主要な周波数と共鳴する音であり、心を落ち着かせる振動として知られている。

ドとソの周波数の比率（音程）は誰もが美しいと感じる響きを生むため、これらの周波数の組み合わせは世界中で用いられている。

鼻歌だけでリラックスできる

音は無意識のうちに作用し、恒常性の状態に戻るために意識的に集中して努力する必要がなく、その点でストレスの調節を助ける優れた手段である。音の周波数は意識的な認識の下にあるものに瞬時に入り込み、体内の振動をまさに変化させるのだ。

最初は理解し難いかもしれないが、こう考えてみよう。**世界とそこに存在する万物は、絶えず動いている振動である。**

発明家のニコラ・テスラは友人にこう説いたという。「宇宙の秘密を知りたいのならば、エネルギー、周波数、振動という観点から考えてみることだ」。アルベルト・アインシュタインは、これを物理学の根本的事実に要約した。$E=mc^2$。すべてはエネルギーである。

アインシュタインの方程式は普遍的事実を明らかにしている。すなわち、世界のあらゆるものはエネルギーにほかならないということだ。あなたは一瞬たりとも静止することはない。体内と周囲を移動するエネルギー、つまり振動に反応して絶えず変化している。

あなたは全身にもたらされる共鳴に細胞レベルで反応している。心臓の電気刺激を測定する心電図の記録や、脳波のエネルギーが視覚化される脳波図を思い浮かべてみよう。あなたは測定可能なエネルギーなのである。

ジョンは患者とのセッションで、音叉や太鼓、手づくりの弦楽器など、さまざまな音源のエネルギーを使用するが、それが音楽にはならないように注意している。「音は振動と周波数であり、音楽も同様だが、音楽は構造化され、創作されたものであり、ジャンルによって分類される」と彼は説明する。「また、音楽には思い出も色濃く反映される」(スーパーで懐かしさを感じた例のように)。

音響療法はいまや世界中で用いられている。振動音響療法(Vibroacoustic Therapy, VAT)もその一種で、心身の痛みを治療している。

VATはスピーカーが組み込まれた装置を通じて、もっともシンプルな振動である低周波の正弦波振動を体に伝える。その効果は確かなもので、アメリカ食品医薬品局も痛みの軽減や、血行の促進、可動性の向上に有効な治療であると認めている。

フィンランドで行なわれたVATに関する研究は、慢性的な痛みを抱える患者のストレスを軽減させる効果がある点に着目した。[05]

論文によると、ストレスは痛みの感じ方に影響する。身体的な不快感を継続的に抱えている人にとって、痛みに対して不安や恐怖を抱くと痛みはより強く感じられる。それればかりか、ストレス反応から抜け出せなくなり、不安やうつ状態へとつながることもある。

患者たちはＶＡＴを受けたあとではリラックスでき、気分も総じて良くなった。身体的な痛みは残っているかもしれないが、痛みに対する感情的な関わり方が変化し、感情面での回復力が増したのである。

現在、音の周波数によって、私たちの体が自然に発生させる一酸化窒素の量が増加するという科学的理論が研究されており、ストレス軽減に対する音の効果をめぐる生物学的メカニズムの解明が進んでいる。

１９９８年のノーベル医学・生理学賞は、一酸化窒素が循環器系における主要な信号伝達分子であることを発見した３人の研究者に贈られた。

この分子は細胞内で生成され、放出されると血管が拡張し、血流が増す。一酸化窒素は細胞の活力と血流を高めてくれるため、それが体をリラックスさせる効果につながるのかもしれない。[05] いくつかの小規模な研究においては、音叉などを鳴らした音や鼻歌の周波数でさえ、細胞内の一酸化窒素の放出を促すことが報告されている。

音楽と古代からの知恵を融合したメタミュージック・ヒーリング

音に関してはさらに、実体験に基づく重要な報告がなされている。人類は太古から、気分を高揚させたり、変化させたりするために音を利用していた。

オーストラリアの先住民アボリジニは、何千年もの間ヒーリングの儀式でディジュリドゥ（シロアリに食われたユーカリの木でつくった管楽器）を演奏してきた。仏教の僧侶たちは、集中力を高め、精神状態を変化させるために、何世紀にもわたりチベットのシンギングボウルを用いてきた。

シンギングボウルはさまざまな大きさの金属製の器で、木槌で叩くと鐘のような振動音が響く。科学的調査によると、さまざまな周波数で鳴り響くシンギングボウルには、不安や疲れ、ストレスを軽減し、集中力を高める効果がある。

チベットのシンギングボウルを用いた瞑想がメンタルヘルスに与える影響を調べた小規模な調査では、被験者は不安や疲れ、さらには怒りまでが和らいだと回答し、全体的なウェルビーイングが高まった状態で調査を終えた。[07]

現在ではさまざまな状況のもとで、銅鑼《どら》や打楽器、管楽器、シンギングボウル、クリスタルボウルなどの楽器を用いる音楽療法士が増えてきている。ローラ・インセラは世界でも指折りの音楽療法士だ。彼女は音楽とさまざまな文化に伝わる古代からの知恵を融合し、「メタミュージック・ヒーリング」と名づけたセラピーを施《ほどこ》している。

ローラはこう説明してくれた。「私は非言語的なものを表出させ、クライアントにそれを知らせるために音楽を用いています」。クライアントの多くは、強いストレスや不安を軽減するため彼女のもとを訪れる。

ディジュリドゥや横笛、太鼓など、はるか昔からある楽器は、言語には不可能な方法でクライアントの内的経験に到達できるとローラは考えている。深く没入できる音の旅を通じ、ローラはクライアントからさまざまな反応を引き出す。感情が浮上し、すぐに涙を流すクライアントもいれば、記憶と体にこびりついていた苦しい経験を思い出し、解放できることもある。あるいは鮮明で独創的な情景を思い浮かべる人もいる。

「**人の体はオーケストラのようなもの**」と彼女は言う。

「体のすべての細胞はそれぞれの周波数で振動し、ほかの細胞と互いに共鳴しています。すべての要素が協調して素晴らしいハーモニーを奏でることもあれば、『音程』が外れてしまうこともある。不協和音や混乱が生じることもあります。メンタルヘルスはすべてが満ち足りた状態、つまり全体的な幸福感から生まれるものであり、肉体と精神から成り立つ体から感情的な部分を切り離すことはできません」

ローラのもとには、リラックスできず、不眠に悩むクライアントがたびたびやってくる。私たちは誰もがそれぞれ独自の欲求を抱え、エネルギーに関わる経験も人それぞれだと彼女は指摘する。チベットのシンギングボウルがしばしばリラックスした状態を誘《いざな》うように、音は人々から同じような反応を引き出すことがあるが、美的経験は前章で述べたように、人によって異なる。

「どんな音がもっとも効果的なのかは、私たちの生態や個人的な歴史、心的外傷といったことによって決まります」とローラは強調する。「また、体もそうですが、人々の欲求は日々変化します。こうした内なる『エ・モーション（e-motions）』、つまり『動くエネルギー（energies in motion）』と変化を意識すればこそ、自らコンディションをうまく整えることができるのです」。

セッションの内容はクライアントのニーズに合わせて決めている。「例えば、ある人はシンギングボウルで気持ちが落ち着き、寝つきが良くなるかもしれませんが、抑え込んだ感情や停滞したエネルギーを抱えていて、それを解放する必要がある人もいます」と彼女は言う。「そのような人には、まずは太鼓を打ち鳴らし、抱えているものを振動させるようにするでしょう。そうしたものが不眠の原因になっているのは明らかだからです」

身の回りの音に耳を傾けよう

音は、私たちの感じ方において大きな役割を担っている。思い浮かべてみよう。犬の鳴き声。車のクラクション。ドアがバタンと閉まる音。赤ちゃんの笑い声。砂浜に打ち寄せる波の音。木々を通り抜ける風の音。愛する人があなたの名前を呼ぶときの声。

1日を通して、音はあなたの気分や感情に深く影響しており、そのことを知っていれば、自分を元気づけたり、喜ばせたり、落ち着かせたりするような音を意識的に取り入れることができる。

あなたも試してみよう。音のプレイリストをつくってもいいし、音叉でも、カズーでも、太鼓でも、自分が共鳴できる楽器を用意し、メンタルヘルスを高めるために自分だけの音の交響曲を創造するのもいいだろう。

誰もが持っている音の振動と周波数による力を可視化するため、本章の冒頭（50ページ）には私たち2人の「声紋DNA」を掲載した。上がアイビー、下がスーザンの画像だ。

これは音響物理学者のジョン・スチュアート・リードが開発した「サイマスコープ」という装置により撮影されたものだ。この装置は水を媒体として用い、私たちが発した声をこのような美しい画像として表現している。

灰色の部屋に入ると心拍数が上がり、不安が強くなった

不安もまた人間にとって主要な感情であり、誰もが感じるものだ。不安とは突き詰めれば恐怖の高まりの感情であり、ストレス反応を引き起こすことがある。

体のこわばりや血圧の上昇、思い悩むといった状態が現れる。不安が悪化するとさまざまな思考や懸念が頭から離れなくなり、慢性疾患につながる。症状は強迫神経症からパニック障害に至るまでじつにさまざまだが、近年顕著な増加傾向にあるのが全般性不安障害（GAD）であり、これは生活上のいくつかの領域に過度の懸念が広がる状態を指す。

不安の種類はさまざまだが、1つの共通点がある。それは人生における曖昧さや不確実さに対する恐怖である。中医学では、不安による内面の混乱を「内風」という言葉で巧みに表現する。そよ風ですんでほしいと願っても、私たちの内面ではとてつもない強風が吹き荒れることがある。

不安を和らげるのに役立つアートの実践は多岐にわたり、振動を伴う美的経験で気分を変えることができるのは音だけではない。**色もまた振動エネルギーであり、生物学的にも心理学的にも影響を及ぼす。**

私たちの目は1000万種以上の色を識別できる。色相、彩度、明度という3つの特性が色の知覚に影響する。目の見える人々の色に関する神経科学の初期の研究では、世界的に共通した色相が好まれる傾向にあることが明らかになった。[08]

私たちの色覚を司るのは後頭葉にある視覚野で、色は私たちに生物学的な影響をもたらしている。

例えば赤は、緑や青に比べ、電気皮膚反応(汗腺の反応性)を増強させることが知られている。ある研究では被験者を2つに分け、色彩が豊かな部屋と灰色に塗られた部屋で過ごしてもらった。すると灰色の部屋の被験者は心拍数が上がり、不安が強くなったと回答した。**色には呼吸や血圧、さらには体温まで変化させる力がある。**例えば青は生理機能を鎮静化し、涼しさを感じやすくさせる効果がある。

ただし色に対する反応は暮らしている場所や育った場所、その色にまつわる経験にも大きく左右される。中国では赤は幸運や富を象徴するが、アメリカでは危険を表し、注意や停止を促す。あなたが中国出身なら赤い部屋に入ると幸運だと感じるかもしれないが、アメリカでは苛立ちを感じることや、落ち着かない気分になる可能性がある。

これまでの人生で色について学習したことも私たちの予測を左右し、知覚に影響をもたらす。水道の蛇口について考えてみよう。赤は湯を表し、青は水を意味する。

2014年に行なわれた興味深い研究では、被験者に赤または青の物体の表面に手を置いてもらい、温かいと感じたら知らせるよう指示した。[09] すると赤い方が温かさを感じるまでに時間がかかり、被験者が温かいと感じるには青よりも0・5℃以上温度を上げなくてはならなかった。これはなぜか？ 私たちには赤い物は温かいという先入観があるので、実際に温かいと感じるにはより高い温度が求められたのである。

瞑想と同じ効果を得られる「ぬり絵」

色彩療法（カラーセラピー）は、目に見える色の波長が気分を改善するという考えに基づいている。色はさまざまな周波数や振動で伝わるため、療法士は色の特性を利用して体内のエネルギー（および周波数）を変化させることができる。

紫はすべての色のなかでもっとも波長が短く、赤がもっとも長い。**ある研究では、柔らかな色合いの青や緑の波長は職場でのストレスを軽減し、創造性を高め、働く人々を落ち着かせる効果があると結論づけている。**またこの研究では、黄色は注意力と集中力を高めることも明らかにされている。人によっては赤がひじょうに良い刺激になることもある。

色を塗るという行為も不安を軽減させる手段になる。2015年に『ストレス解消のパターン（*Stress Relieving Patterns*）』というぬり絵の本が、『ニューヨーク・タイムズ』紙のベストセラーになった。その年にはぬり絵本の販売が合計で1200万部を突破し、多くはストレスや不安の軽減を望む大人向けだった。[10]

人々は科学的に証明されていることを直感的に理解していた。20分間ほど色をぬるという単純な行動によって不安やストレスが和らぎ、充足感が高まり、気持ちが落ち着くのだ。[11] 近年では、ぬり絵という単純な行動がストレスを軽減する理由を探るため、さかんに研究が行なわれている。

いくつかの理由は言うまでもない。**ぬり絵は体系的な作業なので、混沌とした暮らしに秩序をもたらす効果がある。**しかも簡単にできて持ち歩くこともできる。

ニュージーランドの心理学者タムリン・コナーは、ぬり絵を含むさまざまな創造的活動が精神に与える影響について研究しており、ぬり絵を「小さな創造性」の活動と呼んでいる。「アート」とは呼べないにしても、うつ症状や不安を軽減する日常的活動であることは確かだ。[12]

複数の研究によると、ぬり絵をすると外界の雑音が減って集中力が高まり、脳内で瞑想をしたのと同じような生理的反応をもたらすことがある。ある研究では、被験者が絵を描いて色をぬる前後に不安の度合いを測定し、活動中はつねに心拍数と呼吸数、皮膚の発汗状態を計測した。結果からは、**色をぬっている間は不安を示すすべての物理的指標が下がり、不安を感じる度合いも低下していることが読み取れた**。[13] ぬり絵には扁桃体の活動を抑える効果があるので、これらの結果は神経生物学的な見地からも理にかなっている。[14]

神経科学者たちは、私たちがぬり絵などの作業のために色を間近で見るとき、脳で何が起きているのか長年にわたり研究してきた。

最近の研究では、一部の科学者たちは脳磁図（MEG）という装置を活用している。これは脳の神経細胞が活動する際に生じる磁気を計測する装置である。[15] 脳磁図を用い、特定の色が脳のどの場所で検知されているのかを特定した科学者もいる。

例えばある研究では、被験者にさまざまな色合いの青と茶色と黄色を示したところ、寒色である青では、淡い青でも濃い青でも脳の活動は同じであり、暖色の黄色と茶色も脳の活動が似通っていた。[16] これはそれぞれの色が固有の脳波の活動を促すようすを示唆《しさ》する第一歩である。

マンダラは人の潜在意識を映す精神的イメージ

次にマンダラについて見てみよう。不安によるストレスを緩和するには色彩と絵画を活用できることが分かったが、マンダラにはどのような役割があるだろうか。

マンダラや視覚的イメージについては多くの研究があるが、先駆者はスイス人の精神分析学者カール・ユングだった。ユングはチベットでミグパ（dmigs-pa）と呼ばれるマンダラに魅了されていた。

マンダラ（サンスクリット語で「円」という意味）は聖なる形状とされる円形の文様であり、古代より能動的な瞑想の手段として精神修行に用いられてきた。1938年、ユングはインドのダージリン郊外にあるチベット仏教の僧院を訪れた。

多くの文化においてマンダラは全体性の象徴であり、宇宙とそのなかに存在する自己の全体像を表している。**ユングによると、マンダラは人の潜在意識を映す精神的イメージであると高僧は説いた。意識の層のなかに隠された考えを明らかにし、心の平静を得るために用いることができる**という。

ヨーロッパに戻ったユングは東洋の精神的修行について研究した。やがて彼は、自分自身と患者を対象に、無意識の思考パターンや感情に迫る手段としてマンダラを試してみるようになった。患者に、思いつくままに模様や記号を描き込み、円のなかを自由に埋めるように促した。

このような単純な活動は、「すべてが関連づけられる中心点という構造を通して」人々が自らの感情の中心点へと回帰することを手助けしているように思われた、と彼は説明している。『アートセラピー』誌に掲載された論文は、ユングが治療中に目にしたことを裏づけている。[17] **わずか20分間ほどマンダラに色をぬったとき、白紙に自由に絵を描くよりも不安のレベルが大きく下がったのだ。**研究者たちは仮説として、マンダラはひじょうに複雑なため、不安や頭につきまとう思考から注意を切り替えなければならないほど高い集中力が求められ、それが気持ちを落ち着かせる構造と方向性を与えるのだと考えている。

さらに踏み込んで自分自身のマンダラを創造すれば、ユングが発見したように、自己の無意識に迫ることができる。ユングは思い浮かんだ模様や記号、絵をページに描くことが精神を理解する有力な手段となり、マンダラは埋もれた感情を客観視できる状態へと導き、さらにはそれを意識できるように促す効果があり、深刻なストレスや不安を抱えた人々にも有効であると理解していた。

ユングが行なったことは「マインドフルネス・アートセラピー（mindfulness-based art therapy、MBAT）」の一例であり、これには自由に絵を描くことでストレスや不安への適応を促す療法なども含まれる。[18]

自由に絵を描くときに浮かぶイメージは無意識による言語であり、感情の状態を垣間見る手がかりとなる。こうした絵は、私たちが口では言い表せないことを「語る」力を秘めているとユングは気づいた。不安とストレスに関して言えば、脳に蓄えられ、身体的経験と結びつくイメージに働きかけることは、大きな効果をもたらしてくれる。

頭の中のイメージの倉庫と向き合ってみる

セラピストのジャクリーン・サスマンは、彼女が行なう「直観像療法」の中核として美的イメージを用いている。ニューヨークを拠点とする彼女は、世界各地のさまざまな分野で活躍するプロフェッショナルをクライアントに持つ。神経を極度にすり減らすようなストレスと不安を絶えず抱えるクライアントも少なくない。

40代半ばの建築家のアドリアナは、交際をめぐって長年悩んできた問題を何とかしたいと考えていた。彼女はどうやら、暴言を吐く男性にばかり引きつけられるようだった。そこでジャクリーンに不安を打ち明け、その原因は子ども時代にあるのではないかと伝えた。

アドリアナが育ったのはギリシャの小さな村だった。村では伝統的な価値観から女性の行動は制限されていた。両親は娘にひどく厳しかった。息子にはガールフレンドをつくるように勧めたが、アドリアナには婚前交渉を固く禁じた。結局、彼女は自分の父親とそっくりな相手と結婚した。「夫は私の容姿や知性をけなしてばかりだった」と彼女はジャクリーンに言った。「私は自分の本当の声と女性らしさ、官能的な欲求を取り戻したい」。

セッションでは、ジャクリーンはアドリアナに心のなかにあるイメージが浮かぶような質問をした。「日々の暮らしのなかで、私たちは無数の光景や音や気持ち、感情を経験しています」とジャクリーンは説明する。

「脳はこうした出来事を吸収し、処理し、個人的な意味を伴う豊かで鮮やかなイメージとして保存します。**直観像というのは、視覚と心身に基づく詳細なスナップ写真であり、実生活での重大な経験に応じて自ずと生じるもの**です。実際に起きた過去の出来事が心に刻み込まれる点で、記憶や夢、誘導されたイメージ、象徴的イメージとは異なります」

研究者たちは、直観像はイメージが特定の出来事や結果に結びついていないので記憶ではないと考える。また、つくりあげたものではないので想像の産物でもないと考えている。直観像は子ども時代に由来するものもあれば、ほんの数時間前のものかもしれない。

例えば、生まれ育った家を思い浮かべるようにと言われたら、頭のなかにその光景が浮かぶだろう。仮に「星空を思い浮かべて」と言われたら、子どもの頃のキャンプや、ゴッホの有名な絵を見たときのことを思い出すかもしれない。

ところが直観像は、ある特定の状況や一連の出来事を思い出しているのではなく、その点で記憶とは異なる。言うなれば、心の状態を反映するイメージを頭のなかで思い浮かべているのである。

イメージを用いて精神に働きかける手法は20世紀初頭に心理療法が急速に発達するなかで

誕生したが、直観像療法が飛躍的に用いられるようになったのは1970年代のことだ。転機が訪れたのは心理学者アクター・アーセンの研究によるところが大きい。

アーセンは直観像療法をセラピーの手段として取り入れ、特定のイメージを思い浮かべるように呼びかけた。セラピストは患者が思い浮かべたイメージに対し、心身がどのように反応したかを把握し、そうした反応が何を意味するのか読み取る手助けをする。

直観的イメージは主に3つの要素で構成されている。浮上するイメージは心の目が見た画像だ。身体的反応はイメージに付随する物理的もしくは感情的知覚反応であり、光景、音、匂いをはじめとするさまざまな種類の情報が含まれる。イメージが伝える意味、あるいはメッセージは、なぜそれがそのように心に刻まれていたのかを教えてくれる。

私たちはどのようにしてイメージを取り込み、経験に基づく意味を与え、それは世界に対する認識をいかに左右するのか――アーセンは私たちが「美の3要素」の概念を知るより前にそれをうまく利用していた。こうしたイメージはひじょうに感覚的なものだ。

イメージは感覚系を通して取り込まれ、脳だけでなく体にも記憶が保存される。したがって、私たちがあるイメージを思い出すように言われると詳細な身体的経験が呼び起こされ、そのときの感覚をはっきりと思い描き、イメージとともに取り込んだ生理学的情報まで思い出すことができるのである。

ジャクリーンはアドリアナとのある日のセッションで、過去でも現在でも、人生において魅力的だと感じるような官能さを秘めた女性はいないかと聞いた。するとアドリアナは、フラメンコの発表会で踊っていたスペイン人の友人ローラを挙げた。

「その発表会で彼女が踊っているところをイメージしてみて。何が見える？」

「夢中で踊っている」。アドリアナは目を閉じたままそう言うと、口元にかすかな笑みを浮かべた。「全身に生命力がみなぎっている感じ。踊ることが大好きで、それは自分の女らしさを表現し、女性であることを表現しているからだと思う」。

「その姿を見て、どんなふうに感じる？」

「喜びを感じる。彼女みたいになりたい」

ほかにもイメージに基づいていくつかの質問をすると、アドリアナはローラの女性らしさが純粋に表現されていることに喜びを感じているのだと気づくことができた。

そこに恥といった暗い影はなかった。セッションが終わる頃には、アドリアナはようやく自分の官能性とどんなふうに向き合いたいのか言い表せるようになった。

クライアントに直観像を想起させるジャクリーンの手法は、体内に閉じ込めている身体的経験を感じさせるうえでも役立つ。**そのようなイメージを視覚化して理解することで、不安を和らげ、従来の感情的パターンを修正し、力強さを増した新たなアイデンティティを構築できる。**「こうしたイメージは複雑な神経化学反応を引き起こし、感情を取り出して解釈し、根底にあるパターンときっかけをさらけ出すことになります」と彼女は言う。

「自分自身の頭のなかのイメージの倉庫と向き合うことで、私たちは神経回路をつなぎ直し、条件反射のように習慣になっている心の反応を断ち切ることができるのです」

わずか20分でも自然のなかにいるとどうなるか

美とアートの相性が良いのは確かだが、これまで述べてきたように美的経験はあらゆる場面で訪れるものでもある。**部屋の照明、周囲の音、匂い――これらもピカソやロスコの作品と同じくらい効果のある美的経験になる。**

美の構成要素である色、手触り、温度といったもの、そしてもちろん「自然」も重要だ。前述のとおり、自然は究極の美的経験なのだ。

自然は副交感神経系に強い影響をもたらす。副交感神経系とは、自律神経系のうち体のエネルギーの保存に関わる神経系であり、「休息と消化」の神経系としても知られている。私たちは木々や植物、水などの自然の要素に接すると、即座にアドレナリンの分泌量が減り、血圧と心拍数も低下する。現在では、森林と水辺を中心に自然環境がメンタルヘルスに及ぼす影響についての研究が盛んになっている。

２０１９年に学術誌『フロンティアズ・イン・サイコロジー（*Frontiers in Psychology*）』に掲

載された論文において、**自然のなかで（または自然とのつながりを感じられる場所で）わずか20分ほど過ごすことで、ストレスホルモンのコルチゾールが著しく減少することが裏づけられた。**[19]

屋外で過ごすと生理的機能に良い影響があることは複数の研究データによって示されており、いまや医療の現場では「自然という薬」が処方されるほどだ。

ただ単に、自然のなかで視点を移動するだけでも生理機能は変化する。スタンフォード大学の神経科学者アンドリュー・ヒューバーマンによると、地平線や広々とした景色を眺めることで脳幹のある機能が解放され、自分が置かれた環境の見方や感じ方が変化し、不安やストレス反応が緩和される。[20]

空間デザインにおいてもっともよく見られるインスピレーションの源は自然だ。多くの建築家やインテリアデザイナーは「屋外を取り込む」ことを究極の目標とする。観葉植物や植物の柄の壁紙といった単純なものから、窓によって自然の眺めを切り取る構造的な選択に至るまで、私たちは昔から室内に自然の要素を取り入れようとしてきた。

生物学者のエドワード・オズボーン・ウィルソンは2021年に亡くなる前に、人には本質的にも、進化の過程においても自然や動物とつながろうとする欲求があり、自然へと飛び出すか、自然を屋内に取り込まずにいられないのだと説明してくれた。

高名な建築家フランク・ロイド・ライトはかつてこう語った。「私は毎日、その日の仕事のインスピレーションを求めて自然に身を置く。建築においては、自然がその領域で用いている原則に従っている」[21]。彼の傑作として知られ、自然と住宅が融合した「落水荘」を訪れると、おのずと心が落ち着き、畏怖の念を感じずにはいられない。

現在は新たなタイプのデザインが増えつつある。神経美学の研究成果を利用し、社会の病に対処し、人を健やかにすることを主眼とした空間だ。

デンバーでは、公共住宅建設の複数のプロジェクトがトラウマに対処する空間として設計されている。アロヨ・ヴィレッジはその一例だ。ホームレスのシェルターであると同時に、低所得者向け住宅と単身者および家族向けの手ごろな低価格の住宅でもある。

建築設計事務所のショップワークス・アーキテクチャは内装を設計するにあたり、将来の居住者の精神的欲求を考慮し、安心感と心地良さをもたらすような室内空間と景観を目指した。自然光をふんだんに取り入れ、建物内の通路はゆったりと移動できるように広めに設計し、居室は防音性に配慮した。いずれもホームレスや虐待、人種差別を経験してトラウマを抱えた人々の感覚的欲求に配慮したものだ。

一方で、世界各地では、店舗や美術館、図書館、個人宅などにおいて、曲線を用いた屋内空間が考案されている。カタール国立博物館には4万枚の木材でくみ上げられた、曲線から成る不思議な形状のスペースがあり、繭《まゆ》を彷彿《ほうふつ》とさせる。北京を拠点とするＭＡＤアーキテクツは、真っ白なコンクリートと天窓を用いた図書館を設計した。足を踏み入れると、まるで砂浜に打ち上げられた白い貝殻のなかに隠れたような気分になる。

曲線については長年にわたって神経美学の観点から数多くの研究がなされており、**世界中で丸みを帯びた形状が好まれるのは、特定の文化や個人の嗜好にとどまるものではなく、人間の感覚運動システムにより生物学的に駆り立てられるからだ**ということが明らかになってきた。[22]

曲線に着目した新しい公園「リトル・アイランド」

エド・コナーは神経科学者で、ジョンズ・ホプキンス大学ザンビル・クリーガー・マインド・ブレイン研究所のディレクターを務めている。

脳内での視対象（見る対象）の処理に関する彼の研究では、私たちが目にした立体的な物体の断片について、ニューロンが視覚表現を生成し、そのニューロンの大半が鋭い突起物や尖《とが》ったものではなく、カーブした広い面に反応していることが解き明かされた。

これは脳が動植物をはじめとする重要なものを処理するよう進化し、そうした重要なものは通常なめらかな曲線で特徴づけられているからだとエドは考えている。このように曲線に着目する傾向は、アートやデザインにおいて高まりつつある。

こうした傾向は、最近の屋外空間にも見られる。かつては残念なことに、多くの公共施設は不安や不確かさを感じさせる場所へと退化していたが、それを埋め合わせようとする空間づくりがなされているのだ。

最前線で活躍する景観設計家たちの間では、神経美学の原則を取り入れる動きが見られ、心身の健康をサポートすべく、公共の場で自然を想起させる経験を構築するトレンドを牽引している。木立が大幅に増え、ありふれた場所だけでなく、思わぬ場所でも彫刻や公園のベンチ、遊歩道の人気が再燃している。

ロンドンを拠点とするヘザウィック・スタジオが設計し、2021年にニューヨーク市の古い桟橋《さんばし》に完成した「**リトル・アイランド**」は驚くべき一例である。**カラーページC**がその写真だ。この新しい公園は、132個のチューリップのような形のコンクリートの構造から成り、ハドソン川から立ち上がっているように見える。

川を見渡すそれぞれの「チューリップ」はすべて形が異なり、土と芝生で覆われ、6万6000個以上の球根と114本の木々が植えられている。公園内には、350種類以上の草花や樹木に抱かれるように円形劇場まである。

韓国で「ぼーっとする」体験が流行ったワケ

とはいえ、子どもを中心にあまりにも多くの人々が、自然に接する必要不可欠な機会から切り離されている。

リチャード・ルーブは2005年に出版した著書『あなたの子どもには自然が足りない』（春日井晶子訳、早川書房）のなかでこう力説している。[23]「自然界との私たちの関係性は驚くほど変化している。新しい世代にとって、**自然界は現実というより抽象的なもの**である」。

学校では、子どもが自然と触れ合う時間はほとんどない。また世界的に都市化が進むにつれ、自然の活力を感じられる屋外の空間で過ごす機会も減っている。リチャードはこれを「自然欠乏症候群」と呼び、自然離れが進んでいる状況を危惧《きぐ》している。

「ただし、若い世代と自然界の結びつきが断たれつつあるまさにこの時期に、心身と魂の健康を自然との関わりに積極的に結びつける研究が増えている」と彼は書いている。

私たち3人はリチャードの最新の研究と調査について議論しながら、教育現場において、アートもまた自然と同様の扱いを受けているという見解で一致した。

「学校では、アートが締め出された頃に、休み時間もなくなり、窓のない校舎が設計されるようになった」とリチャードは言う。「どうして子どもをもっと外に出し、自然のなかで学ぶことの利点、つまり神経学上の利点を得られるようにしないのだろう？」。

幸いにも、世界各地で前向きな動きが広まりつつある。最近の公園や公共の場では、自然とアートが融合している。日本では、心の健康のために自然にひたることを「森林浴」と呼んでいる。

2015年に始まった初期の研究では、**自然に身を置くと不安が和らぎ、前向きな見方が**

引き出される効果があることが示されている。「人が現代の環境で暮らすようになったのは人類史のわずか0・01%にも満たない期間であり、それまでの99・99%は自然のなかで暮らしていたことを考えると、人の生理学的機能と心理学的機能が由来し、生来的に支えられてきた場所にあこがれ、引き戻されるのはごく当然のことである」とある研究チームは結論付けている。[24]

韓国では「モンテリダ」が流行っている。韓国語で「ぼーっとする」という意味だ（「モンハダ（ぼーっとする）」と「テリダ（打つ）」を組み合わせた言葉）。コロナ禍において市民はリラックスと逃避を目的とした自然体験を通じ、ぼんやりとすることに積極的に取り組んだ。映画館に足を運んで『フライト』という作品を観て、雲の上や合間を飛ぶ気分を味わう人々もいた。ただぼーっとするだけの「モンテリダ大会」なるものも開催された。参加者がヒーリングスポットの公園で過ごし、心拍数を下げることを目指す大会だ。

ときにはどうしても屋外に逃れられないこともある。そんな場合でも工夫すれば、本物の自然にかなり近い要素を屋内に取り入れることができる。

自然を取り入れた空間づくりの名手と言えば、タイ・ファロウだ。カナダのトロントを拠点とするタイは、神経美学を通じて暮らしを豊かにする人工的環境を創造できると信じて実践する、世界有数の建築家である。

彼はまた、建築家および研究者仲間とともに神経科学学会を設立し、最新の神経科学と認知科学の研究成果を用い、構築環境を向上させる活動に取り組んでいる。

タイは建築において、健康の増進と、まわりの環境とのさらなる調和に寄与するような要素を7つ挙げ、豊かな環境の「スーパービタミン」と呼んでいる。自然光、天然素材、自然の造形を模した構造など、そのいくつかは直接自然に由来する。彼がプロジェクトに用いるのは、科学的研究に基づいた裏づけのあるデザインだ。

そして、**このような自然に由来する要素が取り入れられた環境は、血圧や心拍数を下げ、筋肉の緊張を緩和するなどの効果があることが科学的に証明されている。**自然の要素を効果的に取り入れた環境では不安が軽減し、精神的な回復力や幸福感が高まることも分かっている。つまり私たちは、このような環境で生物学的により良く機能するのである。

滝、人工植物、キャンドル……病院内に自然の風景を映し出す

病院という場において、希望を感じさせる建築を設計するならどんなものになるだろう？

マギー・ケズウィック・ジェンクスは1993年に乳がんの再発を告げられたとき、そう考えた。

スコットランドのエジンバラの病院で、彼女は夫のチャールズと窓のない廊下に座り、悪

い知らせと向き合っていた。ライターで造園家、デザイナーのマギーは、自分たちのような家族が告知を受け止めるにはもっとふさわしい場所が必要だと感じた。

つらい告知のあとに心を落ち着かせることのできる、人目のない静かな場所。自然光に溢れ、植物やアートに囲まれた癒される空間。家族で心地良い椅子に座り、お茶を飲みながら今後の選択肢について話し合うことができる場所。建築と緑が癒しになるような場所がいい。

マギーはよくこう言っていた。「**何よりも大事なのは、死ぬことの恐怖のなかでも生きる喜びを失わないこと**」。

こうして1996年に「マギーズ・センター」が誕生し、今日ではイギリス各地といくつかの国に20以上のセンターが開設されている。リーズ（イギリス）のセント・ジェームズ大学病院内のセンターは、先ほど触れたリトル・アイランドを設計したヘザウィック・スタジオが設計を手掛けた。

このプロジェクトの難題の1つは立地だった。医療関係の建物が密集しているため緑地がほとんどなかった。そこで、大規模なプランターのような構造を用いて建物に庭を取り込み、何万もの球根や植物を植えた。この植栽によって、患者や家族がしばらく身を寄せるプライベートな空間ができた。ヘザウィック・スタジオは屋内にも植物を取り入れる工夫をこらした。籐のカバーに入った鉢植えからは緑が溢れ、窓の外にも植栽が広がっている。

ヘザウィック・スタジオのパートナー兼グループリーダーのリサ・フィンレイは、リーズのマギーズ・センターのビジョンは「感情のためにデザインするという理屈抜きの思いに、建築の力を存分に発揮させた」ものだと言う。リサとチームにとって、建設に向けた指針は格別なものだった。「がん宣告の直後に建物に足を踏み入れたとき、どんな気持ちなのかを想像しなければなりませんでした。そこで人は何を必要とするのか？　段階を追ってどう受け止めるのか――どんなふうに感じるのか？　これはまさに希望の建物なのです」。

ヘザウィック・スタジオ創設者トーマス・ヘザウィックは、竣工に際してこう述べている。「マギーズ・リーズは、私とチームにとってひじょうに特別なプロジェクトでした。なぜなら私たちは、心情にきわめて大きな影響を及ぼすような場所を設計するには、いつにも増して思いやりを込め、親身になるべきだと信じて疑わないからです。医療環境の設計に関してこのような考え方はとくに大切ですが、ひじょうに多くの場合、見過ごされています」

病院という場も大きな不安を引き起こす環境だ。さまざまな危険があるのはもちろん、待ち時間が長く、ストレスも多い。**そんなストレス症状を和らげるには、自然の本質的な美に根差した空間を意識的に整えることが効果的だ。**

コロナウイルスにより病院が大勢の重傷者で溢れ返った２０２０年には、こうした対策をただちに試みる必要に迫られた。

ニューヨークのマウントサイナイ病院では、空いている研究室を改装し、ＶＲによってリフレッシュできる部屋を設けた。デザインを担当したのは脳と体のつながりに着目し、データ重視のデザインとテクノロジーに力を入れるスタジオ・エルスウェアだ。同社は、自然環境とストレス軽減の相関性の研究に基づいて室内をデザインしている。

そこにいるだけで生理的な変化が生まれるようにデザインされた空間で、医療従事者たちは多感覚に働きかける没入型の経験に浸った。繭のような空間には人工植物をふんだんに置き、森にいるような雰囲気を演出した。人工植物を用いるのは院内に菌を持ち込まないようにするためだ。テーブルやカウンターには電池式のキャンドルをいくつも置いた。壁にはキャンプファイヤーや滝など、さまざまな自然の風景の画像を高画質で映し出した。

聴覚による経験の充実も考慮し、ストレスを和らげる効果のあるテンポや音色を用いた曲がつくられた。アロマテラピーでは、森の地面の匂いや潮の香りなど、自然の香りが再現された。デザイナーたちは短時間しか滞在しない医療従事者に計測器の装着は求めなかったが、退室時に調査したところ、**わずか15分でひじょうにリラックスでき、前向きな気分に満たされた**という回答を得た。

この結果から、自然を想起させる経験によってストレスホルモンと心拍数が下がったものと推測され、これは前述のほかの研究成果とも整合する。さらにその後の調査により、その日は終日、いつにも増して気力の回復と落ち着きを実感したという回答が寄せられた。

つまり、自然の力はあまりに大きく、疑似体験によって自然が暗示されただけでも生理学的な変化をもたらすのだ。

かつて詩は人間を癒す「薬」だった

1929年、詩人のT・S・エリオットはダンテの『神曲』をはじめとする詩の分析に取り組んでいた。彼自身を含め、詩の読み手はその言語(ダンテの場合はイタリア語)に通じていなくても大きな感銘を受けるのはなぜかを理解するためだった。

エリオットは「詩的感情」とも呼ぶべきものを理解しようと試み、「本物の詩は、理解する前に伝わる」という結論に達した。

エリオットは見抜いていた。詩は文学の最古の形式であり、起源は少なくとも4300年前にさかのぼるが、現存する文献で確認できる時期よりはるか前から存在していたようだ。

文字で表現されるようになるまでは口頭で伝承され、世界各地の多様な文化に登場し、何世代にもわたって受け継がれていた。

詩は薬としても用いられ、古代ギリシャでは他の医療行為とあわせて詩を「処方」していた。[25] また、結婚式のような私的な祝い事からアメリカ大統領就任式など政治や市民レベルの式典に至るまで、重要な儀式においてもしばしば用いられる。詩はアートの一形態として、人類が誕生したときから私たちとともにあった。今日では、ポエトリー・スラム(詩の朗読競技会)やスポークン・ワード(詩の朗読に重きをおいた芸術)など、生き生きとしたアートパフォーマンスを通じ、言語がさらに多様な形で用いられるようになっている。

最近の研究によって、大昔から存在するこの芸術が心身に与える影響について、新たな光が当てられている。２０１５年頃から、世界各地の研究グループはｆＭＲＩなどの非侵襲的測定法を用い、詩的な言葉が脳に与える影響の解明に着手し始めた。[26]

ドイツの実験心理学者で、実験・神経認知心理学教授のアーサー・Ｍ・ヤコブスは、当時詩に関する神経基盤を研究するために用いられていたさまざまな方法やモデルを検証した。

新たな調査からは、詩がほかのいかなる文学形式よりも「脳が自己の内外の世界を構築する際の複雑さ」をはっきりと示していることがうかがえた。「なぜなら**詩は思考と言語、そして音楽とイメージを明快で扱いやすい方法で融合し、ほとんどの場合、戯《たわむ》れや喜び、感情を伴う**からである[27]」。

詩を読むとチル（＝穏やかな感情）に浸れる

２０１７年、ドイツのマックス・プランク研究所に在籍する心理学者と生物学者、言語学の専門家によるグループが、このことを理解すべく、詩がもたらす生理作用を調査した。

まずは皮膚の変化を計測し、強烈な情動反応の有無を調べた。背筋がぞくぞくする「チル反応」や鳥肌など、感情の高まりや生理的興奮を示す物理的現象の有無である。

被験者には彼らが読んだことのない新しい詩をあらかじめ複数用意し、そのなかからいくつかの作品を選んで読んでもらったところ、明白な結果が出た。全員がチル反応を示し、観察中に行なっていたビデオモニタリングにより40パーセントの被験者に鳥肌が確認されたのだ。

続いて、こうした強烈な情動反応が見られるとき、脳で何が起きているのかを理解するため、ｆＭＲＩによるスキャンを行なった。詩を初めて読んだときの影響を調べるため、詩はすべて研究チームが新たに選んだ。

その結果、**報酬系の根幹をなす皮質下領域が活発になることが確認された。しかもその領域は、音楽を聴いたときに明るくなる領域と一部重なっていた。**詩を読むことは、私たちの内にある、はるか昔の何かに訴える、懐かしいリズムをもたらすのだ。

詩は言葉ではあるが、言語を超越する。精神生理学、神経画像検査、行動に関する定量的データを分析したところ、「詩は一次報酬に関わる脳の領域に携《たずさ》わることのできる、強い情動刺激であるという結論に至る」とチームは記している[28]。

私たちの脳には詩のリズムや韻が組み込まれている。**詩を読むと右脳が活性化するが、深く心に響く詩では、意味づけや現実の解釈に関わる脳の領域が刺激を受け、神経学的レベルでも共鳴する**[29]。認知的なレベルで見ると、詩は私たちが世界を理解し、世界における自己の立場を考えるうえで役に立つのである。

さらに、詩は困難な感情と向き合うための安全な手段を提供してくれる。例えば、W・H・オーデンは愛する友人を失い、悲しみに満ちた哀悼《あいとう》の詩（「葬儀のブルース」）で「時計を止めろ」と書いているが、私たちはなぜそれを読むことができ、実際に喪に服しているときにこの詩に救いを求めることさえあるのだろう？

私たちがこんなふうに悲しみの感情に寄り添えるのは、詩が「強い関心を引き出し、注意力を持続させ、忘れ難い印象を与えることにかけてきわめて効果的だからだ」。マックス・プランク研究所の研究者たちは論文でそう述べ、さらにこう続けている。

「重要なのは、いずれの効果も知覚者の身の安全を前提としていることだ。つまり、知覚者はつねに自分自身の現実と現実味のあるフィクションが異なることを認識し、いつでも美的な刺激から離れられると知っている」

詩の創作で視点や思考が変わる効果も

私たちはいつでも本を閉じ、詩の朗読を聴くのを止め、朗読会から立ち去ることができる。自分が望むときに自由に利用できるのだ。

韻やリズムは神経化学的レベルで感情を高めると見られる。というのも、詩によって後帯状皮質や側頭葉内側部など、デフォルトモード・ネットワーク（DMN）や内省に関わる脳の領域が活性化するからだ。

　詩を読むことは、リラックスすることや、自己を俯瞰《ふかん》するうえでも効果がある。エクセター大学で行なわれた詩に関する研究では、fMRIの解析により、**詩を読むとくつろいだ状態と関係する脳の領域が活性化することが認められた。**

　脳は詩を散文とは異なる方法で処理している。詩を読むと、神経科学者が「前チル反応」と呼ぶ状態が生じ、穏やかな感情へとゆるやかに移行する。そこで、気持ちが落ち着かないときや、眠れないときに詩を何篇か読むとリラックスでき、視点や思考に広がりが生まれる効果も期待できる。


　さらに、詩は書いても読んでも脳の神経可塑性のプロセスを活性化し、脳が新たな物語を構築し、同じことを延々と思い悩む状態を断ち切る効果がある。詩やその他の形式の物語は、内省を促すことが知られている。認知心理学者のキース・ホリオークは著書『蜘蛛の糸（*The Spider's Thread*）』で、詩が2つの心理的メカニズム（類似性と概念の組み合わせ）を用いて隠喩を生むことを検証している。

　2015年、ピュリッツァー賞を受賞した詩人メアリー・オリバーが、ポッドキャストの人気番組「オン・ビーイング」の司会者クリスタ・ティペットと対談を行なった。

　2019年に亡くなったオリバーはめったにインタビューを受けなかったが、この対談ではオハイオで過ごしたつらい子ども時代について語った。

　彼女は小さなノートと鉛筆を持って、できるだけ自然に逃げ込んでいたという。「私は詩に救われたのです」と彼女は言う。「そして世界の美しさにも」。また別の機会には、**詩はなかなか触れることのできない「私たちのありのままの、絹のような部分」に到達する**と述べている。オリバーは自然界の象徴や比喩を用い、人生の輝かしい瞬間を捉える名手だった。対談では、彼女の有名な「野雁（Wild Geese）」を朗読した。

　ティペットは詩人をゲストに迎えることが多いが、それはまさに、適切な言葉が私たちと世界との関係性に大きな変化をもたらすからだ。「大きく揺れ動く感情に対処し、前に進むためにやり過ごさなければならないものがあるとき、私たちを癒しへといざなってくれる詩の大切さを実感する」とティペットは言う。

「詩は感覚的経験であり、心を落ち着け、自分自身をつなぎとめるものです。私たちはどうやって強くあり続けるのか？　どうやって何度も踏みとどまるのか？　詩は私たちを肉体に植えつけます。そして経験されてきたことだけでなく、私たちの思考にも私たちを植えつけます。人はそうやって完全な存在になるのです」

ストレスには歌のレッスン、不安には美術館

ボストンの小児科医マイケル・ヨグマンは、**これまでになかった薬を幼い患者たちに処方している――それはつまりアートと遊び**である。

彼はハーバード大学医学部小児科の臨床准教授でもあり、保護者や友だちと毎日楽しい遊びをするように指示している。踊ったり、絵を描いたり、ごっこ遊びをしたりといったことだ。「処方箋」は楽しく取り組めることを重視し、それぞれの子どものニーズや好みに沿ったものにしている。

ヨグマンはこう述べる。

「子どもたちが必要とするものはみなちがいます。発達段階や感情的関与により、それぞれ好き嫌いがあるのです。私たちは喜びのある発見を最大化する、いちばん適したものを見つけるように努力しています」

ヨグマンが目指すのは、患者が自分の感情を理解して処理し、将来に向けてスキルを身につけるよう支援し、ストレスや孤独、不安を予防することだ。また、立ち直る力を高めることにつながる、親や友だちとの穏やかで安定した関係の強化にも力を入れている。

彼が処方する活動は感情の調整を助け、子どもたちがすぐに日常生活に取り入れられるも

のだ。やがて子どもたちは知識と自信を手にし、ストレスを和らげられるようになるのである。

これは「社会的処方」と呼ばれる手法であり、イギリスやカナダ、アメリカで広がりつつある。**医師、心理学者、ソーシャルワーカーなどが、ストレスには歌のレッスン、不安には美術館やコンサートのチケット、燃え尽き症候群には自然のなかでの散策などを処方している――予防と介入を行なっているのである。**

社会的処方では、アートを個々の患者に見合った最適な医療を提供する「精密医療」の没入型ととらえ、ニーズに合わせて文化的活動を勧める。こうした活動は日常生活に取り入れられることが大切で、時間やコストが多くかかるものである必要はない。

例えば、毎朝コーヒーを飲みながらスマホを眺めるかわりに、20分ほど思いのままに絵を描いたり、自分だけのマンダラを描いたりしてはどうだろう？

新聞の単語を塗りつぶし、ファウンド・ポエムをつくるのもいい（ファウンド・ポエムは既存のテキストから言葉を抜き出してつくる詩のこと。その一種として、もとのテキストを塗りつぶし、新しい詩をつくる形式もある）。子どものレゴ（もちろん、あなたのレゴでも！）を気の向くままに組み立てても、粘土で目新しいものをつくってもいいだろう。

昔の服を取り出して思い出のつまったキルトをつくるのも一案だ。1日のさまざまな場面でほんの少し立ち止まり、ちょっとしたアートや美を生活に取り入れ、気分がどんなふうに変化するか確かめてみよう。方法は無限にあり、効果をすぐに感じられるはずだ。

アートとテクノロジーの融合で幸福感を育む

技術の発達とともに、メンタルヘルスを目的としたさまざまなタイプのアートや美的経験がさらに身近になりつつある。

ジョン・レジェンドをはじめとする世界的ミュージシャンが瞑想アプリを開発するヘッドスペースと組み、マインドフルネス実践用の音楽を提供している。また、ウェーブパス(Wavepaths)のウェブサイトでは、最新の科学に基づき、利用者に合わせた音楽を必要に応じてサイケデリック療法〔幻覚剤を利用した治療〕と融合させている。

カリフォルニア大学ロサンゼルス校の神経心理学者ロバート・ビルダーは全米芸術基金研究所を通じ、アートの効果をリアルタイムで測定する計量心理学を用い、画期的で簡単に使える幸福度診断アプリを開発した。

さらにパイロット版の段階ではあるが、アーツ・インパクト測定システム(Arts Impact Measurement Systems)というシステムにより、世界中の研究者がアートの効果に関する標準化されたデータを集められるようになっている。やがて膨大なデータが蓄積され、その分析により、メンタルヘルスとウェルビーイングに至る方法について理解を深め、的確な対処ができるようになるだろう。

世界は無限のエネルギーと振動で満ちており、アートが幸福感を育《はぐく》む方法も無数に存在する。アートは、私たちが不確かで予測不能な人生を航行し、複雑な感情や気持ちの波を乗りこなす手助けをしてくれる。神経美学の研究者たちはそのメカニズムについて休むことなく研究しており、今後さらに説得力のある知見がもたらされることはまちがいない。

鉛筆、ペン、絵筆、音叉、ハーモニカ、太鼓、毛糸玉、培養土と植物。こうしたものを手に取り、あなたの日常にアートと美の恩恵をぜひとも取り入れてみよう。

Chapter

3

自分を取り戻すために、描く、歌う、踊る、作る
――メンタルヘルスの回復

自己の内なる静けさに触れることを学び、人生のあらゆることに意味があるのだと気づきましょう。

――**エリザベス・キューブラー＝ロス**（精神科医）

バージニア州フェアファックス郡の消防署に10年以上勤務するアーロン・ミラーは、ある緊急通報を受けた日のことが今でも目に浮かぶ。タウンハウスの火事だった。

彼は部下の隊員たちとサイレンを鳴らしながら町を抜け、現場に急行した。アーロンはいざというときに誰もが頼りたくなる人物だ。有能なだけでなく、思いやりがあって親切で、難

しい事態に直面しても安心感を与えてくれる。

消防車が燃え盛る建物の前に到着したとき、アーロンはかつて感じたことのない不気味な感覚に襲われた。その感覚にはどこか、消防士になったばかりの頃に経験した緊急通報を思い起こさせるところがあった。

それはすさまじい火事だった。家主が酸素吸入をしていたため、炎が猛烈な勢いで広がり、消火は困難をきわめた。車椅子の生活を送っていた家主は2階にいて身動きがとれず、レスキュー隊が到着するだいぶ前に亡くなっていた。「私はかつて目にしたものを見ていました」と彼は私たちに語った。「そのときは気づかなかったけれど、記憶を抱え込んでいたんです」。

何年もの時を経て、彼は過去の出来事を追体験していた。心拍数が急上昇し、呼吸が速く、浅くなり、手は冷たくじっとりと湿り、いつもの鋭い運動神経を発揮できなくなった。

彼は錯覚に陥っていた。「2階に男性が閉じ込められていると信じて疑わなかった」と彼は振り返る。「実際の状況からするとあり得ないのに、そのとき初めて見た光景にかつてのイメージを重ね合わせていたんです」。彼は脳の指令により、肉体的に強烈な経験をした過去の悲惨な現場へと引き戻されていたのだ。彼は混乱し、茫然自失となった。

それから間もなく、アーロンはキャシー・サリバンと出会った。彼女は公認の表現芸術療法士で教育者であり、嘘偽りのない性格で、とてつもなく心が広い。粘り強く説得を重ねる女性でもあり、何百人もの消防士をアートクラスに参加させている。気分が晴れないときにはそばにいて欲しいと思うような人物だ。

２０１７年、キャシーはバック・ベスト隊長とともに、「アッシュズ2アート（Ashes2Art）」という非営利組織を立ち上げた。災害や事故の負傷者に最初に対応するファースト・レスポンダーとその家族を対象に、創造的なアート活動によるウエルネスプログラムをアメリカでいち早く実践し始めた組織だ。落書きやマンダラ作成から彫刻、鍛造《たんぞう》、ガラス細工など、多彩なアート体験を提供している。ただし、トラウマのセラピーを目指しているわけではなく、むしろ自己発見と満足感を重視し、開放的で実験的なアートの創作活動を行なう場を目指している。ある女性救急救命士が落書きを気に入ったときには、キャシーはペンのセットを渡し、休憩時間に使うように勧めた。

今では先ほどの救急救命士は困難な要請に対処するためアートの制作に取り組んでおり、そのようすを写した写真がキャシーのもとに送られてくる。それは緊張を解きほぐし、集中力を高める力になっている。

落書き中は感情がオンからオフに切り替わる

機能的近赤外分光法（ｆＮＩＲＳ）を用いた研究によると、**落書きやぬり絵、思いのままに絵を描くことは、いずれも前頭前野皮質を活性化させる。**これは集中力を高め、感覚情報に意味を見いだすことを促す領域である。

また、落書きという単純な活動が血流を増加させ、喜びや報酬の感情を呼び起こすことも確認された。

落書きをすると、同じ職場で落書きをしない同僚たちよりも、分析力、情報の保持能力、集中力がいずれも高くなることが明らかになっている。[01]

アーロンはすぐにキャシーのクラスを気に入った。彼は大学でグラフィックデザインを学んでいたが、消防士になってからはアートから遠ざかっていた。その道に進むわけではないのだから、もう必要ないと思っていたのだ。

「脳はいつもスイッチが入った状態で、消火活動とそれにまつわることばかり考えていた」と、彼はある日の朝、バージニア州の自宅からそう話してくれた。足元にはオーストラリアン・シェパードの愛犬、デクスターが寝そべっている。背後の壁には、アーロンが描いたヴィンテージトラックのとても緻密《ちみつ》な絵がいくつか飾られている。トラックの絵を描くときはそれだけに集中しなければならないので、仕事のストレスから離れられるという。

アーロンは任務で「失敗」することがどれほど苦しいか、打ち明けてくれた。命を救えるか否か、問題を解決できるか、できずに失敗に終わるか。ともすると、自分の役割をどちらかしかないと考えてしまうという。白か黒かで中間はない。「私は勝ち負けにこだわるところがあるんです」と彼は言う。

キャシーとアートに取り組むことで視点が一変したと彼は言う。

「**絵を描いているときはいわゆる単調な状態になる。いつもとはちがう頭の部分が働いているんです。**普段はスイッチが入っているところがオフになります。そしてオフになったときは、自分の感情について、というよりあらゆることについて会話をしやすくなる。話をしやすい相手になるんです」

ただ絵を描くだけで、2人の幼い子どもにとってはいつもより良い父親になり、妻に対しては良い夫になれるという。神経化学の視点からは、絵を描くことで、おおらかで開放的な気持ちを育むセロトニンやエンドルフィンが分泌されることが示されている。

視覚的アートの制作とその心理状態が神経に与える影響に関する研究から、**絵を描くことは脳波の活動を変化させ、前頭部への血流を増やし、精神の回復力にプラスの影響を与えることが明らかになっている。**[02]

アーロンは現在、閉ざしていた経験の扉を開け、表現できるようになった。絵を描くだけで鍵を開けられたのだ。

彼は任務で遭遇したことを表現するのに「毒性ストレス」とか「トラウマ」という言葉こそ使わないが、アートに取り組むことが健やかで幸せであるための力になると知っている。心地良く過ごす力になると。

トラウマという問題

トラウマ（心的外傷）、心的外傷後ストレス障害（PTSD）、毒性ストレス——これらはよく同じ意味で使われるが同一ではない。PTSDとトラウマ体験の主なちがいは重要だ。トラウマの状態は時間の経過とともに変化する。例えば、交通事故に巻き込まれると、正常な生理学的サイクルとして「闘争か、逃走か、凍りつくか」の防御反応を経験する。そして時間が経てば、体が自己調節により恒常性を回復し、日常生活を続けることができる。ところが、**PTSDでは長期間にわたる状態に陥る。フラッシュバックを繰り返し、トラウマを引き起こした出来事がまだ続いているかのように何度も追体験する。**車に乗り込むたびにタイヤがきしる音を聞き、アーロンがタウンハウスの火事で経験したように、体が事故をふたたび体験するのだ。毒性ストレスと慢性的トラウマはかなり似ているように思えるかもしれないが生理学的に異なる。[03]

毒性ストレスは自律神経系が過剰反応するか、過剰に刺激を受けることで生じる。一方で、トラウマは脳に刻まれ、追体験を引き起こす出来事の記憶と関係している。ストレス反応を招く状況に絶えずさらされ、体を回復させずにいると生じるのが毒性ストレスだ。原因としては、慢性的なネグレクト、経済的困難、失業、食料不足などが挙げられる。

ソマティック・セラピスト（身体心理療法士）のレスマー・メナケムは、トラウマがどういうもので、体にどのような影響を及ぼすのかを長年研究してきた。ソマティック心理療法は身体性を重視した心理学であり、身体的手法を用い、自己の内部で身動きが取れなくなった感情や経験が動けるように手助けする。トークセラピーや認知療法に加え、このアプローチでは体がトラウマを抱え込んでおり、回復を促すには体も関わりがあると考える。

「悪いことが起きたからといって、必ずしもトラウマになるわけではありません。トラウマが生じるのは、何かがシャットダウンしたときです」とレスマーは教えてくれた。

彼はこう続けた。「トラウマには明確な2つの要素があります。1つは身動きが取れない状態であること。もう1つは同時に切迫感があること。何かが過剰な状態、スピードが速すぎたり、物事が立て続けに起きたり、長期にわたって継続したりといった状態が修正されずにいるとトラウマになるのです」。

トラウマは困難な出来事そのものではなく、出来事が脳と体に刻まれた状態だ。制御できないほど強い感情的な反応を経験したときに生じる。そしてさまざまな形で現れる。

トラウマは戦争や虐待といった悲惨な経験のあとで生じるものだと思われがちだが、私たちの誰もが大なり小なり見舞われるものだ。例えば友人との口げんかなど、一見ささいな出来事でも、体が抱え込むことがある。「多くの人々のイメージとは異なり、トラウマは感情が引き起こす反応ではない」とレスマーは説明する。

トラウマは「体がさらなるダメージや将来受ける可能性があるダメージを食い止めるために用いる自発的な自己防衛のメカニズムです。トラウマは欠陥でも弱さでもありません。安全と生存のためのきわめて効果的なツールだと言えます」。トラウマは体に取りつき、私たちが対処するまでそのままでいる、と彼はつけ加えた。

戦争から戻った退役軍人に広く共通して見られる症状について研究が始まったのは、1980年代になってからのことだった。大きな関心事は、人によってPTSDを発症することもあればしないこともあるのはなぜか、という点だった。

トラウマとなる経験を追体験している兵士の脳をスキャンしたところ、生理学的にまるでかつての出来事がいまだに続いているかのような反応をしていることが分かった。このようなタイプのトラウマを抱えると、過去のある瞬間に閉じ込められ、現在が乗っ取られ、過去にとらわれたままになる。実際の出来事には始まりと中間、終わりがあったかもしれないが、出来事についての記憶と身体的反応にはそれがない。終わりはやって来ないのである。

慢性的なストレスもアートで解消できる

精神科医のベッセル・ヴァン・デア・コークは、影響力の大きな著書のなかでこう説明している。「外の世界で始まったトラウマは、今や自分自身の体という戦場で展開し、そもそもトラウマを負ったときに起こったことと、今自分の内で起こっていることとのつながりは、たいてい意識されない[04]」。〔『身体はトラウマを記録する――脳・心・体のつながりと回復のための手法』（柴田裕之訳、紀伊國屋書店）より〕。こうなるともはや、自然なストレス反応によって恒常性や体のバランスを取り戻すことはできなくなる。

このような状態では、生理機能を自己調整するのは難しい。夏の暑い日に、建物の窓とドアが突然すべて開け放たれたらどうなるだろう。空調は突如襲ってきた蒸し暑さに対し、室内の温度を調整しようと無駄な努力を試み、オーバーヒートを起こすだろう。

トラウマがあるときの体はまさにそのような状態だ。

Chapter1で述べたように、大脳の辺縁系にはアーロンの消防署にあるような警報が備わっている。辺縁系は強烈な感覚入力や感情によって活性化される。とくに扁桃体は脅威を察知するとただちに反応する。

道路を横断中に、車が猛スピードで迫ってきたとしよう。扁桃体は警報を鳴らし、ストレスホルモン系と自律神経系を活性化し、猛烈な勢いで活動し始める。すると大量のコルチゾールとアドレナリンが分泌され、心拍数と呼吸数が増加する。全身にストレス反応が起き、その結果として闘争・逃走・凍結反応が引き起こされる。迫り来る車から飛びのいたとすれば、それは逃走反応だ。ヘッドライトに照らされた鹿のように身動きが取れなくなったとすれば、それは凍結反応である。

「トラウマとなる体験では、とてつもない量のエネルギーが生まれ、封じ込められます」とレスマーは説明する。「**このエネルギーは私たちを解放するのに必要な燃料であり、生き延びるためには代謝する必要があります**」。

アーロンと仲間のファースト・レスポンダーたちは、緊急時に始動するために通常のストレス反応を頼りにしている。「出動するときはアドレナリンが必要だし、集中力とエネルギーも高めたい」と彼は言う。しかし、その刺激が過剰になり、感情の縁を乗り越えると、トラウマを引き起こす出来事となる。

「これまで訓練中に、実際に炎が上がっているわけでも、本物の危険があるわけでもないのに、過去のことが蘇《よみがえ》って動けなくなり、完全に理性を失ってしまう隊員を見てきた」とアーロンは言う。「記憶が蘇る可能性はいつもあって、割り込んでくる危険と隣り合わせだ」。トラウマが起きるとき、生存のメカニズムは私たちの幸福にマイナスに作用するのである。

レスマーはトラウマを説明するのに、特徴を表す言葉の頭文字を並べてＨＩＰＰという言葉を使う。トラウマは「歴史的で（historical）、世代間で引き継がれ（intergenerational）、持続的で（persistent）、個人的な（personal）ものです」と彼は言う。

トラウマはいつでもどこでも、さまざまな形で生じ、さまざまなタイプがある。集合的トラウマは集団で何かを経験した場合に生じる。世代間トラウマは家族内で受け継がれる可能性がある。さらには、DNA配列に依存しないエピジェネティクスによる遺伝で受け継がれる可能性がある。急性トラウマはある1つの出来事によって生じる。慢性トラウマは繰り返し、長引くものと定義される。

レスマーによると、トラウマのタイプや、トラウマがどこでどのように生じたかにかかわらず、「**アートはきわめて大きな癒しの効果を発揮する。トラウマは喜びや畏怖《いふ》、驚きに対する基本的感情や欲求を押しとどめる。他者とのつながりも断ち切る。**アートは人々が本来持つこうした資質を引き寄せることで、癒しをもたらす力になる」。

キャシーと同じように、レスマーもソマティック心理療法でアートや美的手法を用いており、これについてはこの章でのちほど紹介する。

アートは、「物事と触れ合い、探究できるように私たちのペースを落としてくれる」と彼は言う。「アートはトラウマの強固な境界線に立ち向かう柔軟な手段になり得る。相手の武装を解き、防御のメカニズムをくぐり抜ける手段なのです」。

トラウマによる慢性的なストレスに対してアートが有効な治療薬となる理由の1つは、**アートが瞑想に近い状態を引き出し、生理機能の自己調整を促す**からだ。

一般的に瞑想というと、マットに座り、リラックスして心を落ち着けるというように、静かに取り組むものと考えられている。しかし、仏教の瞑想について執筆し、指導を行なっているシャロン・サルツバーグは、積極的にアートを制作し、鑑賞することはきわめて有効な瞑想法だと述べている。

1970年代、シャロンはジャック・コーンフィルドとジョセフ・ゴールドスタインとともに、マサチューセッツ州バリーにインサイト・メディテーション・ソサエティーを設立した。それから数十年にわたり、世界中の人々に自分自身の心と体、そして精神とつながる方法を指導している。「マインドフルネスとは本当に自分とつながりながら、意識のなかに今まさに起きていることを感じる場所がある状態であり、まさにそこに多くの可能性が生まれるのです」。シャロンは私たちにそう語った。

本書の冒頭で述べたように、美的マインドセットとは人生と深く関わる姿勢である。自分が生きて地に足をつけ、つながっていると実感させるあらゆることを心と五感で感じるようになる。**アートを利用して瞑想に近い状態を育むと、脳の前頭前皮質の批判や個人攻撃を司る領域の活動が抑えられ、普段より寛容で大局的な視点を得ることができるのである。**

トラウマから抜け出すために砂漠へ旅に出る

ジュディ・トゥワレツティウワのようなアーティストに消防士のアーロンと多くの共通点があると言ったら意外かもしれないが、じつはおおいにある。

80代前半のジュディは細いメタルフレームのメガネをかけ、少しばかり灰色をおびた白髪のショートヘアがレンズの奥の黒い瞳をふんわりと縁取っている。

ジュディは共感しながらじっくりと耳を傾けてくれるので、お茶を飲みながら何時間でも話したくなる。私たちはニューメキシコ州にある光に溢れる彼女のアトリエで何度もそう感じてきた。絵の具やキャンバス、粘土などのアートの材料に囲まれると、すぐに心地が良くなり、エネルギーが満ちてくる。

ジュディは火の手が上がる建物に駆けつける日々を送っているわけではないが、トラウマとなる経験は彼女の人生に影を落としてきた。生まれたときからすでに混沌《こんとん》としていた。

彼女によると、両親は「狂信的な共産主義者」で、教義によってもたらされる混沌、怒り、漠然とした恐れのなかでずっと生きていた。祖父母はユダヤ系移民であり、世代間トラウマはジュディの父親の激しい気性と深刻な精神疾患となって現れていた。

父の言葉はナイフとなり、浅い切り傷や心臓に達する深い傷となった。「ナイフ」がいつ飛んでくるのかジュディには予測不能だった。安全な場所はどこにもなかった。

近年の研究により、世代間トラウマの悲しい現実が理解されつつある。トラウマを深く負った人々とその子どもたちには、子どものＰＴＳＤの発症率が高まる相関性があることが明らかになり始めているのだ。

ジュディはよくある行動を取って生き延びた。つらい経験や感情を箱に閉じ込め、人生を歩み続けたのだ。

学校のほか、経済的には貧しくても豊かな多文化コミュニティに安全な居場所を見いだし、秀でた学生となり、リーダーとなった。やがてカリフォルニア大学バークレー校とハーバード大学で英文学を学び、教授法の修士号を取得した。アートはその後独学で学んだ。

ところが1984年には、彼女の人生は崩壊しつつあった。精神的に疲れ果て、打ちひしがれていた。4人の子どもを育て、アート活動と教師の仕事をこなしながら、長い間つらい結婚生活に耐えていた。夫は父親と同じく双極性障害を患《わずら》っていたのだ。

彼女は子どもの頃のトラウマを閉じ込めておくのにエネルギーを使い果たしていた。子どもたちもおおむね成長した頃、ある親しい友人がメンタルヘルスが悪化した彼女を心配してこう言った。「あなた、昔から砂漠に行って1人で過ごしてみたいって言ってたでしょ。行った方がいい。今すぐに」。

ジュディはテントを借りた。アメリカ南西部の峡谷で1カ月ほどキャンプをする計画を立て、愛車のフォルクスワーゲン・ラビットに最小限の荷物を積み込んだ。「私は混乱して自分を見失っていた。自分が何者なのか再発見する必要があったの」と彼女は私たちに言った。「そのときは自分が子どもの頃のトラウマと向き合う旅に出たとは気づいていなかった」。

「混乱」という言葉は、トラウマをなんとか生き延びた人々の多くが過去を語るときに用いる言葉だ。これは当然のことである。**トラウマを経験した脳は、まとまりのある物語を創造しようとする。**辺縁系の奥にある視床は、いわば感覚入力の航空管制塔であり、見て、聞いて、触れたものを自伝的記憶へと取り入れる。しかし過度なストレスにさらされるとその機能が正常に働かなくなる。

ある瞬間に経験した感覚、音、画像はスナップ写真のように記録される。これらは無意識のなかにとどまり、強烈な感情と結びついているが、明確な物語は伴わない。

ジュディの場合、知覚のスナップ写真には無力感や怒り、恐怖が含まれており、不安定な結婚生活を過ごすなかで、両親が経験した精神的苦悩が蘇っていた。

こうした感情に結びつく回復途中の無意識の残像にアクセスするのは耐えがたいことだった。そこで彼女は、それらを自分のなかのパンドラの箱に閉じ込めてきた。しかしそれらはつねに水面下にあり、いつでも表出し、ときには爆発する危険があった。

絵が完成するたびに写真を撮って「手放す」

砂漠の旅に出てニューメキシコ州のチャコ・キャニオンを歩いたとき、「魂にふと光が押し寄せた」と彼女は言う。その土地は彼女にとって「無意識の貯水槽」であり、時間と空間が夢や神話や可能性へと広がっていった。彼女はプエブロ族の先祖ゆかりの遺跡を巡りながら、キヴァの壁画について学んだ。

キヴァというのは儀式を行なうために地下に造られた大きな円形の部屋のことだ。いくつかのキヴァでは、プエブロ族の先祖が鮮やかで心を揺さぶる壁画を描いていた。壁画は一連の儀式が終わると白く塗りつぶされ、別の儀式のための壁画が描かれた。

「壁のざらざらとした表面の下には100もの絵が隠れていたの。そのときに表面にある絵以外は見えないけど、先祖たちによって残された知恵に囲まれている感覚があった」とジュディは振り返る。彼女のなかで何かが浮かび上がり始めていた。

旅から戻ると、チャコ・キャニオンで出会ったホピ族のフィリップから電話があった。彼女が子どもや大人に長年創作活動を指導してきたと知り、絵を習いたいと相談してきたのだ。彼女はこう答えた。「先祖と同じようにすべきだわ」。

ジュディは彼に小さなキャンバスを買うように勧めた。それから色を調合できるように赤、青、黄、黒、白のアクリル絵の具と、手にしっくり馴染む絵筆を何本か。そしてこう伝えた。「**まずは描いて。完成したと思ったら写真を撮る。それからキャンバスを白く塗りつぶす**。これを繰り返すの。絵が完成するたびに写真を撮って手放すことで、自己批判も手放すことができる。フィルムを現像して写真を観察すると、次に何をすべきか見えてくるはずよ」

「電話を切ったあと、『ああ、これは素晴らしいアイデアだ』と思った」。ジュディは180×120センチほどのキャンバスに、《継続する絵画》と題した連作を描き始めた。ただし、1つの絵が完成すると白く塗りつぶすのではなく、一部を次の絵に取り込むようにした。1985年には《白い継続する絵画》の創作を始めた。

絵は写真で残すだけにして、最終的には一面を白い絵の具で覆うことにした。「素晴らしいイメージが現れても心をかき乱すようなイメージへと溶解し、別の姿になってふたたび現れる」とジュディは言う。「日によって、暗いイメージやつらい感情が現れることもあった。まるで、海のいちばん深いところへ潜っていくような感覚だった」。

1年後には《黒い継続する絵画》と題された作品を描いたときには、灰に覆われた暗い場所に落ちたように感じた。2年後の1987年、のちに《赤い継続する絵画》を描いた。「ホロコーストが押し入ってきて、同時に怒りもやって来た——子どもの頃から抱えてきた怒りが。この絵によって、私は人間が同じ人間に対して与える悪夢へと導かれていた」。それから2週間にわたり、さまざまな感情やイメージがカタルシスをもたらしながら次々と複雑な形で現れ、彼女は連続して100点近い絵を塗り重ねていった。そしてそれらの絵は写真に収められ、最後に一面に塗られた赤い絵の具の下で生きている。

彼女は駆り立てられるように何時間も、何日も描き続ける「フロー状態」へと入り、イメージが次から次へと自然に現れた。「まさに現実の人生のように」と彼女は言う。「まるでキャンバスの上に夢を見ているかのように描き続けた」。

彼女は1つのイメージを消し去り、別のイメージを重ねるというプロセスに信頼を置くようになった。

「癒しや光を与えてくれるような私が大好きなイメージは、その美しさと誠実さを吸収するまで、たいてい3日間向き合った。するとそれを手放して次に進むことができた。

作品が醜くても、混沌としていても、傷や影を訴えても、きちんと向き合うことにして、自分自身の傷や混乱が映し出されたものをじっくりと見ていると、そこにある独特の美しさや暗い知性が見えるようになった。これにも3日かかった。そして次へと進んだの」

創造しては手放すというこの工程のなかにジュディが見つけたのは、無意識へと入り込む道だった。「私は筆が照らすように描き、目に耳を傾けるように教えている。物語は昔からいつもそこにあった。それを言葉によって形にする。すると意味も生まれる」とジュディは記している。

最初の連作には6カ月、2作目には2カ月、3作目には2週間かかった。それぞれ80枚から90枚の写真が含まれる。本章の冒頭にこれらの連作から白と黒で描かれた作品を掲載した。またカラーページのイメージFも参照していただきたい。

「アートの創作中は何が起きるか分からない。実際の人生と同じように、不思議なことに巻き込まれる。私の作品は無意識から生じたものばかりなので、アーティストとして従来の教育を受けてこなかったことに感謝している。私は内面でざわめき、わき立つあの感情を表現する方法を、つねに動き続ける大海を地図で表現しようと試みる方法を見つけなければならなかった。それこそが、アートがもっとも人を癒すところだと思う。手は私たちを癒しへと導くことができる。**アートには自分自身の内面へ入ることを手助けする特別な知性がある——自分だけが旅をできる場所へと**」

のちに、ジュディは全体性を求める旅にトークセラピーを取り入れた。ジュディがセラピストに連作の写真を見せると、こう言われた。「あなたが描いたのは立ち直るプロセスね。スパイラル状の治癒のプロセス。ある事柄に繰り返し戻り、新たな目でそれを見るようになる。治癒は直線的に進むわけじゃない。広がっていくものなの」。

ジュディは過去のトラウマ体験を受け入れ、整理し、手放すための受け皿を自然と創造していたのだ。ジュディは自分自身のための意味を描いていたのである。

粘土を触り出したら、涙が溢れだした

ジュディとアーロンだけではない。すでに述べたように、トラウマは誰にでも起こり得る。よく知られているのは、ストレスの大きな仕事をしている人々に降りかかるものだということだ。あるいは、兵士や戦闘地域に暮らす人々、身体的、性的、精神的虐待を受けた人々などに見られるものだと。しかし、誰でも何かしら心にかかることはある。

何十年も前の気まずい会話や、きょうだいとのケンカ、社会的に取り残された疎外感、新しい学校に通い始める怖さ。病気、離婚、ペットの死、失業——誰もが経験する人生の一部

だが、生物学的な痕跡が残る可能性もある。

　スーザンはジュディの話を聞いて、それまで封印していた感情的につらかった時期を思い出した。その時期の痕跡は地下室で箱に入ったままだった。

　スーザンは20年以上も前に、最初の結婚生活にピリオドを打つことを決めた。当時2人の息子はまだ小さくて、離婚は家族の誰にとってもとてもつらいことだった。

　息子たちはそれまで当たり前だった家族の日常がなくなることに強いショックを受けていたため、スーザンは2人のために強くなりたいと願った。子どもたちが悲しがったときには、何の心配もいらないと言ってきかせた。しかし内心では、結婚、離婚、そして離婚によって自分たちにもたらされた先行きの不安がトラウマになるのを感じていた。

　ある日、彼女は息子が学校の課題で使ったテラコッタ粘土の残りを見つけ、何の気なしに手を動かし始めた。そうして現れたのは、ひざまずく女性の姿だった。天に向かって両腕をあげ、頭を後ろにそらし、無言の絶望のなかですすり泣いている。土を原料とした柔らかく冷たい粘土から自分に似た像ができあがったとき、涙が溢れだした。

　造形を学んだことは一度もないが、どういうわけか手が何をすべきか知っているような感覚があり、そのことにひじょうに驚いた。

　当時は知らなかったが、**手でリズミカルな反復運動を行なうと脳内でセロトニン、ドーパミン、オキシトシンの分泌が促されることが報告されており、そのため気持ちが少し楽にな**

ったのだ。05 粘土による造形もまた脳の活動に影響を与え、いつもより落ち着いた内省的な状態へと誘《いざな》うことも明らかになっている。06

スーザンはこの像のことを思い出し、仕舞い込んだ箱を探した。像は壊れないようにと麻布に丁寧にくるまれて保管されていた。布を取ったその瞬間、それをつくった当時に引き戻された。まるで、ゴーレム〔ユダヤ教の魔術で命を吹き込まれた粘土の人形〕に命が宿ったようだった。像は依然としてかつての痛みや喪失感を放っていたが、彼女の人生が開かれるようすも表していた。痛みを大きく和らげてくれるものを創造できるのは素晴らしい贈り物だ。

粘土は両手を同じように器用に動かして取り組む数少ない創作材料の1つであり、意識と無意識のどちらにも働きかけることができる。

下手くそでもいいから心のおもむくままに描く

精神科医のジェームズ〔ジム〕・ゴードンも、トラウマに苦しむ世界各地の人々やグループに対し、治療の一環として絵を描く手法を取り入れている。彼はボスニア紛争やハイチの大地震、最近ではウクライナでの戦争など、きわめて悲惨な現場で治療にあたってきた。

トラウマについては、よく見られる危険な誤解が2つあると指摘する。1つは特定の人にしか起きないという誤解。もう1つは、トラウマからの回復は不可能だという誤解。ジムは私たちにこう語った。「実際のところ、**トラウマは遅かれ早かれ誰にでも必ず訪れる。トラウマは人生の一部だ。**私たちはそのことを理解し、恥じてはならない。そしてやってきたときには——もしもやってきたら、ではなく、やってきたときには——トラウマから学び、回復し、乗り越えることができる」。

ジムはアメリカ国立衛生研究所で精神科医として長年研究に取り組み、ホワイトハウスの補完・代替医療諮問委員会の議長を務めた経験もある。1991年、彼はワシントンD.C.で心身医療センターという非営利組織を設立し、精神的トラウマや慢性的ストレスを抱える個人やグループを治療する包括的プログラムの一部にアートを取り入れ、成果を上げている。ジムは絵を描くことがトラウマを引き起こしたイメージを呼び出し、恐怖を乗り越えて前進し、起きたことを消化するもっとも簡単で信頼のおける方法の1つであることに気づいた。

その理由の1つとして、絵を描く行為が脳の活動を活性化することが考えられる。複数の研究において絵を描く前後と描いている最中の脳波を調査したところ、注目すべき点として絵を描いているときは脳のさまざまな領域で活動が確認された。

また、脳の左半球の活動のレベルが高まることも明らかになっている。この領域は言語処理に関わる領域であることから、トラウマを表現する言葉がなかなか見つからないとき、絵を描くことで脳の言語処理に関する領域が活性化し、認知処理をサポートし、結果として適切な言葉が見つかるよう促すのではないかという仮説を後押しするものである。

絵を描くことで脳の複数の領域が活性化され、脳が新たな方法で情報を処理する状況をつくり、私たちが脳内で新たなイメージを描き、創造することを促すのである。

ジムは長年にわたり、3つの絵を描く手法を用いており、これがひじょうに大きな効果をあげている。彼はこの手法を実践する相手に対し、これから描く絵は自分のためだけに描くものだと念を押す。たとえ絵を描くのが苦手だと感じていても、誰でも何らかの絵を描くことはできるし、棒線画でもまったく問題ない。

まずは白紙を3枚と、クレヨンやペンなど、なんでもいいので身近にある画材や筆記具を用意する。あまり考え込まず、素早く描くことが大切だ。ジュディが評価を交えずにキャンバスにイメージを表現したように、心のおもむくままに描いた方が、真実に迫った思いもよらない絵ができるだろう。「こうして描いた絵が普段はなかなか発揮することのない想像力や直感を呼び起こし、人生における創造的なガイド役を務めてくれる」とジムは説明する。

1つ目の絵では自分自身を描く。2つ目では「最大の問題を抱えた自分」、3つ目は「問題を解決した自分」を描く。

そう言われても、実際に描く前は3つ目の絵はなかなか想像がつかないかもしれない。だが心配はいらない。ここではあらゆる可能性を論理的に並べるのが目的ではなく、合理的な認知脳の働きを期待するわけではない。目指すのはその反対で、脳の別の領域に働くよう促す。アートは抵抗しない活動だということを忘れてはならない。考える必要はない。行なうのみである。

絵を描く行為は「私たちの遠い過去に働きかけ、脳の情動的で直感的な部分へといざなう」とジムは私たちに言った。

「想像力には私たちが理性的に行なうあらゆることを補う力があり、私の経験上このようなアートは言葉を超え、自分のなかで何が起きていて、それをどう解決すればいいのかを理解させてくれる。こんなふうに絵を描くことによって、想像力や可能性にアクセスできる」

絵を描いたら、PTSDが80%以上減少した！

この手法は、難民キャンプや戦争で荒廃したガザ地区の人々から、離婚や深い悲しみを抱えてジムのもとを訪れるクライアントに至るまで、さまざまな人々に希望や気づきや議論をもたらしてきた。2022年春、ジムはポーランドを訪れ、ウクライナでの戦争でトラウマを負った一般市民や、ポーランドに逃れてきた難民の治療にあたった。

早期介入として絵を描くことを取り入れ、「体内で凍りついた恐怖」を解放させるように手助けすると、PTSDが根づくのを防ぐ効果がある、と彼は説明する。ジムと彼のチームはこの取り組みの指導も行ない、普及に努めている。同じ分野の専門家たちがこの取り組みを評価する研究を行なったところ、心身医療センターが用いた手法によって「PTSDと診断される件数が80％以上減少していた」[07]。

これは驚くべき事実だ――絵を描くことを取り入れたプログラムで早期介入を行なったところ、ＰＴＳＤが80％以上減少したのである。

書く行為を通じて、自分の感情に名前を付ける

人によっては困難な経験が意識に宿ることもある。

痛ましい出来事を頻繁にまざまざと思い出すものの、どうすれば安心感を得たり、効果を実感できたりするほどに退けられるのか分からない。こうした経験について誰かと語り合いたいと思ったとしても、批判や恥ずかしさ、社会的な烙印《らくいん》、信じてもらえないことを恐れ、他人には打ち明けることができない。そうして秘密を抱えて生きていくことになるのだ。

このように**トラウマ体験を秘密にしておくと、心身の健康に問題を生じさせる恐れがある**。

社会心理学者のジェームズ・ペネベーカーは、１９８０年代にテキサス大学オースチン校に教授として在籍していたとき、トラウマと健康に関する研究に着手した。

人が自分の症状（および症状の感じ方）を医療関係者に伝えるとき、どのように説明するのかさまざまな調査を行なった。８００人の大学生を対象に行なったアンケートでは、80項目の質問の1つに、17歳までに性的トラウマを経験したことがあるかというものがあった。「その

質問に対する回答が私のキャリアを変えることになった」と彼は言う。

学生の約15%がイエスと答えたのだ。これらの学生はノーと答えた学生よりもはるかに高い確率で心身に何らかの症状があり、医師のもとを訪れる回数も多かった。事後取材と追跡調査から、ペネベーカーはトラウマ体験そのものよりも、むしろそれを隠さなければならないと思い込んでいることが問題だと気づいた。

彼らは経験を秘密にし、多くの場合、心の奥底に葬《ほうむ》っていた。経験について話し合うことを嫌がり、箱を開け、自分のありのままの気持ちを見つめることをためらっていたのだ。秘密とトラウマはなぜそれほど有害なのか？　ペネベーカーは疑問に思った。

彼は合理的な仮説を立てた――秘密にすることは積極的な抑制の一形態にほかならない。「強い感情や考え、行動を隠すことや、押しとどめることはそれ自体がストレスである」と彼は２０１７年に学術誌の論文で説明している。[08]「さらには、長期間にわたる低レベルのストレスでも、免疫機能や身体的健康に影響を及ぼすことがある」。

トラウマを秘密にすることで健康を害するなら、秘密を安心して打ち明けられるはけ口があればいいのではないか、とペネベーカーは考えた。とはいえ、トラウマについて他人に話すのはなかなか難しい。恐怖やスティグマ、社会的圧力などにより、すべてを包み隠さず話すことができないからだ。

彼は研究の一環として、大学生のグループに数日をかけてトラウマ体験について書くことを求め、対照群には無難な話題について書かせた。**心にあるネガティブなことを文字で表現する「エクスプレッシブ・ライティング」を行なうグループには、人生最大のトラウマ体験をめぐる考えや気持ちを書くよう指示した。**そして、もっとも深いところにある感情に本気で飛び込み、探ることを勧めた。

また、書いた内容は極秘とされること、綴りや文の構造、文法などはいっさい気にしなくていいことを強調した。ペネベーカーが突き止めたのは、トラウマについてエクスプレッシブ・ライティングを行なった学生たちは、平凡な話題について書いた学生たちよりも、学内の保険センターに行く回数がはるかに少なくなったということだった。

同じような方式で文章を書かせた複数の研究から、書くことで個人的で感情的な物語にあえて入り込むことは、心身の不調を軽減する効果があることが裏づけられている。

エクスプレッシブ・ライティングが脳にもたらす影響について調べたある研究では、トラウマを引き起こした過去の出来事について書くことで、負の感情を処理するうえで重要な働きをする中帯状皮質が活性化し、神経活動に変化を及ぼすことが確認された。[09] 感情や気持ちを言葉で表現する行為は、人生のつらい出来事を神経生物学的なレベルで文脈的に解釈し、理解を深めるよう促してくれる。

ペネベーカーはこれまで30年以上にわたり、考えや気持ちを紙に書き留めることが心身の健康を高める仕組みについて研究している。

彼の研究により、書くことは孤独を感じている人々にとって、自分の気持ちに名前を与え、何を必要としているかを知り、トラウマとなる出来事を昇華する力になることが明らかになっている。ペネベーカーが行なった多くの実験からは、エクスプレッシブ・ライティングが血圧とストレスホルモンのレベルを下げ、痛みを和らげ、免疫機能を向上させ、気分の落ち込みを軽減させ、同時に自己認識能を高め、人間関係を改善し、困難に立ち向かう能力を向上させることも分かっている。

クリエイティブ・ノンフィクション（回顧録や私的なエッセイなどのジャンルを表す総称）**もまた、エクスプレッシブ・ライティングの一種**だ。書くことによって自分自身について知る試みである。

多くの場合、優れたエッセイや回顧録は冒頭で疑問を提示し、答えを求めて書き進んでいく。そもそも「エッセイ」という言葉は、フランス語で「試みる」という意味の動詞 essayer から派生している。

書く行為を通して、自分の心の位置づけを把握する方法を学びとり、書き終えたときには自分がどのように感じ考えているのか、より多くの情報が得られるようになっている。作家のメアリー・カーが著書『回顧録の技法（*The Art of Memoir*）』で述べているように、「回顧録はまず出来事から始まり、そこから意味を導き出していく」[10]。

しかし、秘密やトラウマ体験をどうしても言葉にできない人々もいる。自分自身でそのように脳を操作してしまったためである。文字通り、言葉が見つからないのだ。

恐怖による言語消失

「自分のなかで、いつまでも終わらない戦争が続いている」

これは近代の戦争を生き延びたある戦闘経験者の言葉だ。メリッサ・ウォーカーは、メリーランド州ウォルター・リード国立軍事医療センターの国立イントレピッド・センター・オブ・エクセレンス（National Intrepid Center of Excellence, NICoE）が主催するヒーリング・アーツ・プログラムで働くアートセラピストだ。

彼女はこの仕事を始めたとき、兵役経験者たちが帰国後も内なる戦争を戦い続けていることに気づいた。これはかつて直接目にしたことだった。メリッサの祖父は海兵隊員として朝鮮戦争に従軍し、首に大けがを負った。やがて体の傷は治ったが、家族に戦争の経験を語ることはほとんどなかった。

夜になると、祖父の部屋からおぞましい叫び声が聞こえてきたのを覚えている。[11]「昼間でも部屋に入るときはあらかじめ声をかけ、驚かせたり興奮させたりしないように気をつけていました」とメリッサはTEDの講演で振り返っている。

「祖父は自分を表現する術《すべ》を見つけられず、残された日々を押し黙ったまま孤独に過ごし、私もその頃はまだ祖父を導く手立てを持ち合わせていませんでした」。彼女が現在の仕事に就いたのは、祖父とのこのような経験がきっかけになっていた。

何世代にもわたり、兵士が無口なのは恐るべき経験について語ることをストイックに控えているからだと誤解されていた。もちろん今では、それが時としてPTSDや深刻な抑うつ障害に伴う症状であることは誰もが知るところだ。

戦争から帰還した兵士が経験を語ることができないのは、脳のブローカ野が文字通り機能停止に陥っているからである。ブローカ野は前頭葉に位置し、発話や言語を司る領域の1つである。脳卒中によって損傷を受けた場合、発話ができなくなる領域だ。ブローカ野がうまく機能しないと、考えや気持ちを言葉で表現することが難しくなる。

ベッセル・ヴァン・デア・コークは自身の研究室でfMRIによる計測を行ない、人はフラッシュバックによってトラウマを積極的に追体験しているとき、ブローカ野の働きが著しく低下することを確認した。[12] この研究では、被験者はいずれも重大な自動車事故の経験者であり、その痛ましい出来事を可能なかぎり思い出すよう指示された。

「フラッシュバックが引き起こされたときにはいつもブローカ野が稼働を停止することを、私たちのスキャン画像は示していた。言い換えれば私たちは、トラウマの影響が、脳卒中のような身体的損傷の影響と必ずしも違わない（そして、それと部分的に重なり合いうる）ことを示す視覚的証拠を手に入れたわけだ」（『身体はトラウマを記録する――脳・心・体のつながりと回復のための手法』

より」。

脳はトラウマとなった出来事が目の前で起きているかのような反応を示した。これは、経験したことを文章にするのがひじょうに難しいケースがある理由を説明する手掛かりになる。文字通り言葉が存在しないことから、このような生理状態は「恐怖による言語喪失」と呼ばれている。

軍人たちが「仮面づくり」を通じて自我を取り戻す

２０１０年、ＮＩＣｏＥはクリエイティブ・アーツセラピーを中核とするプログラムを開始した。これは「クリエイティブ・フォーシズ」という国家プログラムの一環として、全米芸術基金、国防総省、退役軍人省、各州の芸術担当機関、および全米各地の12カ所のクリニックと共同開発したものだった。軍人とその家族が、ＴＢＩ（外傷性脳損傷）とＰＴＳＤの包括的な治療を目的とした4週間にわたる集中的なプログラムのなかで、メリッサをはじめとするセラピストが行なうアートセラピーを受けた。

現役の軍人を中心とするこれらの患者たちにセラピーを行なう場合、メリッサはしばしば彼らが記憶をたどる手段として、仮面づくりに向かわせるようにしている。これはもっとも効果的なアートセラピーの１つである。

仮面づくりは大昔から続くアートであり、少なくとも9000年前から存在し、世界中で儀式や祝祭、演劇、各種パフォーマンスで用いられてきた。また、**仮面づくりは治療手段としても用いられ、象徴や比喩、視覚表現を通して経験や感情を共有することを手助けしてきた。**

軍人たちには、専用のアトリエで、何も描かれていない仮面と絵の具や粘土、コラージュの材料、マジックペンなどの画材が与えられる。そして、経験したことのどんな側面でもかまわないので、掘り下げたいと思うことを表す仮面をつくるようにと言われる。

自分の表現を創造するのに役立ちそうな材料があれば、自由に持ち込んでかまわない。戦死した友人の姿や、戦闘で得た勲章が取り入れられた仮面もある。

最初の段階での第一の目標は、価値判断にとらわれない環境において、彼らが考えや気持ちを外面化する手段を提供することだ。**仮面の制作は自己表現と自己効力感を高める**、とメリッサは私たちに教えてくれた。

彼らは経験を具体的な形にすると、創作したものを言葉で表現し、それに対してより大きな意味を見いだせるようになることが多い。家族やほかの軍人と一緒にセラピーを行なう場合は、仮面によって語られる物語は共感や結束、受容を高めるかけ橋となる。

プログラムを修了したある患者はこう語っている。「PTSDやTBIを抱えているのはどんな感じかとよく聞かれる。以前はどう表現したらいいのか分からなかった——ところが仮面を制作した後はそうではなくなった」。

何よりも大事なのは、多くの軍人が仮面づくりにより、長年苦しんできたフラッシュバックなどの症状が現れる頻度が減ったと報告していることである。


クリエイティブ・フォーシズの長年の活動によって姿を現したのは、戦争をめぐる内面の世界を表現する何千点ものダイナミックで象徴的なアート作品だ。

ある仮面は砕けた顔を有刺鉄線でもとの形につなぎ合わせている。左右で異なる仮面もある。半分はほほ笑む女性の顔で、もう半分は疲弊してうなり声をあげる怪物の顔だ。さらには、骸骨を思わせる仮面もある。

プログラムを受けたある兵役経験者は、のちに『ナショナル・ジオグラフィク』誌に対し、戦争で体の一部を失えばよかったと思うことがあると語っている。そうすれば少なくとも、傷を負ったことを周囲から理解してもらえるからだという[13]。仮面の制作により、自分のなかで起きていることをようやく視覚化できた、と彼は述べている。

脳卒中や病変、怪我などによってダメージを受けた脳の状態については多くの研究がなされており、そこからトラウマが認知機能に影響を与えていても、仮面づくりが大きな効果を発揮する理由について洞察を得ることができる。

人は脳のブローカ野が不活発になり、言語能力が損なわれたときでも、視覚的アートを創作できる。一部の神経科学者たちはその理由として、脳の創造的な視覚能力は言語より先に進化したため、機能が低下するほど制限されないのではないかという説を示している。そして**アートの創作を通して得た視点により、今度は脳が言語によるトラウマの処理に取りかかる**ことを促す。

アートセラピーがもたらす精神的な変化は脳の活動に起因すると考えられており、現在はその活動が脳のどの部分でどのように起きているかを明らかにする研究が進められている。

10年以上にわたり何千もの仮面の制作に携わるなかで、メリッサとそのチームは、いくつかの傾向を認めるようになった[14]。

2018年、彼女は他の研究者とともに370人の現役軍人を観察し、視覚的イメージと気分の落ち込み、不安、外傷後ストレスとの関係を探った。また、プログラムで制作された仮面の膨大なデータベースを分析し、複数のテーマを発見した。

例えば、心身の傷は図式的に表現されることが多かった。さまざまな傷跡のほか、悪魔のようなシンボルも見られた。ほかには自分が失った能力や亡くなった友人に対する深い悲しみのようなテーマがしばしば登場した。また、一般市民の生活に戻る難しさや、戦争で果たした自分の役割に対する失望に苦しむようすも頻繁に見られた。

アートという視覚的言語は彼らが自分の声を再発見することを促し、そして何よりも大切なことに、彼らが自我を取り戻すきっかけになっていたのである。

雲を眺めるだけでも、体は休まる

本章の冒頭で登場したレスマー・メナケム（111ページ）は、1960年代に祖母のキッチンを訪れたときのことを今でも覚えている。

農場で綿花を摘む労働者だった祖母はいつも鼻歌を歌い、その手は分厚くて節くれ立っていた。鼻歌といっても作業に打ち込んでいるときの優しく静かなハミングではなく、野外で大きな声で歌う女性の大きくてにぎやかな歌だった。

「体を楽器として使うのはアートだ」とレスマーは言う。「黒人が250年もの間、合法的なレイプ、つまり快楽のためのレイプや利益のためのレイプ、祖先とその子どもたちを売りとばすためのレイプを生き延びたのは、どこにいてもハミングをしながら体を揺り動かし、揺らめきながら目配せをし合ったからだ。これらは1つのアートにほかならない」。

要するにレスマーは、肉体が癒しをもたらす緊急の道具になると考えている。

レスマーはソマティック・セラピストとして、トラウマを手放すために肉体の感覚を用いる。彼の手法は認知的思考だけでなく、身体的経験やボトムアップ処理と呼ばれる方法にも重きを置いている。**肉体的な感覚を経験することにより、頭で考えることから抜け出し、トラウマ体験をより効果的に処理することができる。**

歴史的に見て、有色人種は白人と比べると心理療法に頼ることが少なかった。機会がなかったことや、メンタルヘルスに対して潜在的に悪いイメージがあることが理由だが、今では状況が変わりつつある。ソマティック・セラピストとして訓練を受ける黒人の数は増加しており、レスマーもその1人だ。今日、アメリカで資格を持つ心理療法士のうち、有色人種は5パーセントほどにすぎない。レスマー・メナケムという名前は、コミュニティの年長者たちから療法士としての彼の働きを称えられ、贈られた名前だ。ケメティズム〔1970年代に出現した、古代エジプトの宗教を再構築した信仰〕の言葉で、レスマーは「まぎれもない真実の上にそびえること」、メナケムは「同胞たちが築いた礎によって立つこと」という意味である。

「黒人や先住民は心的外傷後ストレス障害を経験することはない。私たちが経験するのはいつまでも続く心的外傷性ストレスである。つまり現在進行形なのである」とレスマーは言う。「白人至上主義は脳の構造を劣化させ、むしばむ。内分泌系、筋骨格系、生殖器系を劣化させる。それは心身をゆるやかに退化させる原因になっている」。

このような状況から、癒しの旅を始めるには充実したセラピーが欠かせないと彼は言う。「トラウマが特殊な状態で体を支配しているため、最初に合理的、認知的な手法で近づこうとしても、うまくいかないことが多い」。

レスマーがセラピーで用いるアートや美的経験では、鼻歌を歌う、体を激しく揺さぶる、もしくは小刻みに揺さぶる、体をゆらゆらと動かす、踊る、アートを制作するといったことを行ない、体に蓄えられたエネルギーに直接働きかける道筋をつくる。

彼はまず、トラウマに伴う体験や感情、エネルギーを収める具体的な心理的容器のようなものを創造することから始める。一般的に、人は誰もが感情的に難しい事柄を避けるようにできている。

「セラピーでは、シンプルな動作をたくさん行ない、基本的な動きや仕草を観察しています。例えば、クライアントがうなりだしたら私も一緒にうなり声をあげる。あまり意味のないことだと思うかもしれません。しかし、**うなり声やうめき声は、私たちの誰もが持っている声の振動を用いた太古からの言葉**です。他人が自分のまねをしているのを聞くことで具体的な連携が生まれ、しかもそのことに気づくことさえない。これが、私の言うところの容器を準備するということです。私が目指すのは、そこに入れた強い感情をクライアントと一緒にしっかりとつかむことなのです」

クライアントと療法士との協力で容器が確保できたら、レスマーはクライアントに対し、トラウマによって蓄積されたものをじっくりと掘り下げるように促す。

まずは身体的感覚から何が生じるか、遊びながら確かめていく。そのとき、道具ではなく、おもちゃを使うことを説明する——そしてこのエネルギーと向き合うために、自分自身のおもちゃ箱のなかに何があるか考えてもらう。レスマーは好奇心と創造力をかき立て、探索し、問いかけ、見定めるよう後押しする。

「ときにはあまりにも抑圧されていて、癒しの力となる想像力が使えないこともあります。そんなときは雲を眺めるとか、ごく簡単なことを考えてみましょう」と彼は言う。「すると世の中には喜びがあり、心配はいらないと思い出させてくれるのです」。

このように**遊び心のあるフロー状態に入ると、体はいったん小休止できる。**

「私が大好きな考え方は、癒しは休符のなかに、つまり何かと何かの合間に存在するというものです。たくさんの物事をマリネのように調和させる過程では沈黙が多くを語ることがあり、それができるようにする必要があります」とレスマーは述べる。「やがてふるえが起き、物事が結びつくようになるのです」。

人種的トラウマからの回復は、個人と集団に関わる現在進行形のプロセスであり、注意を払わなくてはならない。スピードは問題ではない。「固く結んでいたものがほどけていくには時間がかかります。変化を導くため、まずはトラウマによる強い感情を放出しなければなりません。そうしてはじめて完全な自己として浮上できるのです」とレスマーは言う。

レスマーは、私たちの誰もが人種をめぐる強い感情を収める容器をつくるべきだと訴える。黒人や先住民だけでなく、白人も例外ではない。彼は人種的不公平について正直になることに希望があると言う。

「こうした要素をまとめあげるのがアートという方法です。このような問題は検討される必要があり、あなたが参加し、それに関心を向けることで何か浮かび上がるでしょう」

演劇で心を癒す

俳優が幕の向こう側から登場して舞台で役を演じるとき、特別なことが起きる。**自分とは異なる人生を表現するために、体がそれまでとはちがう動きを始め、いつもの声色が変わり、自己の本質までもが進化する。**

ニーシャ・サジュナニは、困難な人生によって私たちが身体的経験から切り離され、心の健康を損なった場合、演劇にはそれに対処する力があると以前から感じていた。

ニーシャは長年にわたり、有色人種の移民女性、難民や子どもたち、さまざまな権利を奪された人々のために活動してきた。彼女が接する女性たちは、多くの負担を抱えていた。仕事を2つ、3つとかけ持ちしながら、介護や子どもの世話、故郷への仕送りに追われ、さらには言葉の問題や偏見、人種差別にも立ち向かわなければならなかった。そのせいで、精神的苦痛や精神と肉体が乖離《かいり》した感覚、肉体的な自己認識の混乱などに見舞われていた。

ニーシャはニューヨーク大学のドラマセラピー・プログラムおよびシアター・アンド・ヘルス・ラボの責任者であり、自らも演劇活動に携わるドラマセラピストである。彼女はこれまでに、人々が人生の困難な状況を文脈に当てはめて考え、ふたたび肉体と結びつくための手法を考案してきた。

困難を乗り越えるうえでは、自分の内面で感情的に起きていることを感じとって体で表現することが鍵になる。こうした説は、ベッセル・ヴァン・デア・コークをはじめとして、トラウマからの回復のために体現化が精神面に及ぼす重要な影響に着目する研究者たちによって唱えられてきた。

ニーシャは早い段階から、私たちが世界を経験し、理解するうえで、体による言語が重要だと気づいていた。体の動きは大脳基底核という前脳の領域がコントロールしており、姿勢やバランス、動作の協調性は小脳が調節を助けている。体に起きていることを把握する感覚は、内受容器という感覚神経の集まりによってつくられている。[15] 感情的に圧倒されているとき、この感覚は混乱したり、増幅したりする。

ニーシャはニューヨーク大学に所属する前は、コネチカット州ニューヘイブンにある外傷後ストレスセンターで長年働き、強い不安を伴う状況を経験した人々を支援してきた。

彼女は創造的なアートセラピーがストレスを緩和する可能性について研究し、動作や劇によって困難な経験を思い出し、それを不快感や過剰な刺激を伴わない身体的表現に移行させる方法を学んだ。

「現時点で分かっているのは、人は恐怖に襲われ、命の危険に関わるような経験をすると、まずは口をつぐむということです。そうしたことを経験すると、自分を守るためにそれを避けて行動するようになるのです」とニーシャは説明する。

演劇やドラマセラピー〔トラウマを理解したうえで動作と演技を取り入れる手法〕は、実体験との身体的なつながりを可能にし、それによって新たな意味を与えることを手助けできる。

ニーシャは、即興的な動作や物語を話す《ストーリーテリング》こと、ロールプレイ、演技などを利用し、人々が体をうまく使って実体験を探求し、他者との関係を捉え直すことを支援している。「自分が経験したことは、それが体現され、演劇のようなアートによって視覚化されたときにもっともよく理解できるのです」とニーシャは述べている。[16]

誰しも、自身の経験が孤立し、それだけで占められた心理状態から離れる必要があるとニーシャは悟った。「つまり、**トラウマ体験を内に抱えて1人でそこにとどまるのではなく、世の中に復帰できるように、アートによってその経験を整理することが重要**なのです」とニーシャは説明する。

「演劇は経験を体現するのに最適です。そして自分が感情的にそれをどのように経験したのかに注意を払い、それを音やジェスチャー、描写、動作といった具体的で分かりやすい形態へと移行させ、象徴的な比喩を用いて経験したことの複雑さを伝える手助けをしてくれます。しかもその複雑さをすぐに解きほぐす必要がないのです」

幼少期のダンス経験によって共感性、協調性がアップ

心理療法士でダンスセラピストのアイリーン・セルリンは、踊りや動きを用いてトラウマのある人々や集団が自身の肉体と物語にふたたび結びつくことを支援している。

アイリーンは世界各地を訪れ、女性たちが自分の感情と結びつき、表現できるようにダンスを指導してきた。

ダンスの協調運動は演劇と同じく、大脳基底核や小脳がコントロールしているが、さらに運動野も関わっている。自分の体と外界との結びつきの感覚は、自己受容性感覚という感覚に基づいている。これは体の動きや空間での位置を認識する感覚だが、ダンスの動きがきっかけとなってこの自己認識の感覚が刺激される。

踊ることで気分が良くなり、セロトニンの分泌によって気分の落ち込みを防ぐ効果があることも分かっている。また、踊ることは脳の半球間の神経活動を活発にし、新たな神経回路の形成を促す[17][18]。

ヨルダンでは、アイリーンがセラピーを行なった女性たちはアラビア語しか話せないうえに、トラウマについて語ることは文化的に許されなかった。女性たちは同じ部屋でともにベリーダンスをすることで、堂々と自己表現をすることができ、さらには体を動かすことで神

経化学的にも良い影響を受けた。

アイリーンのダンスセラピーを受けたある女性は、セラピーのおかげで内面に閉じ込めていた気持ちを「体の動きや、音楽に合わせたリズムによって表面へと浮上させ」、表現するのに役立ったと語っている。ダンスを通じて自分自身を共有してもらうことが、女性たちにとって癒しとなるのだ。

男性にも同じことが言える。ダンスはあらゆる人々にとって、感情的なウェルネスを得られる道筋である[19]。

フィンランドで子どもの頃にダンスをしていた男性について調査したところ、**子どもの頃のダンスは男性の共感力や自己認識、健全なアイデンティティを高めていた**ことが分かった。また、このような傾向は大人になってからも引き継がれ、しかもダンスをしなくなってからも変わらない。

研究結果のなかで言及されているように、ダンスは「自分の体を意識し、相手のボディランゲージを読み取ることを教えてくれる[20]。そして人は互いに異なるということを理解し、さまざまなタイプの人々と協調できるよう導く効果がある。ダンスは体に対する敬意も高めている」。

子どものために用意された「静かな場所」

私たちはこれまで、トラウマとなる経験をしたあとで、アートを基礎とした活動によってその体験と向き合う方法について論じてきた。しかし、将来の世代が人生の避けがたい困難にうまく対処できるように、早い段階からスキルを身につけることはできるのだろうか？

メキシコシティに住む6歳のマリーナは、明るく社交的な性格だった。彼女が生まれ育ったこの都市は慢性的な問題を山ほど抱えていた。犯罪率が高く、大気汚染が深刻で、自然はほとんど感じられず、仕事は少ないうえに低賃金だった。それでもマリーナは、たくましく、にぎやかな大家族で育ち、祖父のことをパパと呼んで慕っていた。

マリーナはいつもパパと一緒に朝食をとり、保育園に行く前に2人で遊び、午後は帰ってくるとすぐに大声でパパを呼び、その日にしたことを興奮しながら話した。2人はいつも一緒だった。マリーナは祖父の無条件の愛情と支えによって安心感を得ていた。

ある日、マリーナが帰宅すると、祖父を呼んでも返事がなかった。マリーナが学校に行っている間に突然亡くなってしまったのだ。

祖父の死による衝撃と、やり場のない悲しみから、マリーナは別人のようになった。家では泣いてばかりで、母親がどんなになだめても、自分の気持ちを語ろうとしなかった。学校では引っ込み思案になり、何でも怖がった。かつては元気いっぱいだった少女は、いまや不機嫌で口数が少なく、臆病な少女になっていた。母親は娘の目の輝きが苦悩と涙で消えるのを目《ま》の当たりにした。

愛する人を急に失ったことによる子ども時代の悲しみは、前向きに処理されることもあれば、否定的に処理されることもあるが、幸いにも、先生はマリーナのためになりそうなことを考えてくれた。

マリーナの教室の隅に、エル・リンコン・デ・ラ・カルマ（El Rincón de la Calma）、つまり「静かな場所」を設けたのだ。壁を鎮静効果のある青で塗り、ゆるやかな緑の丘と1本の木を描いた。棚には絵を描く道具をそろえ、床にはビーズクッションを置いた。

1日を通し、子どもたちは気が動転したときには、この静かな場所で過ごすようにと言われた。すぐに何も言う必要がなくなった。彼らは自分からやって来て、この空間を自分の気持ちと向き合うために利用するようになった。

アート教育があらゆる能力の発展に寄与する

マリーナの先生のエリザベスは、子どものための国際支援団体セーブ・ザ・チルドレン基金の取り組みで、アートによる癒しと教育を行なうプログラムＨＥＡＲＴ（Healing and Education through the Arts）で専門的な訓練を受けていた。

「HEARTの主な目的は心理社会的幸福の向上です」

セーブ・ザ・チルドレンの国際プログラムにおいて、メンタルヘルスと心理社会的支援の分野の責任者を務めているサラ・ホメルは言う。「ストレスを抱えた子どもは、そのストレスを処理して回復するのに必要なサポートを受けられないと、心が乱され、集中力を失い、感情をコントロールできなくなることが多く、内向的になったり、過度に興奮したりすることがあります」。

子どもは、愛する人の死や紛争、戦争、自然災害など、きわめて困難な状況に直面し、その出来事を昇華するための文脈を得られずにいると、トラウマやPTSDを発症したり、凍りつき、身動きが取れなくなったりすることがある。祖父を失って悲しみにくれるマリーナのように、自分の殻に閉じこもるケースもある。

HEARTの活動から、子どもと大人が数カ月、場合によっては数年の間、定期的に自己を表現するアート活動に取り組むことで、ストレスや不安を処理するのに必要なスキルを得られることが明らかになってきた。そして、何もケアしない場合に待ち構えている可能性のあるトラウマを避けることができるのだ。

このプログラムは主に3つの柱から成り立っている。

1つ目は呼吸法や筋肉の緊張をほぐすといったテクニック。2つ目は大人の進行役による指導のもと、アートの制作をグループで行なう体系的な活動。3つ目は各自がさまざまな創造的表現に取り組むフリーアート。絵を描いたり、踊ったり、粘土や布で何かをつくったりするなど、自由にアート制作に取り組む。**いずれの場合もアートが完成したら共有する場を設け、子どもたちが完成させたものの意味を説明できるようにする。**

最初の研修で何よりもまず重要なのは、これはアートの「出来栄え」を評価することが目的ではないと大人たちにしっかりと理解させることだ。

HEARTの指導者たちは講習の冒頭で2つの猫の絵を描くことから始める場合が多い、とサラは教えてくれた。1つは6歳児が描きそうなトラ猫のまじめな絵。もう1つはなぐり描きの支離滅裂な猫の絵。「描いたらこう言います。『これは両方とも猫の絵です。どちらが優れていますか？』答えはどちらでもありません。両方とも素晴らしい。そしてどちらも猫です。描いた私が猫だと言っているのだから。すべてのアートは良いアートなのです」。

決まった方式に沿って国語や理科や算数を教えてきた教師には、なかなか受け入れ難い発想かもしれない。「**これには正しいとか、まちがっているという評価軸はありません。大切なのはできあがったものではなくその過程です。**アートはどんなものでも素晴らしい。なぜなら子どもが創造したものや、それについて語ることはすべて正しいのだから。これはかつてない発想であって、正規の教育現場ではとくに目新しいものです」。

このようなアートを基礎としたプログラムを通して、子どもたちは自分自身を見つめ直し、自己を表現し、言語によるコミュニケーションを行なうスキルを身につけていく。

こうしたスキルは道具となり、うまくいけば生涯にわたって役立つものとなる。**さまざまな形態のアートに触れ、取り組めるようにすれば、多くの感覚が用いられ、判断や問題解決、体系化が多様なプロセスで行なわれ、脳のさまざまな領域が刺激され、健全な脳の機能をサポートすることになる。**

「ストレスから回復させるだけでなく、学習や発達にも役立つ」。サラはそう述べる。

HEARTは長年にわたりデータを収集し、とりわけ傷つきやすい存在である子どもを中心に、アートが私たちの幸福にどのように寄与するのか検証してきた。その結果、プログラムにおいて自己表現やコミュニケーション、集中力、感情のコントロールなどが大幅に向上したことが明らかになっている。

学校でHEARTを導入すると出席率が上がり、学習に関する指標が向上する。もっとも重要なのは学習意欲が高まることで、学びへの好奇心や強い意気込みは人に対する最高の贈り物なのかもしれない。これは問題解決や、友だちとのいざこざを解決する能力を養うことにもつながる。さらに、**子どもたちは未来志向の考え方をするようになる。**

いまや社会的に完全に取り残されたようなコミュニティにおいても、子どもたちは将来について夢を抱けるようになっている。そして気持ちが軽やかになったことで心が解放され、意欲が増している。マラウィのある学校における比較調査では、HEARTの手法を用いたクラスは学習に関する指標が16％も向上した。

「おままごと」も立派なアート活動

マリーナの場合、エリザベス先生は絵を描くことで祖父の死を表現するよう促した。マリーナが教室で気持ちを閉ざしたり、泣き出したりしたときには、すぐに「静かな場所」に行こうと声をかけた。2人はそうすることを儀式として確立した。

マリーナはそこで20分ほど絵を描いて過ごした。絵の描き方には正解もまちがいもなく、どうすべきか指示することもなかった。

マリーナは気が向いたときは祖父について話すようになった。自分のペースで、自分のやり方で行動する手立てを得たことで、期待したようにマリーナは心を開き始めた。

ある日、彼女は描いた絵を折りたたみ、胸に押し当てた。そして、先生に気分が良くなったと伝えた。祖父はいつも一緒にいて、ずっと自分の一部なのだと彼女は言った。

HEARTは科学的根拠に基づいた測定可能なアプローチにより、ストレスが敵視されることも、目を背《そむ》けられることもないような、文化的に思いやりのある環境を創造しようとしている。もっと言えば、HEARTはストレスを予防し、ストレスから身を守る必要不可欠なスキルを身につける機会である。

神経科学的な研究からも、幼い子どもの発達においてアートがきわめて重要であることが裏づけられている。とりわけ社会的、情動的発達に関わる神経回路の形成にアートが寄与する点は見逃すことができない。

踊り、歌、ままごとなどのごっこ遊び——私たちが子どもの頃に遊びとして自然と行なっていることは、自然なアートにほかならない。これまで説明してきたように、それは脳のさまざまな領域に作用し、アートは学校で取り入れられると、子どもの共感力や自己認識、主体性を向上させる神経回路を発達させる効果があることが証明されている。

アートはマリーナのような子どもたちが、人としてのさまざまな経験を感情的に文脈にあてはめて解釈する手助けをしてくれる。これは学校でのアートの授業にまったく新たな意味をもたせる事実である。

一曲の音楽が命を救うことも

私たちは誰もがいつかトラウマに見舞われる。しかしほとんどの場合、集中的な医療支援が必要になるほど深刻な精神衛生上の問題を経験することはないだろう。もし経験するとことになっても、そのときはアートが具体的な効果をもたらしてくれる。

1990年の夏、ブランドン・スタグリンはニューハンプシャー州のダーツマス大学に入学してから最初の1年を終えた。

彼は18歳で、両親と妹が暮らすカリフォルニア州ラファイエットの自宅に戻った。そこは3歳から住んでいた家で、幸せな子ども時代を過ごした。学校が好きで成績も良かった。サッカーをしたり、高校の友だちと自然のなかで過ごしたり、哲学クラブのメンバーと会ったりするのが大好きだった。7歳の頃は、夏休みは自分の部屋でラジオの音楽番組『トップ40』を聴いたり、レゴで遊んだり、絵を描いたりしていた。音楽好きは年々高まっていった。

ところが、大学生活の最初の1年を終えたその夏休みにはストレスを感じていたとブランドンは振り返る。初めて真剣につき合った恋人と別れたうえに、夏休みのアルバイトを見つけるのにも苦労していた。ある晩、なかなか寝つけずにいたとき、脳の右半分がなくなったような感覚に襲われた。むりやり奪い取られたような感じだった。

そして世の中との感情的な結びつきをすべて失い、両親や友だちに対する愛情や共感といった気持ちを急に感じられなくなった。そういう感情が完全に消えてしまったのだ。彼はしだいに被害妄想に駆られて取り乱すようになり、ついに初めて精神的に破綻《はたん》をきたし、精神科病棟に収容された。

「ひどい幻覚や妄想に襲われ、心をしっかり保つにはとてつもない努力が必要で、ちょっとでも善悪の判断を誤ったらすぐに地獄に落ちると思い込んでいました」とブランドンは私たちに語った。「そういう考えが1日中ずっと頭から離れなくてものすごくつらく、何カ月も苦しみが続くものだから、あと一歩で命を断つところでした。それでもありがたいことに、なんとか踏みとどまった。今生きていることに、とても感謝しています」。

ブランドンは統合失調症と診断された。投薬と継続的なセラピーなどの治療を受けた結果、大学を優秀な成績で卒業することができた。ただし、そうした治療に加え、音楽もまた回復の力になったと彼は感じている。「現実から切り離され、自分が滑り落ちていくように感じることがありました」と彼は言う。「そんなときは、**意欲を高めてくれるようなお気に入りの曲を聴くと、また現実に戻ってこられることが分かった**のです」。

この先の章でもさらに詳しく述べるが、音楽がストレスや不安や落ち込みを和らげ、私たちをリラックスした状態に導いてくれることについて、多くの研究が行なわれてきた。

ある仮説では、脳内で感情の把握と音楽の知覚を司るそれぞれの領域が互いに近い場所に位置していることに要因があると見ている。近年の興味深い発見として、**意図的にリラックスした精神状態をつくるために被験者に音楽を聴かせると、ストレスが何にも増して大きく軽減されたことが報告されている。**

演奏によって利他的な思考になる

意欲の低下や明晰《めいせき》な思考力の低下といった認知的問題は統合失調症の症状である。

「音楽は陰性症状（統合失調症における意欲の減退や無関心など、本来あるべきものがなくなる症状）を管理するうえでひじょうに役立ち、そうした症状が抑制され、本来の機能がより良く働くように手助けしてくれるのです」とブランドンは言う。

「多くの人にとって薬による治療は欠かせませんが、回復するにはそれだけでは不十分です。プラスアルファが必要になります。また、薬を飲むと感情が麻痺することもあります」。彼は何も感じずに人生を送りたくなかった。意味のある人間関係を築いていきたかった。

ブランドンはギターを弾き始めた。断続的にレッスンを受けるようになって10年ほど経ったとき、統合失調症から回復した彼はその経験に基づいて『地平線を追いかけて』という歌を書くことにした。そして半年間練習を繰り返した。

「ギターを弾くとそれから何日もの間、意欲が高まり、考えと気持ちがまとまるように感じるので、音楽のそういうところが本当に気に入っています。**音楽の活力や意義、目的意識、それに散漫な思考によっていろいろな方向へと引っ張られていかないように、ばらばらな思考をまとめてくれる力**。これは私の人生においてひじょうに大きな力になっていきました」

音楽はまた、彼が自分の感情や他者とのつながりを心から実感するうえでも役立っている。「演奏することで自分の魂が広がるように感じる」とブランドンは私たちに語った。「感情的にも精神的にも、完全な人間だという感覚が強くなります。それはおそらく、演奏によって社会性のある、利他的な判断をする能力が高まるからだと思います。**音楽に関わることで、そ**

のときに1人で演奏していても、誰かと演奏していても、世の中の人々とのつながりをいつもより強く感じられるのです」。

音楽療法の医学的功績

ブランドンは両親とともに、精神疾患の科学的理解を進め、診断や治療の向上に貢献する非営利団体ワン・マインドの立ち上げを支援した。

ワン・マインドは、精神疾患の生物学的基盤や早期発見のためのバイオマーカー、統合失調症、双極性障害、うつ病などの疾患の新しい治療法に関する研究を支援している。

2020年、ワン・マインドはスーザンの研究室と協力し、音楽と精神疾患をテーマとした過去の研究を評価する研究レビューを行なった。過去に例のないこの研究は、この分野における厳密な科学の進歩に欠かせない研究文献の強みと空白を特定した。そのなかでも主要な発見は、**音楽のジャンルや音楽的介入の方法を問わず、患者の90%以上が従来の治療法よりも音楽的体験の方が優れていると受け止めている**ことだった。

音楽療法は統合失調症の症状を含め、精神状態全般を改善することが分かっている。また、音楽が感情の処理を手助けする媒体として働くため、社会的機能を向上させることも明らかだ。さらにリズムや歌詞の反復、和音といったものは脳の新皮質に働きかけ、気持ちを落ち着かせ、衝動を抑えることから、不安や感情の調節不全が軽減される。

物理学者でジャズ・ミュージシャンのステファン・アレクサンダーは、物質、エネルギー、宇宙論の基礎となる場の量子論とともに、音楽が宇宙の構造に内在することについて記している。ブランドンはその科学的理論をこう紹介する。

「宇宙マイクロ波背景放射というものがあるのですが、これは電波望遠鏡を宇宙に向けると観測できます」と彼は言う。「そしてこれは残響であり、ビッグバンによって宇宙に残された音とも言えるものです。つまりそういう意味では、音楽はあらゆるものの一部なのかもしれません」。

ブランドンは彼のギターの単純な振動にさえ、音叉と同じようにメンタルヘルスを高める効果があると感じている。「**ギターのチューニングをしたり、1弦ずつ弾いて響きを聴いたりするだけでも集中力が高まり、その瞬間とさらに調和することができます。**そんなときは、音楽ではなく、たった1つの音にすぎませんが、私には効果があるのです」。

スティグマとは何か

私たちのメンタルヘルスの問題が状況に起因するものでも、一過性のものでも、あるいはブランドンのようにかなり深刻なメンタルヘルスの問題を抱えていても、回復を妨げる最大の要因に挙げられるのは恥ずかしさと社会的な烙印である。そのため、世界中で精神疾患に苦しむ人々の75%以上が治療を受けずに過ごしている。

ブレネー・ブラウンは強く訴える。「**もがいているときに不必要なのは、人間的であることに対する恥ずかしさです**。それは、私たちが自分は変われると信じているまさにその部分をむしばんでしまうのです」。さらに、メンタルヘルスの問題を抱える10人に9人近くが、スティグマや差別は人生にマイナスの影響をもたらすと回答している。

スティグマとは差別や偏見に加担する側と、その対象となる側の両方に起きる脳の反応である。脳のさまざまな領域に現れ、程度はかすかなこともあれば、はっきりと現れることもあり、生理的反応の引き金となる。他者に対してスティグマを感じる場合、それは扁桃体における恐怖に基づいた反応であり、未知なものによって引き起こされることが多い。

興味深いことに、スティグマを感じる側は、恐れを抱く対象に脳の障害や病気があると知ると、脳の恐怖中枢が沈静化し、スティグマが和らぐ。[21]

スティグマの対象になった人物は他者から区別され、劣っていると考えられ、社会の脅威とみなされる。[22]

その結果は社会的な拒絶と孤立であり、3つのタイプのスティグマとして現れる。

（1）パブリックスティグマ。一般の人々が精神疾患について抱く否定的な思い込みを指す。

（2）セルフスティグマ。そういった偏見を自分自身に向けることで生じるスティグマ。
（3）制度的スティグマ。精神疾患に対する凝り固まった偏見が政府や民間組織の方針に反映され、メンタルヘルスの問題を抱える人々の機会を制限するようになる状況。烙印を押されると、脳内の神経系の相互作用により、悲しみ、苛立ち、落ち込み、社会的ひきこもり、不眠などといった状態が起きる。

こうした状態はそれぞれ異なる神経生物学的基盤に基づく。例えば、社会的拒絶はスティグマそのものとも言えるが、島皮質と背側および腹側の前帯状皮質が活性化され、孤独感がもたらされる。

スティグマはメンタルヘルスの問題を抱える本人だけでなく、サポートに取り組む家族にも拡大して影響する。また、誰もが世の中の一員となり、自分が完全で、回復できると感じることを妨げる。そして否定的な固定概念をつくり強化し、家族や友人、同僚、隣人との関係に悪影響を与えるのである。

有色人種のコミュニティにとって、スティグマはさらに有害だ。非営利団体メンタルヘルス・アメリカによる調査では、黒人は軽度のうつ病や不安感について、友だちから「頭がおかしい」と思われると回答している。

また、家庭では精神疾患について話し合うことさえ許されないとの回答も多く見られる。こうした状況は、ヘルスケア分野における不平等と人種的不均衡によって助長されている。[23]マイノリティに属する心理学者は6・2％、高い専門性を有する精神科看護師は5・6％、ソーシャルワーカーは12・6％、精神科医は21・3％にすぎない。

自己批判を抑える創造的な方法

ジュディス・スコットはスティグマに殺されかけた。ジュディスは1943年に生まれ、ダウン症のため幼い頃に施設に入れられた。当時は、発達にそのような特異なところがある子どもは遠くに追いやられることが多かった。

ジュディスは双子のきょうだいと離ればなれになって、オハイオ州の施設で40年間暮らした。施設の管理者たちは、ジュディスをきわめて知能が低く、精神的に何も感じられないと決めつけていた。しかし実際には、ジュディスは耳が聞こえなかったのだ。

彼らはそれに気づかず、偏った思い込みのせいで彼女は手話を学ぶ機会を得られなかった。数十年後、双子の姉妹がその施設からジュディスを退所させ、すぐにサンフランシスコにあるクリエイティブ・グロースへと連れて行った。

クリエイティブ・グロースはおよそ50年もの間、視覚的アートを用いて知的発達障害のある人々を支援してきた非営利団体であり、同時にスティグマに染まった私たちの物語を、創造的な可能性を信じて力をもたらすような新たな物語に置き換えることを後押ししてきた。創立者であるフローレンスとエリアス・カッツのこうしたビジョンは、世界中で模範となっている。

クリエイティブ・グロースは芸術家たちが協力して心身に障害のある人々を支援することを目的として発足した。「私たちが知るかぎり、このような独立したアートプログラムを提供し始めたのは世界でもここが初めてです」とクリエイティブ・グロース・アート・センターの責任者トム・ディ・マリアは言う。

オークランドの大型商業施設内のアトリエには、毎週約160人ものアーティストが集う。なかには週5日40年以上も通い続けているメンバーもいる。

スタッフも全員アーティストだが、アート制作には口出しせず、各自が自分の声を見つけられるようにしている。「統合失調症、うつ病、双極性障害、PTSD、発達障害を抱えたアーティストもいます。私たちが接する大人たちは、もともとは創造性がないとか、コミュニケーションが取れないと言われ、おとなしくしているように、騒がないように、『お前の話など聞きたくない』と言われ続けてきた人たちです。私たちはそれをいわば裏返し、こう言っています。**『あなたが話すことにはすべて価値がある。それを表現するには視覚的な方法がいいと思う』**」。

スタジオに到着したジュディスは、スタッフに助けられ、言語的コミュニケーションができないからといって自分を表現できないわけではないことを理解した。スタッフはこう聞いた――どうすればこれまでの経験を私たちに伝えることができるか？　そしてジュディスはとても創造的な方法を見つけた。

彼女は永遠や保護をテーマとするオブジェをつくり始めた。繊維やその他の材料を使い、子宮のようなものを制作した。**カラーページ**がその作品である。

当初、ジュディスは夜になって帰宅するときには作品を隠していた。誰かに盗まれるのではないかと心配したからだ。何も尊重されることのない施設での暮らしが長かったため、最初の作品は完成まで2年もかかった。

「私は彼女の作品を見て、彼女が私たちに伝えるすべての情報がそこにあるのだと考えるのが好きです。ジュディスの言葉が彼女のアートになったのです」とトムは言う。

スティグマは精神的な回復を損なう。なぜならそれは恥という感覚をもたらし、恥ずかしさによって他者と共有する力と回復する力の両方が文字通り抑制されるからだ。

アートは認知的干渉に対する注意と抑制に関わる脳の認知制御ネットワークの活動を高め、その結果として自己批判、自己判断、抑制を弱めることでスティグマに効果的に対抗する。[24]このプロセスではアートの制作者が困難に対処し、回復するのを手助けしながら、それに接した人々が理解を深め、共感できるよう促す。

アートはスティグマを破壊し、相手の本当の姿を見られるようにしてくれる。スティグマとアートに関する近年の研究をメタ分析した2021年の調査は、**アートによる介入はメンタルヘルスに対するスティグマを低減するのにきわめて有効である**と結論づけている。[25]

トラウマや深刻な精神的問題に関する例は世界中で枚挙にいとまがないが、アートが私たちを支え、癒しをもたらす手助けをしてくれる例も数えきれない。

アートが脳波の活動や神経系に作用することで、脳の機能を高める証拠も次々と見つかっている。[26]アートは私たちがペースをゆるめ、感情的な痛みを感じとって表出させ、それまでとは異なる満ち足りた人間の姿を手助けする方法を与えてくれる。

そこにあるのは美しさと希望である。

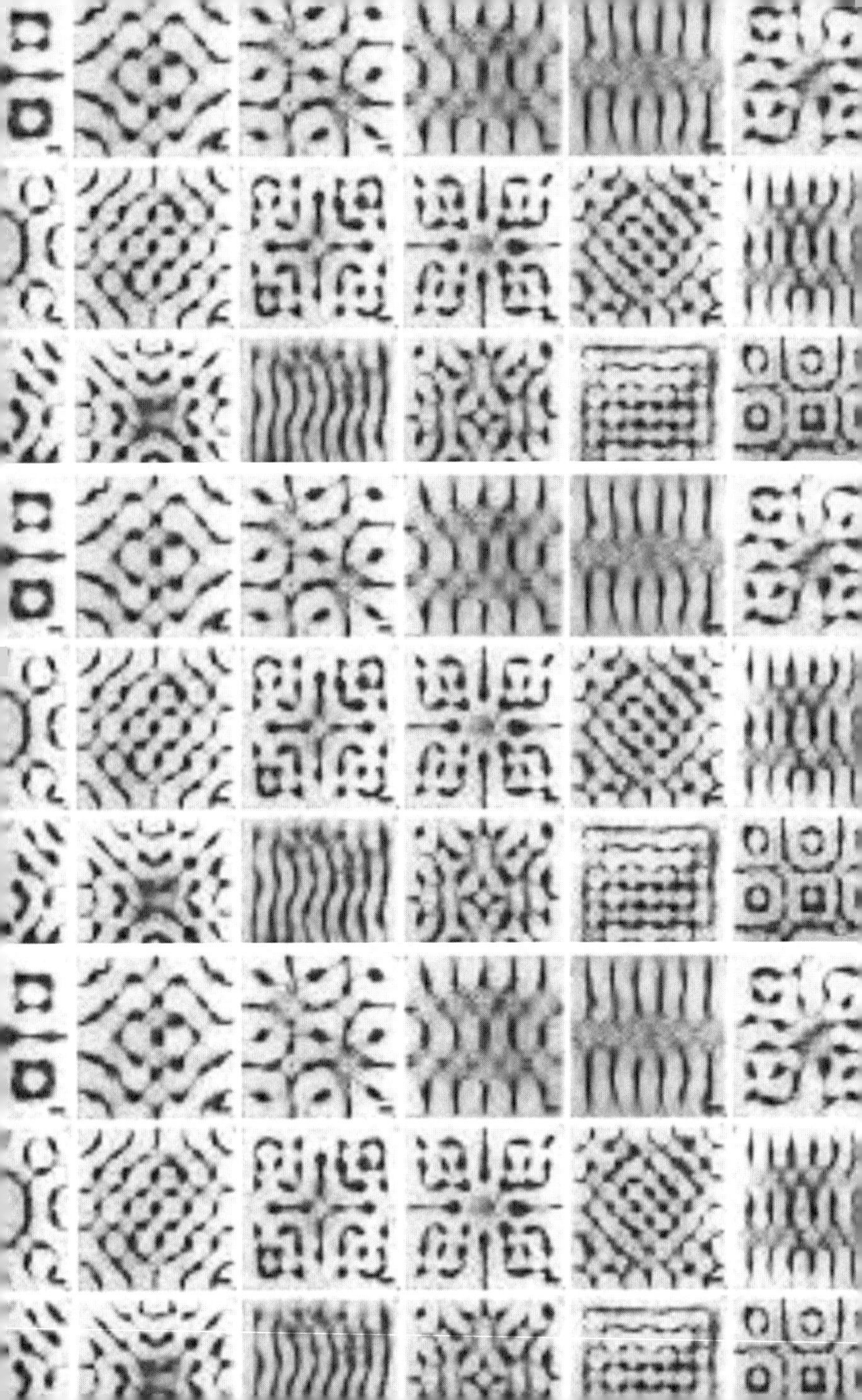

Chapter

4

アートが寿命を延ばす嘘のような本当の話
――体を癒す

アートが私たちをより良い存在にしないなら、いったい何のために存在するのだろう?

――アリス・ウォーカー(作家)

ある日の午後、私たち2人はモニターに映し出されたパッチワークキルトの写真に目を見張っていた。スーザンはメリーランド、アイビーはカリフォルニア。アメリカの東西で遠く離れていたが、アート作品がいつものように距離を縮めてくれた。私たちは実際にギャラリーでこの素晴らしい作品を一緒に見られたらどんなに素敵だろう、と語り合った。

2018年に制作されたこの**単色のキルト**は、整然と並んだ正方形のなかに、カドミウムレッドで複雑な模様が描かれている。ある正方形には顕微鏡で見た雪の結晶を思わせる模様があり、渦巻き状の中心部から結晶化した枝が伸びている。別の正方形にはモロッコの陶磁器タイルによく似た六角形のモザイク模様がびっしりと並んでおり、かの国の暑さと美しさへと誘ってくれる。また別のものは砂浜に残された波の跡を思わせる。

白黒ではあるが、本章冒頭に掲載したのがその写真である。

キルトは布でつくられた、目に見える物語だ。ときには土地の物語が木綿に縫い込まれることもある。例えば、アラバマ州ジーズ・ベンドの黒人女性たちが古い作業着の切れ端からつくるような。またあるときは現代美術アーティストのスティーブン・タウンズのように、布やガラス製ビーズ、金属的な光沢のある糸、半透明のチュール生地などを用い、アメリカの痛ましい負の遺産である奴隷制度を表現し、私たちが共有する歴史の記録となる。

キルトは何世紀にもわたり、1つの四角形に1つの世界をとらえる手段としてつくり続けられてきた。いわば生命を写し取るアートともいえる。しかし、あの日私たち2人が見ていた赤いキルトは、命そのものがアートになっていた。

心筋細胞が音で動く？

その赤い「キルト」はスタンフォード大学の研究室において、顕微鏡下で撮影された人の心臓の細胞の写真からつくられたものだ。研究室の心臓専門医ショーン・ウーは、心臓の構造についてある疑問を抱いていた。彼はいくつかの心疾患の説明に役立つモデルとして、研究室で心筋組織を生成したいと考えていた。ゆくゆくは、心臓壁が弱い患者や、心臓発作によりダメージを負った患者たちのために、心臓修復用パッチをつくりたいと考えていた。

人体は37兆個以上もの細胞から成るとされ、科学者たちは脳や膀胱から筋肉や皮膚に至るまで、ありとあらゆる細胞を研究室で生成することに成功している。生体材料設計と呼ばれるこの新たな研究分野は、人体の外で細胞を培養することを目指し、材料工学と生物学を融合させている。

ただし、心筋細胞は特殊だ。まず、とてつもなく複雑で生成が困難である。また、心筋細胞は協調して心臓を動かすために密集している。細胞同士の距離が離れすぎると協調しない。逆に距離が近すぎると高密度のせいで死滅する。

つまり工学的な視点から見ると、**心臓は臓器のなかのタージ・マハルやエンパイア・ステート・ビルのような存在だ**。完成した姿は想像できるかもしれないが、実際に建設するとなると途方もない構造工学が求められる。

スタンフォードの同僚で音響生物工学者のアトカン・デミルシが、ある構想をウーに持ちかけた。心筋細胞を音で動かしてはどうか。

最近では、細胞構造の設計に音波などの美的なものを利用する生物医学研究者が増えているが、デミルシもそのうちの1人だ。音波は分子を振動させることで固体やゲル、液体、気体など、分子から成るあらゆる媒体を移動させることができ、幅広い用途がある。

この場合、デミルシは心筋細胞をゲル状の物質に入れ、音響を調整してさまざまな大きさと形の音波を生成した（さざ波が増幅して大きな波になるようすを思い浮かべてほしい）。細胞は波に乗ってゲルを移動し、驚くべきパターンをつくりあげた。

デミルシはマイクロスケールで音波を発生させ、ウーと共に心筋細胞が踊りながらパターンを形成するようすを見守った。音波を調節すると数秒でパターンをわずかに変えることができた。「周波数と振幅を変えると、細胞が目の前で別の場所へ移動した」とウーは2018年に述べている。[01]

デミルシとウーが行なっていたのはサイマティクスと呼ばれる研究だ――可聴周波数を可視化する科学である。この現象を発見したのはスイス人医師のハンス・ジェニーで、サイマティクスという言葉の生みの親であり、1967年に世界で初めて文献を出版した。

著書『サイマティクス――波動現象と振動に関する研究（*Cymatics: A Study of Wave Phenomena and Vibration*）』のなかで、ジェニーはこう説明している。「**音波による音響効果は無秩序なカオスではない。動的だが秩序あるパターンである**[02]」。

スタンフォード大学は彼らが発見したキルトのような画像をSNSで公開し、こう問いかけた。**これはアートか科学か？**

見事にどちらも正解だ。研究者たちは「アートか科学」ではなく「アートと科学」と表現するようになってきている。アートと科学の組み合わせは、私たちの身体的健康を大きく変える力を秘めた特効薬である。

アートと科学の錬金術——日常的な痛みから深刻な病気に至るまで

今度お気に入りの歌を聴いて感動したとき、先ほどの実験を思い出してみよう。あなたは美によって細胞レベルで本当に変化している。

赤いキルトの場合、心筋細胞は音によって移動した。**視覚、聴覚、体性感覚、味覚、嗅覚等などにより、私たちが出合うあらゆる刺激は、脳と体の細胞の構造や機能を変化させる。**具体的には、細胞周期、増殖、生存能力、ホルモン結合の変化など、根本的な変化を引き起こす。そして美的なインプットを多次元で行なうと、癒しがもたらされる扉を開くことができる。

身体的健康のためにアートと科学を融合する取り組みが進展しているが、なかでも注目すべきは、研究者たちが鍵となる神経生物学的機構を特定し始めていることだ。

機構とは、体のさまざまな機能の基礎となる多くの化学的および物理的な活動のことである。例えば、あなたが先ほど食べた食事の消化には、口腔内の唾液の分泌から胃の化学物質、栄養素の吸収など複数の機構が関わっている。体が食物を消化する仕組みや理由は理解されている。さらにアートを用いるときに関わる機構について理解を深めることで、実践者はより的確に介入を設計し、効果を高めることができる。

2021年に医学誌『ランセット・サイカイアトリー』に掲載された論文のなかで、デイジー・ファンコートのチームは、アート活動への参加といった娯楽が人の健康に寄与することを裏づける多くの証拠を検証している。そして、呼吸器や身体的機能、免疫系機能の改善から集団における価値の形成に至るまで、個人の肉体だけでなく、集団や社会的レベルで働く機構を600以上も特定し、分析している。これらは大きくわけて精神的機構、生物学的機構、社会的機構、行動的機構に分類された。

デイジーの研究チームが指摘したもう1つのきわめて重要な点は、複雑系科学の概念に関わるものだ。「アートと健康の分野は多くの場合、薬理学のように機能すべきだと考えられてきました」とデイジーは説明する。[03]

例えば、薬には1つか2つの生物学的機構に働くような有効成分が含まれており、効能が予測できる。「それに対し、この論文で明確にしているのは、複合科学には何百もの成分があり、何百もの機構があるということです。すべて一方向ではなく多方向に作用し、外的要因からも影響を受けています」。

これはアートが健康に対してきわめて有効に作用する理由をじつにうまくまとめている。つまり、**薬理学的な治療は1つか2つの経路から作用するだけだが、アートは何百もの機構を協調させて作用することができる**のだ。

「この点を理解することがとても重要です」とデイジーは言う。「なぜなら、アートと健康の関係性の複雑さや〝とりとめのなさ〟は欠点だとみなされることもありますが、じつのところ、アートが有効な理由はまさにそこにあります。私たちはこれまで、複雑な科学のレンズで見るべきものを、きわめて単純な生物医学のレンズでしか見ていなかったのです」。

現在、**アートは体を癒すために少なくとも以下の6つの目的で用いられている。**

予防薬として。日常的な健康問題の症状緩和。病気、発達障害、外傷の治療や介入。心理的サポート。慢性的な問題とうまく共存するための手段。人生の終盤における慰めや生きがいの提供。

日常的な痛みから深刻な病気に至るまで、アートと科学によるこうした錬金術は、測定可能で効果的な方法で私たちの生態を変革させている。

今ではソーシャルワーカーや公衆衛生の専門家だけでなく、医師たちもこのような知識を持ち、心身の健康にとって有益な結果をもたらすため、アートによるさまざまな試みを奨励できる段階に来ている。また、薬の処方が人によって異なるように、効果的なアート活動のタイプ、頻度、期間は人によって異なり、効果もさまざまだということが明らかになりつつある。

皆さんもこのことをしっかりと頭に入れ、自分に合ったアート活動を始めてほしい。運動や良質な栄養と同じく、アートを日常的に取り入れることは、健康の増進につながるはずである。

痛みの感じ方は人によって異なる。だからアートが有効

アートに特有の治癒力は、ありふれてはいるが深刻な疾患につながるような問題にも効果があることが証明されている。

医療関係者たちは、肥満や心臓疾患から炎症、関節炎に至るまで、多くの症状の治療や緩和のためにアートを取り入れている。このような取り組みが行なわれているある分野には、私たちの誰もが生涯にわたり悩まされるものがある——それはつまり、痛みである。

私たちの多くは慢性的なつらい痛みを抱えている。[04] 慢性痛は、不快な症状が3カ月以上継続するか、繰り返し現れる状態と定義されており、世界の人口の30パーセントが悩まされている。慢性痛があると日々の活動が制限され、社会的交流も必要最小限になる。

痛みは医療が求められる最大の理由だ。[05] 実際、日常的に何らかの不快感を抱えている人々

はあまりにも多い。[06] また、急性の痛み（原因となる問題が治療されるか、癒えると解消する痛み）であっても、適切な処置を受けないと慢性化するおそれがある。

痛みはあらゆる場所に現れるが、体内で何が起きているのかについては、医学界でも解明されていないことが多い。痛みはうつろう。寄せては返す。変わりやすい。そのため体のどこにあるのか伝えるのが難しく、原因を特定するのは至難の業だ。

これは何十年もの間の医学研究の究極の課題とも言うべきもので、世界中の研究者たちが痛みの生物学的メカニズムを解明しようと、分子やニューロンのレベルでの研究を行ない、脊髄や脳の活動を調べている。世の中が鎮痛剤に頼り、依存症を生んでいることを考えると、痛みの根本的な神経機構を解明し、より効果的な治療法を確立することはきわめて重要である。

医師にとって痛みは治療するのがもっとも難しい症状になる場合がある。効果的な治療法がないからではなく、**痛みは千差万別だからだ**。

痛みの感じ方は人によって異なる。なぜなら痛みは生物学的な反応であるだけでなく、精神的なものでもあるからだ。ストレスによって痛みを感じることもある。

脳は緊張にさらされると、精神状態によってもたらされる想像が引き金となり、痛みの信号を出すことがある。さらに、痛みは文化によって左右されることもある。痛みをどの程度耐え、受け入れるかは人種や文化によっても異なる。

本書の取材のため数年をかけて痛みを研究する人々から話を聞いたところ、誰もが同じ意見だった。世界中の人々が抱える痛みの規模と悪影響、また、痛みの測定と原因の特定が難しいことを踏まえると、さまざまな介入を取り入れた多様な治療が不可欠である。

痛みに関する科学と治療法は進化しており、個人に適合した治療を行なうためアートと美の生物学的、社会的、心理学的な効能を融合させる動きがある。

痛みに対処するうえでアートが重要な役割を果たす一例として、**アートはそもそも痛みが体のどこにあるのかを特定する手掛かりになる。アートは貴重な通訳になり得るのだ。**

痛みは画像としてスキャンすることもできなければ、検査によって測定することもできない。多くの場合、他人に痛みを伝えるには自己申告の基準を用いるしかない。1から10まで強さがあるとしたら、どのくらいの痛みなのか？

しかしながら、痛みは他の体性感覚とは異なる性質がある。痛みを感じさせる受容器官と経路はひじょうに複雑だ。痛みの知覚は痛みの感覚経路の活性化のみによってもたらされるわけではなく、高次の認知過程が融合したものからも影響を受ける。例えば、痛みが生じるか否かに関する予測や、痛みを伴う刺激を引き起こした出来事に対する記憶、感情の状態、さらには自尊心までが関わっている。

カリフォルニア大学サンフランシスコ校の神経生物学者、アラン・I・バスバウムは、継続的な痛みが引き起こすメカニズムを研究し、こう述べている。「痛みを言葉で表すのはとても難しく、これは痛みについての難題の１つです。言葉で明確に表現できるわけでもないし、目で見ることもできない。それでも、人々がしばしば痛みを表現しようと試みるのは言うまでもありません」[07]。

　そこで、医師の診察を受けるにあたり、必ず痛みを説明しなければいけないとしたらどうだろう。絵を描き、彫像をつくることで痛みを表現したら、大切な特徴や情報を見つけ、特定し、伝えられるのではないだろうか。シンプルなアートが多くを語ることもある。

　幼い子どもがそうであるように、身体的経験を正確な言葉で表現できない場合、アートを使ったコミュニケーションはとりわけ有効だ。「**子どもにとって、アートは秘密の言葉のようなものだ**」とアビゲイル・アンガーは教えてくれた。

　アンガーはホスピス＆緩和ケア・バッファロー（ホスピス・バッファロー）において、アメリカでは初となる表現アートセラピーのチームを率いている。

　ホスピス・バッファローは終末期医療と緩和ケアを提供するホスピスであり、終末期にあると診断された子どもを含めて年間約５０００人が利用する。

「まだ言葉を話せない子どもたちや、自分の体に起きていることを認識し、説明できる発達段階に達していない子どもたちにとって、アートはかけがえのない表現手段となります。もちろん、アートはあらゆる人々にとっての言語ですが、言葉を持たない子どもたちにとっては表現の手段となるのです」

お気に入りのプレイリストが頭痛を和らげる

医師や介護者にとっての大きな課題は、子どもが肉体的な痛みを感じているのか、それとも精神的苦痛から痛みを感じているのかを判断することの難しさだ。

私たちがこの分野で働くあるアートセラピストから聞いた話は、子育てを経験した身として実感させられる内容だった。私たちは今でも、幼かった子どもたちが苦痛を感じているとき、そのことを必死に伝えようとしたようすを思い出すことができる。これから紹介するのは、命を脅《おびや》かす病を抱える幼い男の子の話だ。名前は仮にイアンとしよう。

イアンは毎晩寝る時間になると泣いた。ひどく取り乱すので、過呼吸になりそうなこともしばしばだった。両親には痛みを訴えた。息子を助けようと必死になった両親はケアチームにようすを詳しく伝えた。チームはイアンの痛みが夜間だけひどくなる原因は何かと考えた。検査をしても所見は得られず、鎮痛剤も効かなかった。

ちょうどその頃、あるアートセラピストがイアンを担当するようになった。彼女はイアンに自画像を描いてもらった。できあがったのは黒一色で描かれたひとりぼっちの姿だった。胸と腹部のあたりには渦巻状の線が描き殴られていた。

セラピストはイアンとのやりとりを通じ、彼が夜間に肉体的な痛みを感じているわけではないと突き止めることができた。そして、どうすれば気分が良くなるかイアンに聞いた。

セラピストは彼の答えを携えて両親と会い、イアンの不安や心配を和らげるために、寝る時間に決まった儀式をするように促した。

子どもが感じていることや経験していることは必ずしも把握できるわけではない。しかしそれらを処理するためにアートの制作という代替手段を提供することで、大人はさまざまな情報を得ることができる。

研究の結果、**アートや文化的な活動に取り組む人々は、年齢を重ねても慢性的な痛みが生じるリスクが低いことが明らかになっている。**

頭痛は慢性的な痛みの典型例であり、治すには薬を飲んで安静にしていなければならないと根強く信じられている。頭痛に苦しむ人の昔ながらのイメージは、暗い部屋で仰向けに横たわり、額に冷たい布を乗せている姿だ。そのため頭痛があったら起き上って踊るべきだと言うのは、常識的に考えられないかもしれない。

しかし、2021年に学術誌『フロンティアズ・イン・サイコロジー』に掲載された研究によると、マインドフルネス・ダンスムーブメント・セラピー（mindful-based dance movement therapy, MBDMT）や心理学的アプローチが頭痛を和らげることを示す証拠がたくさんある。

この予備研究では、慢性的な頭痛のある患者29人が2つのグループに分けられた。一方のグループはMBDMTを受け、もう一方は受けなかった。痛みの評価には、世界中の医療現場で標準化されている指標を用いた。

MBDMTを受けるグループは、外来のリハビリセンターにおいて、ダンスやマインドフルネスのトレーニングを含むセラピーを10回受けた。これは5週間にわたって行なわれ、各回の前後と、10回目が終わってから16週間後にデータが収集された。

その結果、「パープロトコル解析（計画通りに治療を完了した被検者のみを対象にして行なう解析）により、MBDMTを受けたグループでは、痛みの強さと抑うつ状態を示すスコアにおいて統計的に有意な減少が見られ、追跡調査でも効果が持続したことが認められた」[08]。絵画や音楽など、その他のアートによる介入も頭痛の軽減に効果があることが分かっている[09]。

ある小規模な研究では、自分の好きな音楽のプレイリストがあると慢性的な頭痛を抑えるのに役立つことが判明した[10]。**緊張をほぐし、痛みを和らげることを目的として音楽を聴いた人々は、痛みが和らぎ、症状が改善した**のである。

治療時にVR空間に没入すると……

痛みに関する長期的課題として解決が急がれるのは、オピオイド（麻薬性鎮痛薬）への依存が増加していることだ。アメリカはこの20年であらゆる年代においてオピオイドの過剰摂取による死亡者数が大幅に増加しており、かつてない危機的な状況に直面している。

2020年、全米芸術基金はある報告書のなかで、オピオイド使用に起因する障害に対してアートに基づく介入が行なわれた事例を考察した116件以上の研究を分析した。**データからは、音楽を聴くと痛みが和らぎ、依存リスクのある薬物を使用する回数が減り、自発的に治療に取り組む意欲が増すことが明らかになった。**アートはまた、若者が人生のスキルを身につける力となり、オピオイドの使用を避ける心理的抑止力を構築することにもつながる。

アートは体の痛みを変化させるのにどのような手助けをしているのだろうか。重度のやけどの治療は医療的処置のなかでもとりわけ耐え難い痛みを伴うが、その治療に関する研究から、答えの一部が見えてきた。

やけどを負った患者は感染症を防ぎ、回復を促すために、定期的に包帯を交換し、傷を清潔に保たなければならない。これは大変な痛みを伴う。多くの患者は、安静時には痛みに耐えることができ、オピオイドなどの麻薬性鎮痛薬で痛みを抑制できると回答する。しかし、傷の手当てをする間は苦痛が急激に高まる。

そんなときはスノーワールドがおすすめだ。

スノーワールドは痛みの軽減を目的とした、世界初の没入型VRプログラムである。これはワシントン大学ヒューマン・インターフェース・テクノロジー研究室のリサーチ・サイエンティストであるハンター・ホフマンと、同大学の心理学者であるデヴィッド・パターソンによって開発された。

やけどを負った患者は手当を受けるときにヘッドセットを装着し、室内で起きていることと自分の体に起きていることから視覚的に隔《へだ》てられる[11]。

患者はアニメーションを見ながらイヤフォンでリラックスできる音楽を聴く。彼らがいるのは三次元CGによる冷たくて気持ちが落ち着く白と青の冬の世界だ。雪だるま、凍った湖、氷河、ペンギンなどが映し出され、雪玉を投げつけることもできる。

スノーワールドを体験した患者は、通常の治療と比較した場合、VRを利用している間は痛みが35〜50％軽減したように感じたと回答した。

やけどを負った患者によると、痛みを抑えるためにオピオイドを使うと痛みによる不快感は軽減したが、もっとも強い痛みを著しく和らげたのはVRだった。VRの利用中は痛みについてはそれほど考えず、むしろ楽しさを感じたと回答している。

このような臨床結果のメカニズムを解明する研究が進められているが、有力な説の1つは、本来ならば痛みのシグナルを伝えるために使用する回路を、没入型VRがうまい具合にふさいでいるのではないか、というものだ。2019年のある研究ではこう説明している。「VRは記憶や感情、触覚、聴覚、視覚などの感覚を通して認知変数に好影響を与え、痛みをコントロールし、同時に痛みのシグナルを伝える経路を抑制する[12]」。

いくつかの小規模な研究では、fMRIと同時に利用できるようにデザインされたVR機器を用い、程度やタイプの異なる痛みのある患者を幅広く調べ、この説を裏づけている。

研究者たちは、VRによる介入が、痛みに関わる脳の領域、すなわち脳梁の前にある襟のような形の前帯状皮質と、中脳および島皮質、視床にある体性感覚野を含む領域において、神経活動を低下させるようすを確認したのである。

個人に寄り添う予防策としてのアート

ここに驚くべきデータがある。

アメリカ疾病予防管理センターは、**がん、心臓疾患、脳卒中、呼吸器系疾患、不慮の事故という5つの主な要因による死亡の20〜40%は予防できる**と推定している。

この数字をよく覚えておいてほしい。

私たちを襲う慢性疾患の多くは、生活スタイルの選択や変更によりコントロールすることも、避けることもできる。ところが予防が治療に勝る状況でも、私たちは往々にして、健康に問題が生じるのを待つばかりだ。

いくつかの生活習慣が健康に寄与することは周知の事実だ。運動、食事、睡眠、瞑想は、いずれも体の状態を改善することが証明されている。では、アートや美をつねに意識して生活に取り入れたらどうなるだろう。

アートの予防的な特性について、デイジー・ファンコートが集めたデータはひじょうに示唆に富む。デイジーは疫学者として、集団に関するデータを追跡し、病気の発生などの健康状態の変化を調べる研究の第一人者だ。

コホート研究のデータは大勢の人々を長期間にわたって数年ごとに追跡したものであり、追跡は対象者が生まれたときから始まることもめずらしくない。

調査内容は心身の健康や教育、生活スタイル、経済状況など多岐にわたる。こうしたデータの多くには、アートや文化に関する回答も含まれており、デイジーはイギリス在住の人々の数十年におよぶデータを追跡する機会を得た。

かつてないほど広範囲にわたる長期的研究を参照できるようになった彼女は、ここ何年かの間、チームとともに、日常生活でアートに関わることが健康にプラスになるかどうかを見きわめようとしている。この研究成果は理論上のものでもなければ、起きる可能性があることのモデルでもない。アートに関わった人と、そうでない人にすでに起きたことを伝えている。

デイジーの分析は高度なアルゴリズムを用い、ジェンダーや人種、階級などの影響を補正したもので、アートが病気を防ぎ、健康を増進するのに役立つことについて驚くべき結果を明らかにした。デイジーは、**アートが「心身の健康に重大な影響を与え、さまざまな問題の予防だけでなく、症状の管理と治療においても大きな影響を及ぼす」**と結論づけている。[13]

産後の歌が母子の絆を深める

これは子宮から始まる。デイジーは産前産後の母親の健康と、音楽と歌唱が妊婦と新生児を結びつけることについて、いくつかの研究を行なっている。２０１５年に行なわれた臨床試験において、彼女と研究チームは産後うつを経験している女性の調査を始めた。

「母親になりたての女性は授乳期間中に抗うつ剤を服用するのを嫌がることが多く、カウンセリングやセラピーに通う時間などない場合がほとんどですから、治療をするのがとても難しいのです」とデイジーは私たちに語った。デイジーによると、歌うことは母子の絆と強い関連性があり、チームは歌うことで回復が加速するのではないかと興味を抱いた。

研究者たちは、母親を３つのグループに分け、ランダム化比較試験を行なった。

主治医から一般的な産後ケアを受けるグループ、それに加えて社会的支援を受けるグループ、そして一般的ケアに加え、産後うつの母親のために開発された10週間にわたって歌を歌うプログラムに参加するグループ。

「**歌うグループは他のグループよりも、平均して1カ月早く回復したのです**」とデイジーは言う。この回復の速やかさが大切だとデイジーは指摘する。なぜなら産後うつは長引けば長引くほど、深刻なうつ病や継続的なうつ病に至るおそれがあるからだ。

「産後うつが長引けば、それだけ本人にとって問題になりますが、赤ちゃんにとっても発達の面で、また将来の絆という点で問題が深まるのです」と彼女はつけ加えた。

追跡調査により、歌うことの効果の根底にあるいくつものメカニズムが確認された。「**母親たちは赤ちゃんと遊んだときよりも、歌を歌ったときの方がストレスホルモンのコルチゾールが減少し、母子の親密さをより強く感じていました**」とデイジーは説明する。歌うことで気分が落ち着いただけでなく、赤ちゃんを寝かしつけ、泣き止ませる方法を手に入れたことで、母親としての自信が増し、落ち込むことが減ったのだ。

毎日物語を読む子どもの驚くべき発達

アートとの関わりは幼児期の発達にも引き続き影響を与える。データからは、**定期的にアートに携わる子どもは、10代になってから社会的問題を起こす可能性が低くなることが示された。**友だちや先生、その他の大人たちとの関係に悩むことも少なく、うつ病になる可能性も低い。全体的に見て、健康的な生活を送り、的確な判断をする傾向が高くなる。

一例として、ほぼ毎日物語を読む子どもは、健康に関わる行動や健康状態が良好だった。また、薬物やタバコに手を出す傾向が低く、思春期の間も果物や野菜を食べる機会が多かった。これは本をすぐに読み終えてしまう読書好きの子どもに限ったことではない。読む能力は重要ではないことをデイジーは発見した。大切なのは何かを読むという行為そのもので、漫画でも小説でも差はなかった。

アメリカン・アートセラピー協会によると、**芸術的表現や創造的プロセスは認知能力を高め、自己認識を育み、10代の若者が感情を整える手助けをしてくれる。**

この時期の若者の脳は劇的な変化を遂げる重要な発達期にある。そこで、アートに親しむことで集中力、問題解決力、決断力を養い、健康に関わる選択に直面したときに適切な判断をすることができる。

アートが認知症リスクを下げる

デイジーの緻密な研究により、アートが心血管代謝疾患、妊娠中の健康、幼少期の発達などに効果があることが明らかになってきた。

しかし、デイジーが解き明かした何よりも驚くべき事実は、寿命に対するアートの効果だろう。**劇場や美術館を訪れるなど、数カ月ごとにアートに触れる人々は、そのような習慣がない人々と比べて早世するリスクが31%も低い。生活にアートを取り入れる機会が年に1、2回だとしても、死亡リスクは14%下がる。**

アートにはまさに寿命を延ばす効果があるのだ。

このような効果の理由として考えられるのは、アートや美に触れることによる予防的効果だ。デイジーとチームが行なった追加調査では、**文化的活動を実践すると認知症や慢性疾患を防ぐ可能性があることが判明した**。生涯にわたり美術館やコンサート、劇場に足を運ぶといったアート活動を行なうと、加齢に伴う認知機能の低下を遅らせる効果もある。またこうした活動は、認知症発症のリスクを下げることにもつながる。

このようにアートに大きな効果があるのは、認知予備力と呼ばれる科学的理論によって説明し得る、とデイジーは考えている。[14] この理論は、私たちの人生には神経変性に対する脳の抵抗力を高めるのに役立つ複数の要因があるとする。

アートは「認知的に刺激のある活動を促し、社会的支援を提供し、さらには新しい経験を提供し、感情を表現する機会を得るうえでも役立っている」とデイジーは記している。「アートは教育や能力の開発の一種である。こうした要因のすべてが認知予備力の一部をなし、脳の抵抗力の強化に貢献している」。

いまや伝統的な医療を行なう病院でも、アートプログラムや美を取り入れた治療が導入され始めている。アロマテラピーは吐き気を抑えるために用いられ、手術室には、患者や医師、看護師の不安や動揺を和らげるために歌や音楽が持ち込まれている。脳卒中のリハビリではコンピュータゲームが治療として用いられている。

現在、アートによる健康増進と表現アートセラピーに対する関心が高まっており、視覚芸術や音楽だけでなく、ダンスや創作的な文章を書くことなど、数多くの臨床プログラムが導入されるようになっている。アート療法士は医療スタッフと協力しながら、治療計画を担うチームの一員として、病院内で働いている。

非営利団体のアメリカンズ・フォー・ザ・アーツは長年にわたり、病院や医療施設がアートを用いる方法や理由、場面を把握するための研究に資金を提供してきた。

ある調査では、**病院の運営部門の80％近くがアートに資金を投じていると回答した。**理由は癒しを提供する環境を整えることと、治療に臨み、回復に努める患者の意欲を高めることで、患者の経験を飛躍的に向上させられると気づいたからだ。[15]

アートはアートセラピーによって心の健康だけでなく、身体的回復もサポートする。研究により、アートプログラムを実施する病院では、患者の入院期間が比較的短く、スタッフや臨床医の間で燃え尽き症候群が減少し、患者とスタッフの双方にとって幸福感が増したことが報告されている。

アートの制作とそれに伴う創造的なプロセスは、数値化できる形で入院患者の治癒に貢献していることが示された。

痛みや疲労、抑うつ状態、不安、食欲不振、息切れなど、幅広い症状において、統計的に有意な減少が認められることが立証されたのだ。さらに医療施設におけるアートには、心細さや緊張、不安、心労を軽減する効果も見られる。

あなたはどんなときに調子の良さを感じるか？

アートに携わると寿命が延びることは研究から明らかだ。確かに、長生きは大切だが、生涯にわたり健康的で充実した人生を送ることはまた別の話である。

身体的健康は病気の有無だけが問題ではない。人生を通して感情的な苦痛をなるべく味わわず、健やかに生きることが大切だ。それは何らかの事情により、生物学的状態が損なわれた場合でも変わらない。

身体的健康は人生のあらゆることの基礎であり、だからこそ精神的健康にも大きな影響を及ぼす。体調が悪いときやけがをしたときには、頭にどんなことがよぎるだろう。気がかりは目の前の深刻な事態だけでなく、さらに広い範囲にまで及ぶのではないだろうか。自分はよくなるのか？　明日は、そして来週はどうなるのか？

健康に対する懸念の根底には不確かさがあることが多い。分からないから苦しいのだ。

さらに、健康問題がどのようなものであっても、不安や恐怖、絶望、無力さを感じるかもしれない。診断結果が出るのを待っている間の不安や、リハビリ中や回復期の苛立ちや倦怠《けんたい》感。感染症に罹患したときや、正確な症状を誰にも分かってもらえないときなどは、疎外感に苛《さいな》まれることもある。これは深刻な孤独感を招きかねず、二度ともとには戻れないかもしれないという精神的な動揺に拍車をかける。誰しも体の健康状態に異変があると、自分を省《かえり》みて疑問を抱くようになる。**アートはこうした恐怖と混乱が渦巻く状況において、病気に伴う心身の諸症状を和らげ、場合によっては鎮めることができる。**

私たちの同僚で友人のＢＪ・ミラーは、悲劇に見舞われたあとの人生を、深刻な身体的問題を抱えながらきわめて賢明に生きている。１９９０年、大学生だったＢＪは不幸な事故により両脚と片腕を失った。彼はこのショッキングな出来事の直後に、魂が覆《くつがえ》されるような何週間にもわたる入院生活のなかで、骨や肉、神経や組織を治すことだけを考えていた訳ではなかった。「これからどうする？」と彼は自問していた。

「この世界において自分は自分自身についてどう考えているのか、そしてこの新しい体は何を意味することになるのか、そう思っていた」とＢＪは私たちに語った。

彼はこれほど深刻な危機に直面しながら、生きる目的や人としての自分、変化する能力など、存在に関わる問いに向き合うしかなかった。ＢＪは昔からアートが好きだった。事故に遭ったとき、大学では東アジア研究を専攻していた。しかし、人生を変えるほどの大けがをして、長い入院生活を送った結果、専攻を美術史に変えた。病院で来る日も来る日も過ごすうちに、アートと美について、それまでとは異なる視点で考えるようになったのだ。

「人間はなぜアートを創作するのか？」と彼は不思議に思った。「私たちが自分の経験から、いろいろなものを創造するのはなぜなのか？」。

ＢＪは悟った。**美やアートは高尚なものではない。人生の基礎である。**彼は現在、内科医として緩和ケアとホスピスケアに取り組んでいる。

緩和ケアは、完治が困難な患者の苦しみを軽減し、可能なかぎり最良のケアを行なうことを目指している。人生を変えるような診断が下ったり、ＢＪのような事故に遭遇したりした場合、治療や精神的プロセスが必要となる付随的な症状が現れる。痛み、息切れ、疲労、便秘、吐き気、食欲不振などはよくある症状として知られているが、うつ病や不眠症、強い不安などが伴うこともある。

最近発表された論文では、アートが命に関わる病気を抱えた人々の痛みと精神的苦痛を治療する目的で用いられている事例について調査している。[16] 各国のさまざまな患者について調べたところ、アートを創造するかアートに関わると、幸福感を高め、自己意識を再構築し、他者とのコミュニケーションや結びつきを強める効果があった。

事故から30年以上が過ぎた現在、ＢＪはアートや美を取り入れた新たな治療法を統合したアプローチを導入し、緩和美学と呼んでいる。

彼の説明によると、緩和美学は患者が自分の体に意識を集中できるようにする。これは症状を抑えるためだけでなく、意味づけを行なう知識の源になるのが自分の体だからでもある。「体は知識を知恵へと高める鍵となる」とＢＪは言う。「体は結果がもたらされる場所だ――

生と死が与えられる場所である——だからこそ、自分にとって何が正しいかを判断するのに最適な場所になる。『調和』という言葉がふさわしいかもしれない。ある事実が確かにそうだと認識されるには、感じられなくてはならない」。

彼は誘導イメージ療法を用いている。これは**心地良い身体的感覚や心的イメージを思い出したり、想像したりすることで、集中的にリラックスした状態を導く**方法だ。このような手法により、がんに伴う痛みが軽減され、快適さが全般的に向上する。ＢＪはまた、気分を高め、痛みや疲労を軽減するために音楽療法も取り入れている。

ＢＪが患者のために頼りにしているもう１つの美的刺激を利用した手法は、１日のうちでほんの少しでも調子が良いと感じる瞬間に目を向けるよう促すことだ。

「患者にはどんなときに十分だ、満ち足りている、完全だと感じるのか意識するように伝えている」とＢＪは説明する。場所はどこなのか？　何を見ているのか？　あるいは何に触れているのか？　彼は患者にそういったことに注意を払うようにアドバイスしている。ときには携帯電話で写真を撮ったり、メモを取ったりするように勧めることもある。

そして次の診察でそのことについて話し合う。そんなふうにして美的なトレーニングを重ねていくと、患者にも医師にもどのような場所や相手が心地良さをもたらすのか見えてくる。ＢＪとしても、患者に効果的な状況を思い起こさせる手助けができる。

Chapter1でスペース・フォー・ビーイングについて紹介したが、ＢＪはさまざまな意味で、患者に対してそれを実践している。つまり彼は、心地良さと喜びを高める習慣を築くプロセスにおいて、自分の生理的欲求に立ち返るために日常の美的環境をもっと意識するように呼びかけているのである。

脊髄に重傷を負った若者を復活させた「夢」

ライフスタイルを変えるのはなかなか難しい。それは誰もが痛感している。

健康的な食生活を心がけるならドーナツよりリンゴを食べた方がいいのは分かっているが、リンゴを選ぶのは難しいこともある。**「アドヒアランス（adherence）」は医療現場でよく耳にする言葉で、ある人物が自分自身のケアをどれだけ主体的に行なっているかを意味する。**

健康的な食生活を送っているか？　運動はしているか？　睡眠は十分か？　持病がある場合は薬を飲み、医師の指示に従っているか？　回復に向けて前向きに、真摯《しんし》に取り組んでいるか？　肉体の健康のかなりの部分は心理的な選択と、その選択にどう取り組むかに依存する。「アドヒアランス」というと冷ややかな響きだが、ここで言いたいのは健康そのものについてだ。どうすれば健全な選択を行なうために必要な意味を見出し、ひとたび何かが起きたときには、どのように自分自身の治療を支えることができるのか？

世界でも指折りのリハビリ専門医が患者を助けるためにアートを用いるのは、患者を1人の人間として治療する必要があるからだ。

デヴィッド・プートリノは、きわめてつらい日々を送る人々に接する機会が多い。というのも、マウントサイナイ・ヘルスシステムのリハビリテーション・イノベーションの責任者として、患者たちが人生を変えるような事故や病気から回復できるように支援しているからだ。多くの患者はBJが抱いたような疑問に直面している。**体の状態が変わり果ててしまったのに、人生に何の意味があるのか？**

デヴィッドはマウントサイナイで、美とアートをテクノロジーと融合し、脳卒中やALS（筋萎縮性側索硬化症）、外傷性脳損傷など、重い病やけがに苦しむ患者の治療にあたっている。

「大まかに言うと、私の仕事は医療が患者に提供するものを次の段階へと導いてくれそうなテクノロジーと、アイデアや原則を積極的に探究することです」とデヴィッドは言う。

治療にあたって彼が取り入れているのは神経変調療法だ。「私たちは感覚入力によって生理学機能を操作しています」と彼は説明する。「美的な感覚入力を行なうことで、確実かつ明らかに生理機能を操作できることを示す資料が山ほどあります」。

デヴィッドは、トップクラスの運動能力を誇るオリンピック選手からALSで体が動かせない人々まで、多様な患者を診ている。また、新生児とその両親から、人生の終わりに近づき、加齢に伴う問題を抱える老人に至るまで、さまざまな年代の人々と関わっている。デヴィッドは人間の能力や可能性について、ある見解を抱くようになった。

デヴィッドが他の医師と大きく異なるのは、リハビリの本質は人間の能力を最適化することだと信じている点だ。「脳卒中経験者が、脳卒中になる前の状態に戻れるようリハビリをするだけでは十分ではありません。ウェルネスのスペクトラムに沿って後押しし、以前の状態のさらに先を目指すべきです」と彼は私たちに語った。「それを指針としなければなりません」

デヴィッドは人生をより良いものにするという目標のために、ハイテク、ローテクを問わず、あらゆるテクノロジーを用いている。あるケースでは、わずか10ドルで人生が永遠に変わることになった。

その若者は脊髄に重傷を負っていた。デヴィッドの研究室に来る前は殻に閉じこもっていた。理学療法も言語療法も受けようとせず、担当の神経心理学者とも話そうとしなかった。「彼は治療を受けることにまるで無関心でした」とデヴィッドは言う。「ひどく不満そうに座り込み、あらぬ方を見つめてセラピストを無視していたのです」。

ある日の午後、デヴィッドの同僚の精神分析医アンジェラ・リッコボーノがあるアイデアを持ちかけた。「彼はケガをする前はＤＪだったの」と彼女は言った。「彼にまたＤＪをさせましょう。心を開かせるにはそれしかない」。

この若者の場合、**アイパッドとその操作に使う安価なマウススティックを用意したところ、ふたたびＤＪができるようになった。**彼はアイパッドを設定し、操作を確認するセッションを1度行なっただけで、DJをしているところを父親に見せたいからビデオ通話をしてもいいかとデヴィッドに聞いた。これ以降、彼は神経心理学者とも会うようになり、理学療法にも積極的に取り組むようになった。

アンジェラが脊髄を損傷した人々のために設けたグループにも参加を希望した。「さらには、脊髄を損傷したばかりで、DJに興味がある患者向けのグループを立ち上げられないかと言い出しました」とデヴィッドは振り返る。「この若者の道筋が大きく変わったのです」。

取り戻せないものや、修復できないものを失ったときは、価値観をはっきりさせることがひじょうに重要だ。何らかの形で自分の体と折り合いをつける必要があるが、同時に新しい意味を見出さねばならない。この若者は自ら選択したDJというアートを通じ、世の中との関わりや生きる意味といった感覚を養い、結果として大きく変わることができたのである。

天候の変化と感覚の関係性

誰しも人生にはそのような目的が不可欠であり、肉体的自己が情熱を追求する能力をさま変わりさせたとき、人生は破綻しかねない。デヴィッドの使命は肉体的回復を支援するだけでなく、ほかに選択肢がない状況では自己の物語を再構築し、アートなどを通して新たな現実にふたたび情熱を注げるよう手助けすることでもある。

デヴィッドはまた、日常的な美的経験からの感覚入力によって感情が影響を受けることを患者に気づかせている。光の具合によって気分がどのように変化するのか。香り、手触り、味、匂いが無意識に、気分にどのような影響を与えているのか。関節炎を患う人にはよく知られていることだが、天気が痛みにどう影響するかを意識することまで呼びかけている。

「天気によって痛みが変化すると医師に訴える患者が山ほどいるのに、天気を背景要因として組み込んだ痛みに対する治療の研究はまったく見当たりません。そんなことが信じられるでしょうか？」とデヴィッドは嘆く。彼は目下、大学院生に天気が痛みに与える影響を研究させている。

「もちろん天気は変えられませんが、天気を予測することは痛みを予測するのに役立ちます。慢性的な痛みがある相手にはこう言えます。『これから数日はかなりつらいと思うけど、くじけないでほしい。病状が悪化しているわけではなく、天気が変化しているだけだから』。こんなふうに言えれば、慢性的な症状を抱える患者を大いに安心させることができるでしょう」

気圧、風、気温の変化といった美的体験には大きな影響力がある。デヴィッドは天気に影響力があることを認めるといったごく単純なことを手始めとして、美的経験と感覚的経験を医療に取り入れているのである。

健康でいたいなら、下手でも踊れ！

子どもの頃、私たちの多くは体の動きを通して世界を経験していた。スキップをしたり、くるくる回ったり、すり足をしたり、踊ったりしていた。ところが大人になるにつれて何かが変わる。踊らなくなるのだ。あるいは、結婚式のような特別な機会でしか踊らなくなる。

研究から明らかなように、**ダンスでも、どんなアートでも、うまくなくても効き目はある。**

私たちが体を動かしているときに脳内で起きていることは、PETスキャンなどの技術を用いて研究されており、ダンスに関わる基本的な神経系とサブシステムにはリズムや空間把握を司る領域が含まれることが分かっている[17]。健康でありたいなら、まずはマンボを踊ることから始めると良いかもしれない。ムーンウォークでも、何でもかまわない。

最近では、ダンスはさまざまな点で身体的健康に効果があるとして、推奨され、取り入れられている。言うまでもなく、減量や心臓の健康の増進には効果的で楽しい方法だ。またすでに述べたように、慢性的な頭痛や偏頭痛を和らげる効果があることも分かっている。

私たちが好きなペルシアの詩人ルーミーはこう表現している。「苦行のために踊れ。傷をむき出しにするために踊れ。戦いのさなかに踊れ。自分の血にまみれて踊れ。完全に自由になったときにこそ踊れ[18]」。

ダンスがとりわけ力を発揮するのは、神経変性病の治療だ。

世界で1000万人以上が罹患しているパーキンソン病（PD）は、運動に関わる貴重な能力に支障をきたす。バランスや動作の協調性が損なわれ、震えやこわばりなど、さまざまな身体的困難を引き起こす脳疾患である。多くの場合、症状は徐々に現れ、時間の経過とともに進行する。一般的に、歩行もかなり困難になる。

大脳基底核という自動運動〔自分の意志で関節を動かす運動〕を司る領域の神経がダメージを受け、ドーパミンの量が急激に低下することで、人間としての本能的な動作である歩行ができなくなる。ドーパミンが不足すると神経が異常発火し、運動を妨げるのである。

大脳基底核は運動パターンや学習したステップを司る領域で、歩行をはじめとする日常的な動きが習慣として定着するよう働いている。大脳基底核は、運動の速度、範囲、方向などに関わる小脳と情報交換している。今では、習慣的な運動の形成には、小脳の発達が重要であるというのが神経科学者の認識である。

歩き始めたばかりの赤ちゃんと、混雑した通りを足早に進む歩行者の姿を見れば、成長とともに私たちの動きが無意識に行なう日常的な動作へと変わることが分かるだろう。こうしたパターンはごく幼いうちに根づき、やがてすぐに、歩くことについて考える必要さえなくなる。動き始めるだけでどんどん歩いていける。それがパーキンソン病になると、脳が出す信号が不安定になるため、そのように無意識に動く能力が頼りにならなくなるのである。

ところが、パーキンソン病の患者がダンス・フォー・PDに参加すると、驚くべきことが起きる。これはニューヨークのブルックリンに拠点を置くマーク・モリス・ダンスグループが主催するパーキンソン病患者のためのダンス教室だ。

明るい照明のスタジオで行なわれるレッスンでは、パーキンソン病の患者たちがフラダンスとタンゴを踊る。フォックストロットを踊り、ボックスステップを踏むこともある。そしてその間は震えが治まっている。歩行も改善する。**教室に着いたときはほとんど歩けなかった参加者が、表現力豊かになめらかに動けるほど体がほぐれる。**

「座り込んで体のことばかり考えるんじゃなくて、とにかく動くようにしている」。作家でパフォーマーのパトリシア・ベベ・マクギャリーは、ある動画のなかでダンス教室での経験についてそう説明する。「スタジオでは魔法みたいなことが起きるの」。

症状を一時的に抑えられたパーキンソン病患者にとっては魔法のように感じられるかもしれないが、これは神経化学に基づく生物学的な事実にほかならない。先ほど述べたように、ダンスは大脳基底核、小脳、運動野を含む脳の複数の領域にまとめて働きかけることができるのである。

パーキンソン病患者にとっての体重移動、協調、リズム……

ダンス・フォー・PDは2001年に始まり、インストラクターたちは効果を目の当たりにした。そして8年もしないうちに、ダンスがパーキンソン病患者にとって有効な理由を詳しく解き明かす科学的研究が始まった。**ダンスをすると歩行が改善された。また、震えが軽減し、病気によって乏しくなった顔の表情にも改善が見られた、**とデヴィッド・レヴェンタールは言う。彼はプログラムの開始当初にダンスを指導したインストラクターの1人であり、現在はダンス・フォー・PDのディレクターを務めている。

研究では、ダンス教室で見られた運動の改善がどれだけ有意で計測可能であり、またもっとも重要な点として、教室の外でもその状態を継続できるのか、もしくは再現できるのかを追跡した。

2021年に3年にわたる長期的研究の結果が発表され、最初に発見されたことが裏づけられた[19]。この研究では、週に1度ダンス教室に通う32人のパーキンソン病患者を追跡した。すると、ダンス教室の参加者はまったくダンスを行なわない患者と比較した場合、運動障害の程度が軽く、発話、震え、バランス、こわばりに関係する分野において有意な改善が見られた。また、気分や生活の質が改善したことも報告している。

別の研究では、ダンスを行なう患者の脳波を測定したところ変化が認められた。さらに、筋肉の滑《なめ》らかな動きをコントロールし、リズムとの協調を可能にする大脳基底核において、血流の増加も確認された。

「すり足で歩き、自分の歩き方について何も考えていなかった人たちが、教室では自分の動きと、自分がなぜそんな動きをしているのかということを急に意識し、考えるようになっていました」とデヴィッドは説明する。**「ダンスは自分の動きの状態に注意を向けるきっかけになったのです。繰り返し練習することで、動作がまた自動的に行なえるようになっていく。**つまりどうやら、ダンスをすることで脳が回路を新しくつなぎ直し、動作を自動的なものにする効果があると思われます」。

音楽によって活性化される領域は数多く存在するが、運動野もその1つだ。曲のリズムに心が高鳴り、踊ろうと思うときに活性化する。**あらゆる種類のダンスに共通するのは、体重移動、バランス、空間移動、振幅、協調、リズムと音楽性、ストーリー、表現、言葉といった要素から成り立っている**ことだ。「そして偶然にも、こうしたことはパーキンソン病患者にとって有効な要素なのです」とデヴィッドは言う。

タンゴが効果的なのは、バランスや体重移動に集中し、パートナーとの関係で自分のバランスがどこにあるのかを意識する必要があるからだ。また即興で踊るため、自分とパートナーが次にどちらに動くのか、つねに認知的選択を行なわなければならない。

ただし、このような特性は西アフリカのダンスやモダンダンスにも見られ、フラダンスでもすべて行なわれている。「だから、タンゴだけが優れているというわけではなく、私たちは指導者として、パーキンソン病患者にいちばん効果的な要素を引き出すようにしています」

とデヴィッドは言う。

ダンスがパーキンソン病の脳をサポートすることについて調べたこれらの研究を通じ、神経科学者たちはダンスが万人に効果的なメカニズムについて理解を深めつつある。

彼らはダンスが血流や脳波の活動を増加させ、ドーパミン、オキシトキシン、セロトニン、エンドルフィンという快楽に関わる4つの神経伝達物質の分泌を促すようすを解析している。[20]さらに別の研究では、**ダンスによって実行機能、長期記憶、空間把握に関わる脳の領域を中心に、新たな神経連絡の構築が促されることが明らかになっている。**[21]

有名曲のメロディが流れると、認知症患者たちが歌い出す

ダンスを利用した運動障害の治療は一見奇妙に思えるかもしれないが、科学的根拠がこれだけ示されれば、パーキンソン病患者向けのダンスプログラムが治療法として普及しつつある理由は明らかだ。つまり、かつては不可能だと思われ、その道の権威から相手にされなかったアイデアでも、時間を経て研究が進むにつれて受け入れられ、効果的な介入へと変わる場合もあり得るということだ。

コンセッタ（コニー）・トマイノは1978年に認知症病棟にギターを持ち込んだとき、奇異な目で見られた。現在コニーは、共同設立者でもあるニューヨーク州の音楽および音楽神

経機能研究所でエグゼクティブ・ディレクターを務めている。

彼女は世界的に著名な音楽療法士であり、数十年にわたる研究と臨床経験によって、脳疾患の治療で音楽を用いる状況を大きく変えてきた。しかし、1970年代末の時点では、音楽が人の健康にプラスの効果をもたらすという途方もない説を唱える大学院生にすぎなかった。

コニーはギターをかかえてその介護施設を訪れ、終末期の認知症患者が収容されている最上階へと向かった。「あの頃は過剰な薬物治療が行なわれ、ほとんどの人がぐったりと横たわり、鼻には管が通され、管を引き抜かないようにミトンをはめられていました」とコニーは私たちに語った。「面会に訪れた人も、セラピストたちも、たいていは来たくない場所でした」。

今では認知症に関する理解ははるかに進んでいる。認知症は特定の疾患ではなく、数々の神経変性によって言語、学習、記憶、実行機能、運動機能、社会的認知の能力が低下した人々の診断に用いられる総称である。

WHOによると、世界中で5500万人以上が何らかのタイプの認知症を抱え、毎年約1000万人以上が新たに認知症と診断されている。人によって症状もその現れ方もさまざまなため対処が難しい病気であり、コニーは初めて病棟を訪れた日にあらゆる状態を目にした。

椅子に座ったままぐっすり眠っている患者もいれば、叫び声をあげている患者もいた。途方に暮れ、うわの空でフロアをせわしなく歩き回る姿も。認知症になると、集中力を持続し、行動を切り替える能力が大きく損なわれてしまうからだ。

「そこへ私がギターを持って現れたの」とコニーは笑う。

そんな彼女のもとに、1人の看護師が気の毒そうにほほ笑みながらやって来た。「まあ、なんて優しいの」と看護師は言った。「でもあいにく、ここの患者は頭が空っぽで、目の前で起きていることが全然分からないのよ。それでも、私たちのためにならやってちょうだい」。

コニーは直感的にビング・クロスビーの「恋人と呼ばせて」を歌い始めた。ほとんどの患者が知っていると思われる有名な曲だ。すると急に、奇声を発していた患者たちが静かになった。眠っている患者は目を覚ました。そして半数ほどの患者たちが一緒に歌い出したのである。

コニーは音楽が音の振動だと知っていた。「私が歌っている歌を認識したのは、患者の脳内で何かが起きていたということ」と彼女は説明する。

「しかも認識しただけでなく、**ちゃんと歌詞の通りに歌ったのです**」

これはスーザンにはうなずける話だった。なぜなら、認知症を患ういとこのウェンディと毎週のように有名な歌を歌っているからだ。歌っているときは、ウェンディが我に返り、生き生きとして見える数少ない瞬間だ。

「アメイジング・グレイス」に「ユー・アー・マイ・サンシャイン」「ハッピー・バースデイ」「ヤンキー・ドゥードル」など、スーザンはウェンディのお気に入りの曲を集めたプレイリストをつくっている。ウェンディの目が光り輝き、ほんの数分でも結びつきを持てたように感じられるのは、とても素敵なことだとスーザンは思っている。

コニーは歌い終わると先ほどの看護師を脇に呼び、こう言った。「誰も分からないなんてことないでしょ？　みんな何の曲か分かってた！」。

音楽を奏でることと記憶の関係

音が音楽になると、認知症の症状を緩和したり、脳卒中のあとの脳の回路をつなぎ直したりする力があることは、今では広く受け入れられている。

神経学的音楽療法では、リズム、音程、音量を変えることで動作を促す。音楽は神経機能に大きな影響を与える。音楽はさまざまな音色やリズムを組み合わせることで、人の耳が捉えることのできる多くの周波数を利用している。

音楽には音色、音程、振幅があり、旋律と和音、リズムとテンポがある。文化的な意味もある。音量は知覚に影響する――ロックのコンサートでアンプの近くに立ち、重低音が文字通り体を突き抜けて轟《とどろ》くのを感じたことはないだろうか？

音楽はその複雑さから、脳のさまざまな領域に影響を及ぼすことが分かっている。音楽が耳に入り、音色を認識し、分析すると、聴覚野が活発になる。**歌は感情的な反応を形成する側座核と扁桃体を刺激することもある。そして海馬は、音楽を聴いた経験に付随する文脈や記憶を形成する。**よく知っている大好きな曲は海馬に保存され、呼び起こされるため、コニーやスーザンがなじみの曲を弾いたり歌ったりすると、認知症患者やウェンディはとても生き生きとし始めたのである。

では、自分の名前さえ覚えていない認知症患者が、曲の歌詞を思い出すことができるのはなぜなのか？

当時はまだｆＭＲＩで脳を簡単に観察することができなかったため、コニーがこうした疑問を解明するには別の方法を考えなければならなかった。

１９８０年代、彼女は神経科学者で作家のオリヴァー・サックスという同志を見つけた。彼はすでに『レナードの朝』（春日井晶子訳、早川書房ほか）を出版していた。１９２０年代に世界的に流行した嗜眠《しみん》性脳炎という、強烈な眠気と運動障害を伴う病を生き延びた患者たちについてのノンフィクションだ。オリヴァーは、新薬レボドパの投与によって40年間眠っていた患者たちが目覚めることを発見していた。また、１９８０年半ばに出版した『妻を帽子とまちがえた男』（高見幸郎・金沢泰子訳、早川書房）はベストセラーになっていた。

「あまり人づき合いがよくない変わり者だったけど、私が当時としてはめずらしい音楽療法士だと聞いて、手紙をくれたの」とコニーは振り返る。

2人はすぐに意気投合した。「あの当時の音楽療法士にとって、医療の専門家に自分の取り組みがとても大事なことだと思ってもらえたら……もちろん、すかさずしがみついたわ」。

オリヴァーは、人がリズムに接すると快活になり、動き出す姿を目にしており、リズムが刺激をもたらす仕組みに興味を抱いていた。それでもまだ、認知症と音楽を結びつけてはいなかった。コニーは担当した患者たちの状態を説明し、音楽で生き生きとするようすについて語った。「何人かの患者について診察してもらい、実際にそのようすを見てもらいました」とコニーは言う。

コニーとオリヴァーは、各患者の神経学的課題の程度を理解し、それが音楽によって刺激を受けるかどうかを見きわめる評価方法を考案した。まだ名前こそなかったが、これは今で言うところの「個別化医療」だった。

2人の研究によると、音楽療法のなかでもとくに優れているのは対話型の生の音楽だ。セラピストは音楽を奏でることによって患者を導き、サポートする。

患者に音楽の才能は必要ないが、思いのままに演奏するなかで、セラピストは患者が反応できるように適切なタイミングで音楽を調節する役割を担う。場合によっては、セラピストは音楽を通じて患者が歌い、話し、歩けるよう環境を創造することもある。

コニーは長年、この手法の実践に力を注いできた。そして患者たちは回復へと向かった。話せないと思われていた人々が話し始め、動けなかった人々が歩き始めた。「私たちは、脳内でこうしたことを可能にする何らかの変化が起きているにちがいないと気づきました」。コニーは、米国議会図書館による音楽と脳をテーマにしたポッドキャストでそう語っている。

脳が「懐メロ」を認識するスピードは、わずか0・1秒

コニーとオリヴァーが解明に取り組んでいたのは、周波数や音域によって心地良さの程度が異なるのか、また結びつきをより強く感じるのかということだった。

複数の研究結果からは、**ある特定の周波数で演奏される音楽はコルチゾールの濃度を下げ、うつ病や不安の治療にも用いられるホルモンとして知られるオキシトシンが増加することが明らかになっている。**[22]

気分が高揚する音やリラックスできる音について考えてみよう。

人がささやく声と叫び声ではどうだろう。気持ちがいちばん落ち着く音は、私たちが普段話している声域に収まる音だ。「こうした中音域の音は、気持ちをすごく穏やかにする傾向があります」とコニーはポッドキャストで述べている。

「ゆったりしたリズムにも同じ効果があります。つまり子守歌を思い浮かべ、そういう穏や

かで、気持ちが安らぐような音を生み出すことです。通常はとても狭い音域の、とてもゆっくりとしたリズムになるでしょう」

自伝的記憶を呼び覚ます音楽は、強い感情的反応と結びついている。「感情は何かに反応するかしないかを決める能力と密接に結びついています」とコニーは言う。「自分の好きな心地良い音楽を聴くと、脳のいくつかの領域の活動が抑えられます。例えば、引きこもりや恐怖に関係する偏桃体など」。

なつかしさや記憶を呼び覚ます音楽は、記憶の形成を司る内側前頭前皮質と海馬を活性化させる。聞き慣れた音楽は海馬で符号化される。２０１９年のある研究では、人の脳は自分の過去とつながりのある音楽を猛烈なスピードで認識することが明らかになった。場合によっては、わずか０・１秒しかかからない。[23] イントロクイズで見るような、なじみの曲を一瞬で思い出すようすを思い浮かべれば実感できるだろう。

コニーとオリヴァーが研究を始めたばかりの１９８０年代でさえ、科学者たちは音楽が奏でる音のパターンが、ニューロンの情報記録を強化しているという結論に達していた。「ニューロンは連続的な刺激やパターン化された刺激によって発火しますよね？」とコニーは言う。「そこに音楽の効果があるのです。音楽とは感覚刺激であり、私たちが情報を符号化するという点で、すでに人間に備わっているものと実際に合致するか、もしくはそれを高めるものです。人間が考えついたこの素晴らしいアート形式は、こうした音のパターンによって強化されているのです」。

認知機能とはつまるところ、神経回路が相互にどのように作用し、サリエントな情報を取り入れるかということになる。**ある刺激がサリエントであるほど、記憶したり思い出したりする可能性が高くなる。**認知機能障害を抱える人々にとって、音楽はより多くの経路が呼び起こされ、刺激されることを促す。

「つまり1つの経路、例えば言語のための経路が損なわれたとすると、情報を思い出すにはいくつか合図やヒントが必要になります。つながりや気分や感情など、音楽に内在する音の多様性は、そうなったときに、皮質下に入念に保存されたプロセスを前面に押し出し、ある程度機能が戻るように促すのです」とコニーは説明する。

音楽は神経系と認知機能、身体能力を回復し、生活の質を向上させるために効果的な手段である。現在、コニーはその経験と研究成果を生かし、認知症患者に対応する人々が音楽を癒しの手段として利用できるように、専門的能力の開発や研修プログラムの作成に取り組んでいる。

「奇妙な重い疾患」アルツハイマー病は治せるのか？

1906年、ドイツの精神科医で神経解剖学者が、生前に異常な症状が見られた患者の脳を解剖した。この女性の行動と言語は数年の間に常軌《じょうき》を逸《いっ》するものになっていた。身近な相手のことを忘れ、被害妄想に陥り、症状が悪化すると完全に記憶を失った。脳の解剖では大脳皮質に見慣れない斑《まだら》状の構造物と、神経原線維のもつれが認められた。彼はこの「奇妙な重い疾患」について、仲間の医師たちにただちに注意を喚起した。この医師こそ、アロイス・アルツハイマーだった。

それから100年以上経った現在でも、医学界は神経変性の脳疾患であるアルツハイマー病の解明に挑戦している。この病気が進行するメカニズムは複雑で、突き止めるのが困難だ。はっきりしているのは、病気を引き起こす特定の遺伝子変異を有する患者は1パーセントに満たないということだ。したがって、**主な要因は生活様式や環境に関するもの**であると考えられている。

アルツハイマー博士が女性の脳を解剖したときに目にしたのは、**アミロイドベータタンパク質が蓄積したもので、現在ではアミロイド斑《はん》と呼ばれ、絡み合った繊維の束はタウタンパク質のもつれとして知られている**。この2つがアルツハイマー病の主なバイオマーカーとされるが、ほかにもまだ特定されていないさまざまな要因があると考えられている。

多くの場合、アルツハイマー病による損傷は海馬など記憶に関係する脳の領域から始まる。進行するにつれて大脳皮質にも影響を及ぼすことがあり、言語、論理的思考、社会的行動などの能力が低下する。つまり端的に言えば、この疾患は私たちの人間らしさの核となる部分を攻撃し、脳の活動を徐々に破壊し、記憶や人間関係、自立性を奪うのである。

現在、アルツハイマー病は成人の認知症のなかでもっとも多く見られる類型であり、アメリカでは第6位の死因である。65歳以上を対象とした最近の調査では、実際には死因の第3位であるとする説もある。

アルツハイマー病の治療法の開発には多大な情熱が注がれているが、それでもこの病は何十年もの間、医学界を悩ませてきた。脳内でのアミロイド斑の蓄積とタウタンパク質のもつれのメカニズムについては解明が進んでいるが、治療法としてはいまだに症状を改善し、進行を遅らせることにばかり力が注がれている。


スタンフォード大学の研究室で見たあの踊る心筋細胞のように、美的な入力が私たちに細胞レベルで影響を及ぼすことが分かったなら、アルツハイマー病のように複雑な病気でも、ターゲットを絞った美的治療は効果があるだろうか？

この疑問に突き動かされたのが、神経科学者でマサチューセッツ工科大学脳認知科学部ピカワー学習記憶研究所ディレクターのリー・ファイ・ツァイだ。リー・ファイはこの30年の間、アルツハイマー病を中心とする神経変性疾患についての理解と治療に取り組んできた。

「この疾患を引き起こす特定の暴走するタンパク質や、問題となる遺伝子はいまだ特定されていない」。リー・ファイは２０２１年に『ボストン・グローブ』紙に掲載された論説のなかでそう説明している。「それどころか、アルツハイマー病は1つの病気の名称として使用されているが、この病を研究するコミュニティでは、いまだにアルツハイマー病にいくつの類型があるのかさえ分かっていない。したがって、すべての患者を治療するには、最終的にいくつの治療法が必要なのかも定かではない」。

これまでアルツハイマー病の研究者たちは、1つの特異なタンパク質、つまりアミロイドのみを標的にした小分子薬や免疫療法を追求してきた。しかしリー・ファイは、アルツハイマー病はもっと広範囲に及ぶシステムの破たんであると考え、より包括的かつ効果的な治療はないものかと考えていた。[24] ここ数年間は、彼女の研究室は光と音という美的介入を用いた斬新な方法を探究してきた。

光と音が人体に及ぼす影響は明らかになっている。季節性情動障害の患者には光線療法が効果的だ。就寝前にブルーライトが目に入ると、脳が刺激を受け、睡眠を妨げる。Chapter2で述べたように、音の振動は生理機能に変化をもたらす。しかし、アルツハイマー病を患う脳にも効果があるのだろうか？

視覚と聴覚に同時に訴える治療

ニューロンは電気信号を発し、いくつかの異なる周波数で情報を伝え、それが振動、すなわち脳波を生じさせる。脳波は1秒あたりの波の数を表すヘルツで測定される。脳波検査で測定するのはデルタ、シータ、アルファ、ベータ、ガンマの5種類の脳波だ。

デルタ波はもっとも遅い脳波で睡眠中に発生する。シータ波はひじょうにリラックスして、覚醒しているがまるで夢を見ているような状態のときに発生する。アルファ波は脳がアイドリング状態にあるときに発生する。リラックスしているが、必要に応じて反応できる状態だ。ベータ波は警戒し、注意を払っているときに発生する。そしてガンマ波はもっとも速く、捉えにくい脳波であり、知覚や意識に関わっている。

研究者たちは、研究のために遺伝子操作によってアルツハイマー病に罹患させたマウスに、注目すべき特徴を認めている。迷路のなかを走るといったタスクを行なっているときに、ガンマ振動が乱れるのである。

25から80ヘルツのガンマ振動は、意識的な認知だけでなく、記憶形成にも関わっていると考えられる。ガンマ波のリズムが海馬の記憶処理において重要であることも証明されている。これはつまり、**アルツハイマー病のように記憶を阻害する脳疾患には、ガンマ波のリズムの乱れが伴う可能性を示唆している**。そこでリー・ファイは仮説を立てた――光や音など、別の発生源からガンマ振動を導入すれば、ニューロンが再構築され、アルツハイマー病の症状を軽減できるのではないか？

リー・ファイは光遺伝学という非侵襲性の感覚刺激の技術を用い、脳のニューロンが動くように促し、発火パターンがふたたび同期することを期待した。リー・ファイの研究室に所属する大学院1年生で好奇心旺盛な学生が、40ヘルツのガンマ振動を調べてはどうかと提案した。40ヘルツのガンマ波は人の脳波に影響を与え、脳全体の振動を大幅に増加させることがすでに明らかになっている。最近の研究では、40ヘルツの光や音にさらされると、脳波が同期することでガンマ波の活動を促すことが示唆されている。

2016年、研究室で点滅する光によって40ヘルツのガンマ波を発生させる装置が開発された。そしてアルツハイマー病に罹患したマウスに1日1時間光を当てた。脳磁図や脳波記録法、fMRIなどの最先端技術を用い、脳の振動の変化を調査し、視覚化した。

光をわずか1時間照射しただけで、「アミロイドペプチドの大幅な減少が見られた」とリー・ファイは言う。

アミロイドペプチドの減少が見られたのは主に脳の視覚野だったので、リー・ファイとそのチームは音を足すことで、ほかの領域にも治療を広げられるのではないかと考えた。そこで今度はマウスに40ヘルツの音を7日間連続で、1日1時間聞かせた。

音による療法を1週間続けた結果、音を処理する脳の領域である聴覚野のほか、その近くにある海馬でもベータアミロイドの量が著しく減少した。1週間の治療後、マウスの認知能力は大幅に改善し、迷路をうまく進めるようになった。

音と光を組み合わせることで、さらに良い結果が得られた。リー・ファイから発見の詳細を聞いた私たちは驚くばかりだった。「**視覚と聴覚の刺激を同時に1週間与えると、前頭前野の関与とアミロイドの劇的な減少が見られたのです**」とリー・ファイは説明してくれた。また、タウタンパク質のもつれが減り、アルツハイマー病によって損なわれたシナプスの密度とニューロンの密度がそれぞれ増加した。

音と光がアルツハイマー病の病変を打ち消し、認知力を改善しているように思われた。「話がうますぎると言われることもあります。それほどの効果があるのに、そんなに簡単なことがあるのか、と」。リー・ファイはそう語る。「確かに、おとぎ話のように聞こえるかもしれませんが、私たちが実際に観察したことなのです」。

脳の萎縮を遅らせる光と音

光と音に効果があることが明らかになると、次のステップはその理由の解明だ。仮説は数多くあるが、リー・ファイは今のところ、脳で増加したガンマ振動がさまざまな系統や細胞種に関与するようになるからだと考えている。そのため、脳の老廃物除去の多様なメカニズムを通して、ガンマ波は例えばアミロイドの除去に寄与した可能性がある。

光と音による治療はミクログリアという細胞の活動を刺激していた。これは不要な堆積物

を除去する免疫細胞であり、脳の発達に影響を与える。治療はミクログリアだけでなく、血管にも変化をもたらし、「アミロイドの除去を促した可能性がある」と彼女は述べる。

私たちの脳内には、空洞部分を満たす脳脊髄液という液体がある。脳脊髄液は脳組織に吸収され、血管を通り循環する。それから脳の間質液と混ざり合う。「つまり、脳内で細胞の外にあるあらゆる不要物は、脳脊髄液によってリンパ系を通じて洗い流されるのです」とリー・ファイは言う。「私たちは、ガンマ振動が増加すると脳による脳脊髄液の吸収が良くなり、このような不要物を除去するメカニズムが促進されることを発見しました」。

視覚と聴覚に同時に訴える治療については、効果と安全性を検証するためにこれまで健康体のボランティアで治験が行なわれてきた。そして研究者たちは、初期のアルツハイマー病患者の登録に取りかかっている。[25]

リー・ファイは現在、研究室で生まれた画期的な科学を治療用機器へと変える取り組みを行なっている。そのうちの1つは約60センチ四方の光の箱で、数百個の白色LED電球と、40ヘルツのクリック音を再生できる1本のサウンドバーが内蔵されている。患者は箱の正面から180センチほど離れたところに座り、1日に1時間程度使用する。

この美的介入の影響を調査した初期の研究からは、このように光と音を用いると、脳内でガンマ振動が誘発され、脳の複数の回路において機能的なつながりが保たれ、脳の萎縮を遅らせることが明らかになった。音波が心筋細胞を動かすように、光と音は脳の振動を変えることで回復を支援している。

死を前にして生に目を向ける

「日々が神であるとは誰も気づいていない」

これは1800年代末に、ラルフ・ウォルド・エマソンが友人に宛てた手紙の一節だ。自然や人生の素晴らしさは、注意を払ってよく見さえすれば、私たちのまわりの至るところにある、と彼は訴えている。美や意味は先入観によって見えなくなり、この瞬間、この1日が宝物であることを私たちは見逃している。

人生の終わりもこのような注意を払うに値する。誕生と同じくとても大切な時だ。そこには悲しみがある。心身の能力に次々と変化が現れ、不安や疑問がわき起こる。さまざまな感情に見舞われ、しばしば緩和ケアやホスピスケアを取り巻く医療の現実にとらわれると、人生の最後の日々に意味や真実を追求する機会を逃すこともある。

緩和ケアのボランティアを務め、回想録『死ぬ瞬間の5つの後悔』（仁木めぐみ訳、新潮社）がベストセラーとなったブロニー・ウェアは、死期が迫った人々が抱く最大の後悔を2つ挙げている。それは、**他人の期待に応えるのではなく、自分に正直に生きるべきだったということと、勇気を出して自分の気持ちをもっと表現すべきだった、**ということだ。

ホスピス&緩和ケア・バッファロー（ホスピス・バッファロー）で表現セラピーのディレクターを務めるアビゲイル・アンガーは、たとえ死を目の前にしていても、そのような人生を生きるのに遅すぎることはないと考えている。

年齢、人種、ジェンダー、背景、診断結果に関わらず、アートや音楽、ダンスや動作、マッサージによる癒しなどの表現アートセラピーは、末期症状にある人々と、その旅に寄り添う人々、つまりホスピス・バッファローに滞在する患者と家族に意味や慰めを感じる機会を提供している。

人によって旅は長くなることもある。アビゲイルとそのチームは、介護施設やサービス付き高齢者住居なども含めてさまざまなケア環境で活動している。音楽やアートによるセラピーにより、各自が人生を振り返り、何を残したいのか考えられるように支援している。

「音楽とアートは個人が亡くなってからも、永遠に生き続けることができます」。ある日の午後、アビゲイルはバッファローのオフィスから私たちにそう語った。背後に見えるコルクボードには、彼女が担当した人々が描いた絵や、ともに考えて書いた歌詞が留めてあった。

アビゲイルは音楽と人類学を学び、ソーシャルワークの上級コースでボイストレーニングといくつかの楽器演奏を履修している。アートと社会科学の組み合わせは、エビデンスに基づいた効果的なアートセラピーのプログラムの構築に役立っている。

一例として、アビゲイルは各自が愛情を表現し、自分自身の人としての本質をとらえた自伝的な歌をつくれるように手助けしている。アビゲイルとそのチームはしばしば認知症を患う人々に対応するが、前述のコニー・トマイノの研究から明らかなように、たとえほんのひとときでも音楽を聴いたとき、患者たちは生き生きとした姿を見せる。

ある認知症患者の娘は、アビゲイルにこう感謝した。「本当にありがとう。母との最良の思い出の1つが、人生の終わりの老人ホームでできるなんて思いもしなかった」。

ライブ会場に入ると高揚するのはなぜ？

アビゲイルは患者と家族から、時として「音楽という薬」の方が、医師が処方する薬より効き目があると言われている。表現療法は、神経反応や生理反応を引き起こすことで、身体や精神、感情に関わるさまざまな症状や苦痛を和らげ、終末期における生活の質と幸福感を高める効果がある。

音楽やアートと関わるときに分泌されるドーパミン、セロトニン、オキシトシンは、不安や落ち込みを軽減させる。

作詞や自伝的なアートの創作を通してそれまでの人生について語ることは、孤独や疎外感を和らげ、自己表現と意味づけを行なうとともに、他者との交流や結びつきも育む。手を使ってアートや音楽を創作したり、ダンスや動作をしたり、マッサージをしたりと、表現アートに手で何かに触れる機会が含まれる場合、その行為によってオキシトシンが分泌され、緩和ケアを受ける患者の睡眠を促し、血圧や心拍数を下げることが分かっている。

ホスピス・バッファローでは、子どもの患者とそのきょうだい、および介護者のために「子どものためのエッセンシャルケア」という在宅プログラムを提供している。「子どもが病気で死んでゆくなんて、考えるだけでもあまりにも不当なことです」とアビゲイルは言う。

このプログラムは、家族が一丸となって介護にあたる環境を築くという点で類まれな成功を収めている。子どもたちの周囲の大人たちは大きく変化することになる。表現セラピーのチームは、親やきょうだい、介護者たちにも自分の経験を語る機会を設けるようにしている。大切にしてきた何かを伝えること、家族の絆と忍耐、幸福と安らぎに関する問題や経験に対処する機会を設けることは、多くの場合、患者のために目指すべき目標である。

アビゲイルと資格を持つアートセラピストたちがこれほど成功している理由の1つは、音楽と表現アートのセラピーを患者のそのときの状態に合わせて行なっていることにある。

「例えば、ある患者と毎週セッションを行ない、音楽を通して自己表現の機会や喜びの瞬間、社会的交流を増やすことを目標にしているとします。ところが患者と会ったときに痛みを感じていると分かったら、音楽によってその痛みに働きかけるように切り替えるのです」とアビゲイルは言う。「親密な関係を築いたら、さらに筋肉をリラックスさせるようにして、相手の経験、そしてその経験にまつわる表現の両方に注意を向け、理想としてはそれをいつくしむような音楽的経験を創造できるかもしれません」。

アビゲイルはこう続ける。「私たちはいつもありのままの状態の患者に会い、そこから必要に応じてより良く調整された状態へと導くように手助けしています」。

表現セラピーのチームは、患者と過ごすときに示されたことや経験したことに基づき、アートによる介入を「投与」していると感じることがよくある。患者が動揺しているときは、気分を落ち着かせ、リラックスさせ、できれば穏やかな状態を取り戻すことに的を絞ったアートの介入を行なう。一方で、落ち込んで孤立し、殻にこもっている相手には、表現を引き出し、興味を引きつけるために、アートセラピーによって変化と動きをもたらすことができる。

こうした取り組みは**エントレインメント**（同調）を促す。これはおそらくもっとも広く研究されている社会的な運動協調性のプロセスであり、音楽やダンス、体の動きによって得られやすい性質がある。

隣り合って揺り椅子に座る2人が体を揺らしているとき、やがてその動きがシンクロしていることがある。歩いているときにも同じようなことが起きる。あるいは、にぎやかなイベント会場を訪れると自分自身のエネルギーが高まり、突然自分までエネルギーに打たれたような衝撃を感じたことはないだろうか？

エントレインメントとは、音や脳波を介して私たちの体が互いにシンクロすることだ。音楽は体の状態にも変化を与える。酸素と血液の流れを良くし、見当識や認知力を支え、動作や活動を通じて他者との関わりを促す。

アビゲイルによると、終末期ケアのもう1つの重要な点は、患者とその家族に何が起きているのかを理解し、認め、立ち会うことだ。これは、人生の終わりを迎えた患者を変えようとする試みとは大きく異なる。確かに、終末期に誰もが歌ったり踊ったりしたいと思うわけではない。どんなセラピーも万能薬ではないが、アートや美の世界を広く見渡せば、患者に役に立つ何かがきっと見つかるはずだ。

マリアン・ダイアモンドは、脳が豊かな環境でどのように変化するかについて実験を行ない、貴重なことを学んだ。それはつまり選択と自主性の力である。

マウスが回し車で遊ぶと脳に良好な変化が生じるが、それはマウスが自主的に遊んだ場合に限られることが判明したのだ。マウスを無理やり回し車に乗せるとストレスで脳が損なわれ、豊かな環境によるプラスの効果が相殺された。アートや美を取り入れた脳に効果的なセラピーを見つけるとともに、さらなるストレスを生むことのないセラピーを見つけることが重要である。

ホスピス・バッファローでは、亡くなった患者の家族に対して1年をめどに、悲しみと死別のためのセッションを提供しており、創造的なアートセラピーを用いることで喪失を受け入れられるように手助けしている。

アートは生涯にわたり確実に、健康に良い効果をもたらしてくれる。そして私たちがこの地上から消える最後の瞬間まで、意味と美しさとつながりを与えてくれるのである。

光の調整をするだけでも、良い気分になる

現代医学は病気だけでなく、患者を1人の人間として治療する方向へと向かっている。体を癒すには、もしくはそもそも病気にならないためには、症状に対処するだけでは不十分だ。アートや美は医療として世界中で広く用いられるようになっているが、それは複数の生理系と神経系に働きかけ、**体を癒すだけでなく、精神を回復させ、気分を高める力がある**からだ。

クリーブランド・クリニックのさまざまな病状を抱える患者195名を対象に行なった研究によると、アートに携わることで痛みが著しく減少し、気分が改善した[26]。医療関係者もさまざまな分野の人々と同じように、アロマテラピーを試している。麻酔から目覚める患者や、病院という空間に不安を感じる人々には、ペパーミントやラベンダーなど自然の香りを用いている。

そして医療機関の空間デザインについても、神経美学を踏まえた見直しが進められている。例えば、光が気分と生理機能の両方に影響を与えることは言うまでもない。自然の光や緑

が身近にあると回復が促進される。

ある調査によると、**窓から自然が見える患者はそうではない患者よりも入院期間が短く、また興味深いことに、鎮痛剤の服用量も少なかった**[27]。

神経美学に基づいたデザインの選択は、集中治療後症候群と呼ばれるような、集中的治療に伴う入院によって生じる深刻な症状を和らげる効果まである。これは体と精神と感情の症状が重なった症候群であり、光の変化がほとんどない空間で過ごすうちに、患者の概日リズムが完全に失われることが一因になっている。

概日リズムは太陽の動きに合わせてセットされる。太陽が沈んで光が弱くなるとメラトニンが分泌され、眠気をもたらす。ところが、集中治療室では光はほぼ変わらず、そのため自然な睡眠サイクルがひどく乱れる可能性がある。光のデザインを調整するだけでも1つの解決策になる。

ヘルスケアの場でアートが毎日確実に届けられ、この世の多大な苦しみをいくばくかでも和らげられるとしたらどうだろう。誰もが残りの人生を楽しく過ごせるとしたらどうだろう。

偉大な舞踊家で振付師のマーサ・グレアムは、かつて「肉体は聖なる衣服です」と表現した[28]。心身の健康は私たちの人生のあらゆることの土台である。

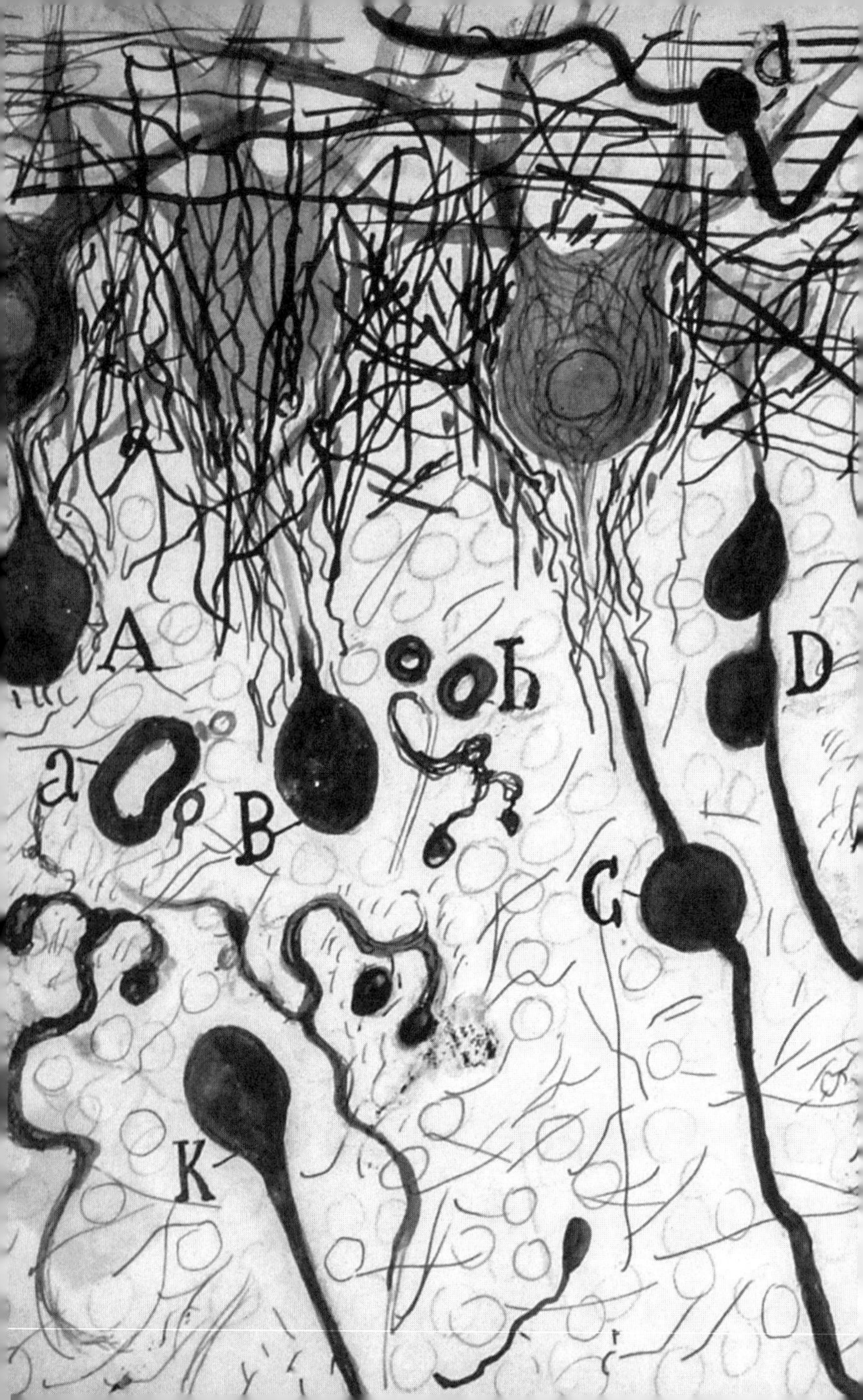

d
A
D
b
a
B
C
K

Chapter

5

仕事と学びに遊び心を！
――学習を拡張する

今日学んだことは思いがけず、明日の素晴らしい秘密の発見へとつながるでしょう。

――ノートン・ジャスター（作家）

私たちが好きな作家の1人カート・ヴォネガットは、高校生たちから成功した人生とはどのようなものかと聞かれたとき、有名な言葉を残している。彼はこんな助言を手紙に書いた。**「音楽、歌、ダンス、演技、スケッチ、油絵、彫刻、詩、小説、エッセイ、ルポルタージュなど、なんでもいいからアートを実践すること**。うまいか下手かは関係なく、富や名声を得るためではなく、何者かになることを経験し、自分の内にあるものを発見し、魂を成長させるために」

ヴォネガットは度々、人はこうした活動からきわめて大きな恩恵を得ると言っていた。「あなたは何かを創造することになるだろう」。

なぜ仕事や勉強に「アート」を取り入れるべきなのか

創造は学習の核を成す。脳内で新たなシナプス結合をつくるのは、まさに知識を創造していることにほかならない。学習は私たちの脳と体がつねに行なっていることだ。

神経科学者のV・S・ラマチャンドランは、著書『人の意識のショートツアー（*A Brief Tour of Human Consciousness*）』のなかでこの現象の本質をとらえ、こう書いている。

「私たちの精神世界の豊かさには驚くばかりである――気分、感情、思考、熱意、恋愛、宗教的感情、さらには自分だけが知っている自己とみなすもの――それはあなたの頭の、脳のゼリー状のごく小さなものの活動にすぎない。ほかに何もないのだ」

脳の仕組みに魅了されたこの言葉は、見開きのページの遊び心のある絵の上に美しく刻まれている。この絵を描いたのはスペインの高名な神経科学者サンティアゴ・ラモン・イ・カハル。彼は神経構造に関する初期の理解を説明する多くのスケッチを残している。

本章では、あなたの頭のなかのゼリー状の小さなものが、アートの創造や美的経験に没頭

することで、どのようにして知識を獲得し、それを強固なものにするのか探ってゆく。

これは教育の話ではない。教育というのは情報を伝えるために人が設計した制度であり、過去200年ほど大きくは変わっていない。神経生物学的な「学習」はまったくちがう。

脳は、標準テストでマークシートを塗りつぶすことや、カリキュラムについて熱心に議論することに興味はない。脳は新たなつながりを築いてつねに進化する構造になっている。これに対して社会的な教育システムは、往々にして決まった情報のインプットとアウトプットを中心に設計されている。

知識とは単なる認知的知能ではない。最良の学習は、賢明な判断力と理解力を養い、生涯にわたり進化し、成長するような知識を得ることだ。

私たちは学びたいという思いに駆られる。パズルのピースを合わせ、謎を解き、物事を理解したいと願う。

人はもともと好奇心が旺盛で、探究するのが好きな生き物だ。学びたいという欲求は生まれつきのもので、運が良ければそれを閉め出さずにすむ。**最良の学習とは、好奇心をかき立て、それに応じて尽きることのない発見をもたらすような学習であり、あなた自身に内在する再生可能なエネルギーである。**

神経生物学的な視点から見ると、学習は永続的に脳を変えるような経験によって引き起こされるダイナミックなプロセスだ。学習するとき、脳はシナプスを形成し、変化させ、記憶を符号化するためのまったく新しい回路をつくる。
Chapter1で述べたように、サリエントな経験はシナプスの可塑性を高める。神経科学者のリチャード・フガニールは、私たちにこう説明してくれた。
「あることがサリエントであるほどよく学習できる。ダイナミックな提示が注意を引きつけ、刺激をもたらすのはそのためだ」と彼は言う。「退屈な講義は学習の助けにならない。記憶を強固なものにするのに役立つのはサリエントな経験だからだ」。

学習にはさまざまなタイプがある。認知的なタイプ、感情的なタイプ、具現化されたタイプ。知識を積極的に求める明確な学習もあれば、変化をもたらす経験を受動的に取り込む暗黙の学習もある。

経験を学習にとってよりサリエントなものにするには、さまざまな要素が関係する。

例えば、めずらしさやユーモア、好奇心、注目する度合い、創造性、モチベーション、環境、あなたの脳に特有の発達の仕方など。また、十分な睡眠や健康的な食事、水分補給など、ライフスタイルに関連する要因も、脳が情報を受け入れ、保持する態勢に影響を与える。

本章で紹介する人々のように、アートがよりサリエントな経験を創造すると、可塑性や神経結合、より良い理解がもたらされる。アートや美が教育や仕事、生活に統合されたとき、私たちの学ぶ能力が強化されるのである。

音楽家の育成を重視しないエル・システマの教育理念

グスターボ・ドゥダメルは、人生が変わった瞬間を正確に示すことができる。それは2007年のことだった。彼は現在、ロサンゼルス・フィルハーモニックの音楽芸術監督を務め、権威ある勲章をいくつも授与されて名声を博しているが、それよりも以前のことだ。ドゥダメルは26歳で、ベネズエラのシモン・ボリバル・ユース・オーケストラを率いていた。舞台はクラッシック音楽の愛好者たちが詰めかけたロンドンのホールだった。

このときの重大な意味をよく理解するには、彼がその晩の指揮台に立つまでの道のりを知っておくべきだろう。彼は1981年にベネズエラの貧しいコミュニティに生まれ、厳しい環境のなか4歳でバイオリンを習い始めた。これはエル・システマのおかげだった。

エル・システマとは、貧しい子どもたちに無料で音楽の指導と楽器を提供するために、1975年にベネズエラに設立された音楽教育プログラム基金だ。子どもたちがオーケストラの一員として演奏できるように指導している。正確に言うと、アートを通じ、きわめて大事な幼児期に能力開発の機会を提供することを目指している。

エル・システマの使命はプロの音楽家の育成ではなく（ただしドゥダメルのように、それも1つの素晴らしい成果だ）、**幼児期に大切な認知能力や社会的、感情的スキルを養い、幸せな人生の土**

台を築くことにある。

シモン・ボリバル・ユース・オーケストラには、ドゥダメルと同じように、エル・システマのおかげで楽器を学んだベネズエラの子どもたちが所属していた。

ドゥダメルの指揮により素晴らしい演奏が行なわれ、最後はアンコールを1曲ではなく3曲も演奏して締めくくられた。そのうちの1曲はレナード・バーンスタインが作曲した『ウエスト・サイド物語』の「マンボ」だった。確かな腕前の楽団員たちは、バーンスタインの曲を思いきり陽気に演奏した。ドラムと管楽器がマンボのビートを刻み、弦楽器のパートは立ち上がって踊りながら演奏した。すると聴衆も席を立ち、すっかり引き込まれて笑顔になり、声をあげて笑い、曲に合わせて手を叩いた。指揮をするドゥダメルの喜びは楽団員を巻き込み、最後の音が鳴り終わると割れんばかりの拍手が巻き起こった。

「歴史的な瞬間でした」。彼は2021年のBBCのインタビューのなかで、当時を振り返ってそう言った。「指揮者としての自分にとって、ロケットが打ちあがった瞬間だったのです」。

音楽の演奏は、記憶や空間認識、読み書きの能力を高める

エル・システマの理念は世界各地のプログラムのモデルとなった。そのうちのいくつかは、若年期のアートが脳の発達に与える影響を数値化することに興味を抱く研究者たちによって

調査されている。

ドゥダメルはロサンゼルスにおいて、エル・システマのモデルに基づいたユース・オーケストラの結成に力を貸した。これにより、ロサンゼルスの恵まれない地区に住む6歳から18歳までの児童や生徒たち1500人に対し、楽器と集中的なレッスンが無償で提供された。

2018年、『青少年育成雑誌（*Journal of Youth Development*）』にある長期的な研究の結果が発表された。フロリダ国際大学の研究者たちは、エル・システマに触発されたマイアミ・ミュージック・プロジェクトへの参加が、学生たちの社会的、感情的、そしてアカデミックな学習を高めたかどうかを調べた。

研究チームは1年の間、8歳から17歳までの108人の参加者たちを追跡し、能力や自信、思いやり、性格、つながりといった社会的、感情的スキルが向上したかどうかを確かめた。これらの特徴の評価には標準化された測定基準を用いた。

例えば、性格については自己申告式の評価方法「グリット・スケール」を用いて判定した。「やり始めたことは何でも最後までやり通すか」といった質問に対し、自分で点数をつけてもらう方式だ。

また、研究チームは両親や教師からも話を聞き、ストレス、差別、学校の成績、それまでの音楽との関わり、音楽教室への参加、家での練習回数、音楽の習得の進歩、コンサートへの参加について情報を集めた。

1年の終わりには、参加者たちには対照群と比べ、あらゆる特徴について「著しい向上」が見られることが明らかになった。[01] 親の大多数も、その年の学業成績が上がったと回答した。

ロサンゼルスでは、南カリフォルニア大学脳と創造研究所のアッサル・ハビビ博士も、ユース・オーケストラ・ロサンゼルスの若き音楽家たちの脳を研究している。

2012年、ロサンゼルス・フィルハーモニック・アソシエーションが同研究所と提携し、付属のユース・オーケストラの参加者を対象に5年にわたる共同研究を行なった。アッサルは、6歳から読譜とオーケストラで使用する楽器の習得を始めた20人の子どもたちの変化について観察し、対照群の子どもたちと比較した。

アッサルはｆＭＲＩを用い、音楽の練習によって脳の構造が変わり、意思決定を司る脳のネットワークへの関与が高まることを突き止めた。公表された資料では、**若き音楽家たちは知的作業を行なっているとき、実行機能と意思決定に関わる脳のネットワークの活動が高まることを研究チームは明らかにしている**。また、「**音楽の訓練は、音の処理や言語発達、発話知覚、読解力を司る脳の領域の成熟を加速する**」という結論を示している。[02]

音楽の演奏は、運動、聴覚、視覚に関わる脳の複数の領域を刺激するだけでなく、そうした領域同士の神経連絡を強化し、そうする間に記憶や空間認識、読み書きの能力を高めるのである。

アートを習得したから、勉強もできるようになる

これらの研究が光を照らしているのは、**アートが若い時期の学習に関する社会的、感情的、認知的要素を増幅する**という事実だ。このメカニズムの根底には脳の可塑性がある。

人生の最初の数年でどれほど多くを学ぶのか考えてみよう。ハイハイに歩行におしゃべり。こういったスキルを学習する過程では、可塑性と呼ばれる脳の回路の書き換えが起きる。

もう少し成長してスキルを磨くようになると、ニューロンが結合してそれらの活動は容易になっていく。歌を練習すると「そらで」歌えるようになるが、厳密に言えばそれは「脳で」歌えるようになるということだ。

ダンスを習うと、やがて意識して考えなくてもステップを踏めるようになるが、それはニューロンが樹状突起とつながり、やがて習慣を確立するからだ。

あなたに特有の生活環境や状況も、脳のつながりの形成に役立つ。人間の脳はある理由から、生まれたときは未熟な状態にある。

人がまわりの環境や世界について初めて学習する段階では脳は成長過程にあり、その回路は未発達だが、これはより複雑な学習に移行するうえで有利に働く。このとき、環境と、生まれた瞬間からの環境との関わり方がひじょうに重要になる。**環境が豊かであるほどニュー**

ロンのつながりが強くなる。それはマリアン・ダイアモンドの研究や、その後の多くの研究で裏づけられており、エル・システマの音楽家たちが享受する豊かな環境はその一例である。不毛な環境では、シナプスの回路が損なわれることがあまりにも多い。

アートが可塑性により、学習能力をはっきりと高めることについて、多くの関心が集まっている。2010年から行なわれたある研究では、成人したプロの音楽家の脳に着目し、その発見から幼児期の脳の発達について知見がもたらされている。研究者たちは、音楽家としての技能が海馬において、脳の構造的可塑性に影響を及ぼしていることを確認した。[03]海馬は情報の保存と検索を促す脳の領域だ。音楽を学んで演奏する能力はとても複雑であり、海馬と、脳の他の領域との多くの結びつきを組織化する。**音楽家はそれ以外の人々と比較した場合、より多くの神経結合と灰白質を形成していた。**

もともと神経科学者たちは、音楽家の海馬はその他の人々よりも生まれつき灰白質が多く、音楽を習得して演奏するために必要な要素が最初から備わっていると推測していた。しかし現在では、逆の仮説が立てられている。**音楽家は楽器を練習してアートを習得したことで、より強いシナプス結合を築いた**と考えられているのだ。

アートはシナプス回路を増やすことで意図されたタスクを遂行するため、海馬をはじめとする脳のさまざまな領域の能力を高める。これは音楽の演奏だけでなく、学習と記憶が求められる日常のあらゆる活動に役に立つ。

音楽の練習はシナプスと灰白質を増加させるのだ。

この研究結果は、ユース・オーケストラ・ロサンゼルスを対象とした研究から得られた発見と密接に関わっている。音楽の指導を受けた子どもたちは、音の処理に関わる脳の領域の大きさが変化していたことが明らかになった。つまり、大きくなっていたのである。

さらにこの研究からは、「若き音楽家たちの左右の大脳半球の情報連絡を担う領域である脳梁において、つながりが強化されていることも明らかになった」。

攻撃的な行動を抑制させ、協力的な姿勢が強化される

このような神経学的恩恵は音楽以外の分野にも波及する。全米芸術基金は、アートが若年者の脳に与える影響を数十年にわたって調査し、研究を支援してきた。その結果、子どもたちがアートを学ぶなかで、**アートにより感情的な回復力が養われる**ことが示されている。

2015年、全米芸術基金の調査分析室において、アナリストのメリッサ・メンツァーが、幼児期にアートに親しむことの利点に着目した文献レビューを行なった。文献レビューとは、その研究分野全体から何を学び取れるのかを見きわめるために、発表された研究と他の研究者によるデータを収集してまとめることだ。

メンツァーがとくに興味を持ったのは、幼少期のアートへの関わりがもたらす社会的、感

情的利点に着目した研究だった。ここで言うアートには、歌、楽器の演奏、ダンス、演劇、舞台といった音楽を基本とした活動、映像分野や美術工芸などが含まれる。

文献レビューに含まれていたのが2011年の全米芸術基金による報告であり、それには以下のような指摘があった。「研究を重ねた結果、アートへの関与とアート教育は、認知力、社会性、行動における成果と相関性があり、その影響は幼児期から思春期、青年期、そしてその後の時期まで生涯にわたる」。

定期的にダンス教室に参加していた子どもたちは、すでに述べた気分を高める神経化学物質の分泌が増え、社会性、感情、生理機能、認知力の発達が促された。それはまた、気分や感情を安全に探り、表現するための道を築いていた。

また、空間認識力を養う効果もあり、それはのちの人生で数学、科学、技術の分野におけるスキルを高めることにもつながっている。さらに、幼児期の発達で何よりも重要と言えるかもしれないが、メンツアーは、ダンスグループに定期的に参加している子どもたちが、ダンスをしない子どもたちに比べ、人との協力など、より力強い社会性のある行動をとり、不安そうな行動や攻撃的な行動を抑制する傾向が見られることを突き止めた。[04]

2015年の全米芸術基金によるこの文献レビューでは、**子どもたちがきわめて重要な時期の0歳から8歳の間にアートに関わると、友だちと協力し、親や教師とコミュニケーションを図る能力が高まることも明らかになった**。文献レビューのなかで引用される研究は、他の研究者たちがエル・システマの生徒の研究で発見したのと同様の結果を示している。

教育におけるアートに関する長年の研究からは、アートに関わっていた生徒は学校の成績が良いことが証明されている。[05]

アート教育を受けられる生徒は落ちこぼれる可能性が5分の1で、成績優秀者とみなされる可能性が4倍になる。大学進学適性試験のほか、読み書きや英語力の技能試験でも好成績を収めている。規律を乱すことも少ない。そして、すべての子どもたちが平等にアート教育を受けられると、低所得と高所得の家庭の生徒の学習の差が縮小し始める。

研究や教育界でよく耳にする言葉に「移行」がある。これはあるスキル（例えば、楽器の習得や、絵を描くこと）が、生活のほかの面でも活用できることを意味する。

２００７年、心理学者のエレン・ウィナーと、マサチューセッツ芸術大学アート教育学部学部長で、ハーバード教育学大学院シニア・リサーチ・アフィリエイトのロイス・ヘトラントは、アートの習得が生活のほかのスキルに移行することにいち早く着目した。

ヘトラントとウィナーはとくにビジュアルアートによるスキルの習得について、民族誌学の視点からメタ分析を行なった。その目的はアートの指導法の向上にとどまらず、習得の過程でほかに学習されていることの数値化だった。

２人は著書『スタジオ・シンキング――アート教育の本当の利点（*Studio Thinking: The Real*

Benefits of Arts Education)』のなかで、ビジュアルアートを通じて教えられることを以下のようにまとめている。鋭い観察力。頭にイメージを浮かべ、想像力を働かせて将来を思い描くこと。自己を表現し、自分自身の声を見つけること。決断について振り返り、批判的な評価判断を行なうこと。たとえ挫折があっても努力し、やり通すこと。探求し、リスクをいとわず、過《あやま》ちから学びを得ること。

「やり抜く力」を構築する

ヘトラントとウィナーによって確認されたスキルの多くは、「実行機能」と呼ばれる学習の基本的領域に分類される。実行機能はその名のとおり、目標を達成するために考えや行動、感情を管理する能力のことだ。

実行機能は、前頭前皮質、頭頂葉皮質、大脳基底核、視床、小脳など、脳の複数の領域の神経ネットワークを経由して生じるさまざまな認知活動を意味する。そして計画を立て、決定を下し、目標から逸《そ》れるような衝動を抑制する。

強力な実行機能はきわめて重要だ。素早い決断と課題をやり遂げることが求められる、進化し続ける世界ではなおさらだ。何かをしようとする場面を思い浮かべてみよう。

例えば、本書を読んで情報を収集しようとする。ところがそのたびに気が散って何を読んだのか思い出せない。これは実行機能がうまく働いていない状態だ。こうした神経結合は幼児期から思春期にかけて発達し、早い時期にこれらの神経ネットワークを構築すればするほど、学習と、アイデアと行動の実行のための基盤が強固なものになる。[06]

エレン・ガリンスキーは、長年にわたり実行機能と学習について研究しており、発見したことを何冊もの本にまとめている。ベストセラーになった『成長中の心（*Mind in the Making*）』もそのうちの1冊だ。彼女は6年前からベゾス・ファミリー財団で最高科学責任者を務め、家族・労働研究所の所長を30年以上務めている。

エレンはこの本のために100人以上の研究者に取材を行なっており、それについて私たちにこう語った。「1つ分かったのは、研究者たちはさまざまな表現の仕方をするかもしれませんが、学習に関して実行機能の重要性はとてつもなく大きいということです」。

エレンはまた、現在でも進められている「子どもたちに問う（Ask the Children）」という一連の研究のために、子どもたちに考えていることを直接尋ねた最初の研究者の1人だった。

なんともシンプルな着想だが、意外にもめったにない試みだ。そして明らかになったのは、あまりにも多くの子どもたちが学習にうんざりしていることだった。

これは私たちが学ぶために生まれてきたことを思うと信じがたいことだ。幼い子どもたちは何でも見て、味わい、触れ、経験したがっている。ところが私たちは社会として、この世界を理解し、学び、知りたいという、誰もが生まれつき抱く意欲をくじくようなことをしている。エレンはそう結論づけた。その発見によって生まれたのが『成長中の心』だった。子どもたちが注意に基づいた実行機能のスキルを発達させるもっとも重要な時期に、私たちはあまりに多くの子どもたちの関わりと関心を失わせている。

実行機能には主に3つの神経学的な側面がある――作業記憶、認識の柔軟性、抑制制御。また、実行機能は内省にも左右される。こうしたことは主に前頭前皮質で行なわれるが、機能するには脳のほかの部分ともつながらなくてはならない。効果的な学習には脳の複数の領域を用いる必要があるため、そこでアートが役に立つとエレンは説明する。アートは実行機能に関わる神経結合に加えて脳のほかの領域も活性化し、それらを積極的に強化するのだ。

共感や理解を築く演劇の力

実行機能のスキルが欠けていると、子どもたちは学校だけでなく、人生においても苦労することになる。社会的機能と認知面および感情面の発達全般に支障をきたすおそれがある。

そこで、アートによる介入が子どもたちの脳の実行機能を育む仕組みに注目が集まり始めている。ある研究では、7歳の子どもたちが2つのグループに分けられ、一方では半年の間カリキュラムにアートが組み込まれ、もう一方では組み込まれなかった。[07]

半年後、実行機能に関わる項目の成長を追跡した。具体的には、協力、もめごとへの対処、多様性の尊重、語彙、自信などであり、いずれも強力な実行機能の発達と学業面での成長の指標とみなされている。アートを実践したグループでは、こうした特性に関するスキルがはるかに高くなったと報告された。

別の研究では、高校で演劇のプログラムに参加する思春期の生徒たちを追跡した。[08] 3カ月のプログラムの間、2週間ごとに生徒たちに自由に回答してもらう面接を行ない、リハーサルを観察した。すると生徒たちがこの期間中に、不満や過敏な不安から怒りや喜びなど、さまざまな感情を経験しており、演劇がそうした感情を安全に表現する前向きな場になっていることがうかがえた。**演技は他者の立場で考えることや、共感力を築くうえで役立ち、どちらも実行機能には欠かせないものだ。**

演劇について言えば、演技をする学生たちは役柄を生き、登場人物に共感し、演劇という共通の成果を得るため他の生徒たちと密接に協力することが求められる。

俳優は記憶、観察、想像という認知的側面を活用しなければならない。演技は脳のミラーニューロンを刺激し、それにより自分自身についてと他者の行動を理解する。[09]

ミラーニューロンは俳優だけでなく、観客のなかでも活性化される。俳優が真に迫った演技をしているのを見ていると、その登場人物の心境を感じ取ることができる。

日常生活でも、誰かがほほ笑んでいるのを見ると、あなたの脳内でも笑みに関わるミラー

ニューロンが発火する。ミラーニューロンは、共感や理解を築き、人としての共通の経験を生み出すために、自己と他者の溝を埋める効果がある。

学習には、教科書の内容を習得するよりはるかに多くの意味がある。真の学習は生き生きとして粘り強い人生を送るための足場であり、アートは力強い実行機能の形成により、子どもたちがその認知的基盤を築くうえできわめて重要なものである。

授業前に音楽を流したら、学生に変化が！

もう何年もの間、学習と高等教育に関してダニエル（ダン）・レビティンのなかで何かがくすぶっていた。ダンは長年、カナダのマギル大学で認知力概論を教えていた。

大きな講堂には700人の学生が詰めかけ、ダンは1人ひとりに向けて講義を行なうように最善を尽くした。学期中はできるだけ多くの学生の名前を覚えたが、700人となるとどうだろう？　覚えられるわけがない。彼は教えることに精一杯力を注いだが、それでも授業が学生にどれだけ届いているのか分からなかった。

ここでふたたび「移行」という考えが浮上する——学生はこれほど大規模な講義形式で、本物の知識になるような情報を得られているのか？

受講者の大半はテストに合格し、講義で扱った主題についてまずまずのレポートを書くことはできたが、それは一生頭に残るような情報に変わっていたのか？

ダンは記憶に関する複数の研究結果を知って愕然とした。**学生は大学の課程が終わってから1カ月後には通常は内容を80％ほど覚えているが、1年後には10％近くにまで落ち込んでいたのだ。**「我々は学生に教育を与えることが求められていますが、事実はちがいます。我々は学生に娯楽を与えているようなものです」とダンは私たちに語った。「そこにはあまり学習がありません」。

ダンはあることを思いついた。学生が講義に集まるときに音楽を流し始めたのだ。「流している曲について話をするようにすると、聞き逃したくないと思って、学生が早めに来るようになりました」とダンは私たちに言った。

音楽は前向きな雰囲気をつくる効果があるため、ダンは脳の認知力に関する鍵となる考えを説明するにあたり、ピッチやトーンなど、音楽の原則を使うことにした。ダンは音楽が関わることで、学生たちが内容をよく吸収するようになるだろうと考えた。そしてよく吸収すれば、その後も記憶に残るにちがいない。

一般的に、記憶とは何かを思い出す能力のことだ。詩を暗記すること。昨日、本をどこまで読んだか覚えていること。湖に飛び込んだときに泳ぎ方を心得ていること。顔と名前を一致させること。

神経科学者は認知処理の3つの代表的機能として、注意、学習、記憶を挙げる。こうした行動はすべて複雑に結びつき、脳は全体として機能している。

脳は私たちが置かれた環境で生き延びることを支えているが、環境はつねに変化しているため適応しなければならない。中枢神経系の主な役割は、感覚情報と内部表現（考え）を適応反応へと結びつけることだ。**ここで重要になるのが注意、学習、記憶の3つ**である。「注意」は、私たちが特定の環境条件に集中することを可能にする。学習が行なわれるには、ある出来事に集中するなり、関心を向けるなりして、それ以外の出来事を遮断しなければならない。「学習」は世界に関する知識の獲得であり、「記憶」はその知識の保持または保存である。

学習が適応できるものになるには、つまり役立つものになるには、学んだことを保存するための仕組みを持たなければならない。これらの3つの概念は複雑に結びついている。**注意を払わなければ学ぶことができず、学ばなければ記憶できない。**

新たな情報は海馬によって符号化され、それから長期記憶へと変換され、何年も経ってから思い出すことができる。学習には脳全体で新たなつながりをつくるニューロンのクラスターが欠かせない。そうしたニューロンが同時に発火するように訓練すると、それだけ経路を形成し、強化しやすくなる。練習と反復が習得の鍵になるのはそのためだ。

VRを用いた生物学の講義が示した「アートの意外な効用」

ニューロンが発火してもとの経験を1つ思い出すことができるタイプの記憶がある。これは短期記憶という名称が示唆するように、必要とされるときだけ頭に残る。例えば、1度しか行きそうにないレストランの所在地を覚えるというような場合だ。

記憶が長期記憶になるには、経験に感情と目新しさがどれだけ強く結びついているかが影響する。これは新しい情報を長期記憶へと変える海馬が、視床、前頭前皮質、扁桃体からの情報も得ているからだ。

情報を長期記憶へと符号化するには、学生には彼らの心を引きつける講義計画が必要だとダンは悟った。これまでに数多くの研究から、音楽を聴くことや演奏することが記憶の蓄積だけでなく、記憶を呼び戻す能力を補強することが明らかになっている。[10] **音楽は記憶、推理、発話、感情、報酬に関わる脳の領域を活性化する。**日本とアメリカで行なわれた2つの研究では、週に1度の高齢者向けの講座において、音楽が流れているクラスの受講者の方が、記憶テストの得点が高いことが明らかになった。[11]

音楽を用いた豊かなプレゼンテーションが記憶に効果があるのは、可塑性を促す脳内の重要な化学反応を引き起こすからだ。

例えば、教授が人の知覚を説明するのにテイラー・スウィフトの歌を使ったとしたら、学生は引き込まれるだろう。「レビティン教授って面白くて、人を引き込み、おおらかで、ダイナミックで、気がつけば文字通り襟を正して聞き入っていました」と学生の1人のデール・ボイルは振り返る。「教授が認知機能と音楽を関連づけたことが、その講義をよく理解するモチベーションになりました」。

ボイルは機転をきかせ、ダンが授業の道具として音楽を利用していることをテーマに論文を書いた。科学を教える教室で、アートが学習した知識の保持をどれだけ補強し、目新しい提示の仕方のおかげで学生たちがどれだけ効果的に情報を保持するか、数カ月にわたりデータを研究した。

アリゾナ州立大学の斬新なプログラムでは、完全没入型のVRを用い、アートを通じて意欲と学習を引き出している。2020年、同大学はコンピュータ・プログラミングをハリウッドの映画の知識と融合させた企業、ドリームスケープ・イマーシブと提携した。

同社の共同創設者でCEOのウォルター・パークスは、『グラディエーター』など大ヒット映画を手がけた元映画制作者だ。同社と同大学は提携し、ユーザーのアバターがリアルタイムで仮想世界と交流する間、ユーザーを追跡できるプラットフォームの改良に取り組んでいる。この場合のユーザーとは理工系の授業を履修する学生のことだ。

「エイリアン・ズー」というプログラムによって、惑星科学と生物学について学んでいるところを想像してみよう。あなたは絶滅の危機に瀕《ひん》した生命体の保護区へと一瞬で移動できる。エイリアン・ズーのストーリーは、パークスがスティーブン・スピルバーグとともに考えた。

生物学の入門講座で導入されている従来の教授法に代わり、このプログラムを利用した学生たちは、まるで本当の科学者になったような気分だったと語っている。アリゾナ州立大学のアクション・ラボは、この没入型の美的学習体験は**たった1日のセッションを行なっただけで、知識の保持が18%向上した**ことを確認している。

講義にユーモアを！ ——笑いは脳の働きを高める

研究者たちが学習に欠かせないと考える重要な要素がもう1つある——それはユーモアだ。ダン・レビティンは講義を行なうとき、ユーモアをたくさん交える。

彼はじつに愉快で、自虐的なジョークを飛ばしたり、重要なことを寸劇風に説明したりする。これは学びの場では大きな効果がある。

脳は1つの認知状態としてユーモアが大好きだ。なぜなら、次に起きるかもしれないことや、起きるはずと思われることについての入念な予測を覆《くつがえ》すからである。コメディと即興は、神経科学者が積極的に研究対象とするパフォーマンスアートだ。

学者たちは、演者たちが驚くほど独創的なつながりを瞬時に思いつく仕組みについて理解を深めようとしている。脳の画像研究からは、ユーモアが脳の報酬回路を刺激し、ドーパミンのレベルを高めることが示されている。

意欲や楽しい期待と関係する、例の神経ホルモンだ。ユーモアというアートは、タイミングと提示の仕方が絶妙な演者の手にかかるととくに強力だ。期待が覆されたとき、つまり気の利いた設定のあとにオチがぴたりと決まったとき、感謝の気持ちと関係する脳の領域が明るくなる。笑いには脳の働きを高める効果がある。[12] そしてそれは、あなた自身の創造性に先立つものとなる可能性がある。なぜなら、笑いは目新しく、驚くような意見や考えを受け入れやすくする下準備になるからだ。

ダンは、マドンナの「ライク・ア・ヴァージン」の旋律に合わせた詩を書いて歌ったことがあるが、歌詞は創発的認知をテーマとしたその日の授業計画に関するものだった。

それを面白いと感じるか、つまらないと感じるかはたいして重要ではない。確かな効果があったのだ。ボイルはダンの教授法に関する研究のなかでデータを分析し、ユーモアが「学生たちの注意を引き、授業内容の記憶を呼び起こすようなサリエントな瞬間を生む働きをしていた」ことに気づいた。

学ぶには真剣でなければならないという思い込みがある。「学習」している場面といえば、たいていは本にかじりついているか、静かに考え込んでいる姿が思い浮かぶ。お腹を抱え、頭をのけぞらせ、涙を流すほど笑いながら学習している場面はなかなか思いつかない。だが脳はユーモアが大好きだ。

純粋な笑いは、あなたの管制塔である前頭葉をはじめ脳の複数の領域を明るくし、面白いかどうかを見きわめるため、入って来る情報を開封する。[13]

そして電気信号が大脳皮質を刺激して笑いが起き、それによって脳の報酬系が活性化され、ドーパミンとセロトニン、そしてセックスや食べ物、運動に反応して放出されるエンドルフィンと似た種類の物質が分泌される。[14] ドーパミンは学習においてきわめて重要だ。目標がはっきりしたモチベーションの維持を助け、記憶の保持に欠かせない長期記憶を蓄えるうえで役に立つ。ユーモアは学習の巨大な力である。[15]

「いっときの遊び」を思い切り楽しめ

遊びたいという気持ちは大人になると心の奥深くにしまい込んでしまうが、誰もが抱いている思いだ。私たちが種として進化してきた過程の大きな部分を占めている。

プラトンはこんな有名な言葉を残している。「1年会話をするよりも、ほんのいっとき遊ぶ方が、相手のことをよく知ることができる」。

遊びはさまざまな点で、アートと美の重要な要素だ。アートと遊びはコインの表と裏のようなもので、**遊びは芸術的表現や想像力、独創性、好奇心といった要素と関わっている。**

デラウェア大学教育学教授のロバータ・ミシュニック・ゴリンコフと、テンプル大学心理学科教授でブルッキングス研究所シニアフェローのキャシー・ハーシュ=パセックは、遊びは学習の鍵となる要素であると考えている。2人が2003年に出版した本のタイトルは、彼らの考えと、遊びと学習に関する長年の研究がひじょうにうまく要約されている――『アインシュタインはフラッシュカードを決して使わなかった――子どもたちはいかにして本当に学び、なぜもっと遊び、暗記を減らす必要があるのか（*Einstein Never Used Flashcards: How Children Really Learn and Why They Need to Play More and Memorize Less*）』。

「楽しんでいなければ、本当に学んでいるとは言えません」とロバータは私たちに語った。「そして、教室や日常的な学習環境に遊びを取り入れる方法はいくらでもあります」。これは遊びと学習の神経科学に関する研究でも裏づけられている。[16] 研究によると、**遊びは人類にとって普遍的なものであり、人が遊ぶと認知発達にも、感情的なウェルビーイングにも良い影響をもたらす。**

ロバータとキャシーは、遊びには主に2つのタイプがあると指摘する。自由な遊びと誘導的な遊びだ。自由な遊びは子どもが取り仕切り、外部から課された目標を達成する必要はまったくない。**子どもたちは自由な遊びが得意だ。**着せ替えやごっこ遊びを思い浮かべてみよう。それに対して、**学習の目標を掲げた大人との遊びは誘導的な遊びだ。うまく行なわれたときには、新たなスキルを習得する力になる。**

ロバータとキャシーはボウリングを例に説明する。ほとんどのレーンでは、ボールが溝に落ちるのを防ぐため、バンパーを上げるように頼むことができる。初めて投げ方を覚えるときは、バンパーに手伝ってもらってピンを何本か倒す喜びを感じられれば、投げることの楽しさが増す。「誘導的な遊びでは、子どもたちがいろいろなことを学べるように環境を整えるのです」とロバータは説明する。

子どもたちはいくらかの介入を受けながら、自ら働きかけ、夢中になることや協力できるような環境において、楽しく学習する機会を得ると、究極の学習である「移行」にたどり着く。「ある状況で学んだことを別の状況で応用でき、そういった成果を実践する環境を創出できるようになったとき、本当の学習を手にしたと言えるのです」とロバータは説明する。

2人が言及したある教師は、あらゆる筆記用具と紙をそろえた場所を設けた。「さて、ここは幼稚園で、子どもたちはまだちゃんと字を習っていませんでした」とロバータは言う。「ところがどうなったでしょう？　子どもたちは自由に過ごしている間に、書きたいと思うようになったのです。教師のところへ来て、質問しました。『この文字はどうやって書くの？　私の名前はどうやって書くの？』」。

遊びのある環境で「6つのC」を育む

ロバータとキャシーの最新刊で、ベストセラーになった『科学が教える、子育て成功への道』（今井むつみ・市川力訳、扶桑社）では、現在の状況を率直に評価している。

つまり、今の子どもたちは、親や年配者たちが考えてきたのとはまったくちがった仕事や職業に就くことになるだろう、と。必要なのは変化する現実に速やかに順応する力だ。彼らにはさまざまな考えを受け入れ、何はともあれ取り組む能力が求められている。

さまざまな変化が起きているにもかかわらず、私たちは現在の教育の内容が最善だというふりをしているが、考え直すべき点があるのは確かだ。それはつまり、**子どもたちが本当に学ぶべきは「6つのC」**だと2人は述べている。**協力**（collaboration）、**コミュニケーション**（communication）、**コンテンツ**（content）、**批判的思考**（critical thinking）、**独創的イノベーション**（creative innovation）、**自信**（confidence）である。

彼らの研究によれば、遊びとアートこそがこれら6つのCを築く。2人が関わり、スーザンも設立に協力したのが「プレイフル・ラーニング・ランドスケープス・アクション・ネットワーク」と呼ばれる取り組みだ。

2050年までに、世界人口の4分の3近くが都市部で暮らすと予測され、このネットワークはそんな未来の現実に遊びを取り入れるデザインを手がけている。都市の風景にエビデンスに基づいたデザインを取り入れる試みだ。

デザインにアートやゲームを用い、バス停や図書館、公園など、ありふれた公共の場を遊び心のある学習の拠点に変える。「ジャンピング・フィート」というゲームは、片方の足か両足が描かれた石が配置され、子どもたちが絵に従って決まったパターンでジャンプしたくなる仕掛けになっている。注意力と記憶力を高めることが立証されている認知科学的方法を用いた、けんけん遊びの応用だ。

シカゴ、フィラデルフィア、サンタアナの各都市で試験的に導入されたプログラムについての研究結果からは、こうした遊びのある環境では、子どもたちが数や文字、色、空間関係について大人と話し始めることが明らかになっている。[17] また、さまざまなスキルのなかでも、分数や小数を含む数学的概念への子どもたちの理解を高める可能性があることも分かっている。さらに、世代間や仲間同士の学習も生まれ、世界は遊びに溢れたスタジオになる。

遊びのある風景がどこにでも、どんな場所にでもあるという考えを受け入れると、周囲はにわかに可能性に満ちた世界になるだろう。

ニューロダイバーシティな脳を支援する

本書ではここまで、どんな脳にとっても効果のある事柄について論じてきた。**世界的には全人口の20％もの人々に、何らかのニューロダイバーシティ**（神経多様性）**が見られると推定されている。**

ニューロダイバーシティとは、人は誰もがそれぞれ独特の方法で世界を処理しており、思考や学習の正しい道は1つではないことを認める概念である。ニューロダイバーシティは脳の研究に関する用語として登場したが、ダイバーシティ（多様性）とインクルージョン（包括性）を支持する社会的公正を表現する用語としても同じくらい重要な意味を持つ。

私たちはアートが学習を後押しする可能性について検証し始めたとき、スーザンの夫で神経科学者のリック・フガニールに話を聞いた。

彼は人がどのように学ぶかは、遺伝的に決められることが多いと念を押した。遺伝子の変異か、さらにはたった1つの鍵となるタンパク質の変化がもたらした結果だ。例えば、リックの研究室では20年前にSynGAP1という遺伝子を発見したが、その遺伝子の変異はさまざまな知的差異の原因であることが知られている。

ニューロダイバーシティを持つ人々を支援するうえで大切なのは、人の脳の独特の学習方法について理解を深めることだ。

例えば、アメリカ疾病予防管理センターによると、**世界人口の1％は自閉スペクトラム症（ASD）と診断されている。**自閉症は「学び方のちがい」（近年、「学習障害」に代わり、大多数とは学び方が異なるという意味で用いられている表現）ではない。それは、ときに学習上の難しさが伴うことがあるスペクトラム症の1つである。

ASDの症状は人によってさまざまだ。なかにはもっと社会的能力やコミュニケーション能力を高めたいと望む人々もいる。自閉症の場合、社会的合図や視覚的合図を解釈するのが難しいことがある。例えば、相手がにっこりしても、それが優しさだと理解できない。眉をひそめられても、気分を害したのだとは分からない。

自閉症の子どもたちがゲームを使って社会と感情を学ぶ

２０１３年、神経科学者でニューロテクノロジー起業家のネッド・サヒンは、自閉症の人々をサポートする最善の方法は何かと考えていた。「ひどく苦しんでいる人たちがいて、しかもそれは普通の人生の困難ではなくて、内面の世界を外界からは受け入れてもらえないという苦しみです」。ネッドはのちに、あるインタビューでそう説明する。[18] 自閉症の人々はしばしば「閉じ込められ、世の中から誤解されている」と感じているという。

同じ頃、スマートグラスの先駆けとなる「グーグル・グラス」が初めて発売された。スマートフォンでは膨大な数のアプリを選べるように、スマートグラスでも端末上で利用できるアプリ開発の環境が用意され、開発者にとってはビジネスチャンスとなった。

自閉症の子どもたちが社会的合図を学ぶ１つの方法は、伝統的な認知行動療法であり、これは対面カウンセリングで行なわれる。

ネッドは、リアルタイムでフィードバックを提供できるウェアラブル端末なら、こうした社会的スキルを向上させる時間の短縮に役立つのではないかと考えた。

そして、ゲームの要素を取り入れた大きな枠組みにマンガの楽しさを加え、自閉スペクトラム症の子どもたちが社会と感情について学ぶ支援ソフトウェアを開発した。スマートグラスを装着している間、視覚的合図を出す製品だ。

さまざまな色や絵文字、マンガを用い、子どもたちが対話をしている相手の感情を理解できるように合図を出すようにした。

ネッドは2014年にグーグルにコンタクトし、当時グーグル・グラスのプロジェクトを支援するためグーグルで働き始めたばかりのアイビーと何度かやりとりをした。そしてアイビーは、彼らの研究を支援するためグーグル・グラスを送った。

現在、ネッドはマサチューセッツを拠点とするブレイン・パワーという企業を経営し、学校にソフトウェア製品を販売して神経的差異のある児童や生徒を支援している。

同じくグーグル・グラスに搭載された別のソフトウェア・プログラムも大きな変化をもたらしており、その効果はスタンフォード大学で行なわれた臨床試験でも確認された。

開発者のカタリン・ヴォスは、自閉症を専門とするスタンフォードの研究者たちと協力し、スーパーパワー・グラスというソフトウェアを開発した。

研究者たちはスマートグラスを71人の自閉症の子どもたちに配布し、2年にわたり自宅で利用してもらった。2019年に米国医師会雑誌『小児科学』に発表された研究結果では、従来の行動療法に加えてこれを利用した子どもたちに大幅な進歩が認められた。[19]

自閉スペクトラム症の子どもたちの行動追跡によく用いられる適応行動尺度という検査を実施したところ、自宅で介入を利用した子どもたちは、標準的なケア療法しかうけていない

子どもたちに比べ、社会化の尺度の平均値が高かった。

人の脳はマルチタスクではない

そもそも何かを学ぶには、もっとも重要な認知状態の1つがなくてはならない。それは注意である。

注意とは意識を特定の対象に向けることだが、その意識の程度はつねに変化している。「注意とは選択的に何かに注目し、それを維持する能力です」。ある日の午後、神経科学者のアダム・ガザレイは私たちにそう説明してくれた。

アダムはカリフォルニア大学サンフランシスコ校の神経学、生理学、精神医学の教授で、研究センター「ニューロスケープ」の創設者でありエグゼクティブ・ディレクターを務める。これまで何十年にもわたって脳の注意力について研究している。「**注意を柔軟に移動させる能力は切り替え**（スイッチング）**と呼ばれ、その能力には限界があります**」と彼は言う。

注意を持続させることは誰にとっても難しい。アダムは心理学者のラリー・D・ローゼンとともに、人は本来マルチタスクであるという神話の誤りを正した。

2017年、共著『私たちはなぜスマホを手放せないのか――「気が散る」仕組みの心理学・神経科学』（河西哲子監訳、成田啓行訳、福村出版）のなかで、**人の脳はじつのところ、同時に**

複数のことを実行できないと説明している。人の脳はマルチタスクではない、とアダムは断言する。実際には脳はタスクを素早く切り替えているにすぎない。

多くの人々にとって、注意のレベルを維持することは難しい。**世界では3億6600万人もの成人が注意欠如・多動症（ＡＤＨＤ）であると推定されている**[20]。アメリカでは２０１６年の時点で６００万人の子どもたちがＡＤＨＤと診断された。

ＡＤＨＤの人は、じっと座っていることや集中すること、静かにしていることが難しい場合がある。なぜなら、ＡＤＨＤは「分配性注意」、あるいはマルチタスクと呼ばれてきた状態に影響を与え、体系的思考力を抑制しかねないからだ。そこでしばしば、従来型の教室での経験は難しいものになる。

ＡＤＨＤの子どもはしばしば行動に問題があり、教室を乱す存在だとレッテルを貼られる。こうしたレッテルは見当ちがいであり、子どもが自分自身の知性や能力に対して抱く信頼を永遠に損なわせかねない。

また、さまざまな薬を試すことにより感情の起伏が激しくなる恐れがある。さらに言うまでもなく、そうした薬の費用は膨大な額になり、月に何百ドルにものぼることもある。

世界初！　ビデオゲームを用いた、ＡＤＨＤのデジタル治療

アダムはＡＤＨＤのための解決策を考えた――没入型ビデオゲームだ。

そう、そのとおり。親たちにとっての、あの大きな頭痛の種だ。「コントローラーをしまって宿題をしなさい」という言葉はどこでも聞かれるが、神経美学を念頭においてデザインされたゲームなら素晴らしい学習形態になり得る。**子どもの注意力を高めるには、アダムが開発した「ニューロレーサー」を1日30分させると効果が期待できる。**

アダムは、注意を払う能力や、注意を払えない状態の根底にある脳の神経ネットワークについて研究してきた。そして、脳科学の知見を生かしてＡＤＨＤの人々にニューロンレベルで働きかけるデバイスを提供することを目指し、まずは脳で何が起きているのか調査した。

私たちが注意を払う能力は、生活のなかで行なうあらゆることに欠かせない。「注意力が低下するか、うまく働かないか、あるいは単純に、日常のあまりに多くの切り替えによって断ち切られるかすると、すべてのことに影響が及びます」と彼は言う。「家族との関わり、睡眠の状態、学校での勉強や宿題、その他の課題の取り組みなどすべてです」。

アダムは、脳の可塑性が集中力を高めるように働くには何が必要かと考えた。可塑性を刺激する最良の方法が没入型の体験だということは分かっていた。

しかし、ターゲットとなる神経ネットワークに選択的に働きかけ、集中力の持続時間を延ばすような体験を提供するには何が必要なのか。学習とは本質的に移動するターゲットである。脳が新たな神経回路をつくろうと変化したとき、脳はすでに最初の状態ではなくなっている。アダムは、脳の可塑性に順応するプロセスを考えなければならなかった。

そこで彼は工学に倣《なら》い、閉ループシステムを検討した。

彼は衣類乾燥機の例で説明してくれた。「閉ループの乾燥機というのは、従来の乾燥機が乾燥時間を設定するだけなのに対して、衣類の湿気を測定するセンサーを備えていて、乾いたことを感知したら運転を停止します」。

「つまり閉ループシステムには、つねに変化する対象についてデータを取り込むセンサーがあり、そのデータに応答して処理を決定するのです。そうやって計算結果を導くわけですが、乾燥機の場合は運転時間ということになるでしょう。要するに私がつくりたかったのは、環境や刺激、課題、報酬が脳の状態に基づいてリアルタイムでアップデートされるツールでした」

ビデオゲームのデザインと拡張現実（AR）はダイナミックな美的増進剤だ。

没入感のある世界、強力なアートとグラフィックのデザイン、生き生きとした色に効果音、音楽、ストーリー展開、キャラクター。人気のあるゲームには、プレイをより魅力的にするこういった芸術的要素が備わっている。また、こうした要素があるから、プレイヤーは物語そのものや、自分の役に愛着を感じる。

アダムは、注意を払う脳の能力を支援し、強化するような閉ループシステムとして、美的要素をふんだんに取り入れたビデオゲームの開発を始めた。注意力が欠如した脳にも働きかけるようなものを創造するため、有能なビデオゲーム開発者たちと手を組んだ。

「私はゲームのアートと美をひじょうに重視しました」と彼は言う。開発には1年を費やし、2013年に「ニューロレーサー」を公開した。

この没入型ゲームは、干渉状態に対する対応、気を散らすものへの抵抗、タスクの切り替えなど、認知制御と注意力に欠かせない神経ネットワークを刺激するものだった。

このゲームが目標とするのは、プレイを通してこうした回路をつくり変えることだ。そして、その効果がゲームを超え、人生のほかの部分に波及することが期待された。

「子どもが学校のテストでは成績がいいのに、現実の世界では行動に移せないとしたら、教育のシステムに問題があるとは思いませんか？　教育の目的は小テストで良い点を取ることや、大学進学適性試験で成果を上げることではなく、実際に知恵や知識、分別を養うことです」とアダムは力説する。

アダムのゲームでは、プレイヤーにはいくつもの目標が設定され、適応力が求められる課題が与えられる。

「タスクの1つはこの三次元の世界を生き抜くことです」とアダムは説明する。「氷山や滝を越えないといけない。そして同時に、標的には反応し、気を散らすものは無視する。これはひじょうに高度な認知制御を再現しています。自分にとって同じくらい重要な2つのタスクがあり、しかもそれが同時に起き、気を散らすものまであるのです」。

ゲームは簡単なレベルから始まり、注意力が高まるにつれて難しくなる。「ただし、このデザインのもっとも優れているのは報酬に関する点です」とアダムは言う。「それぞれのタスクに報酬が与えられますが、もっとも大きな報酬は、両方のタスクで成績が向上したときにのみ得られます。じつのところ、このゲームが訓練しているのは、複数のタスクに対して重要性を判断しながら素早く効果的に切り替える能力です。私たちは脳に2つのタスクを実行する方法を考えるように強制しているのです」

アダムとそのチームは、プレイヤーの注意力の向上が実際にゲーム以外にも及んだことを確認し、その研究は科学雑誌『ネイチャー』の表紙を飾った。アダムのグループは、このビデオゲームを行なうと、神経メカニズムに持続的な効果があると証明した。

次に、アダムはアキリという企業を立ち上げ、ゲームのアートや音楽、ストーリー、プレイヤーに対する報酬サイクルにさらに磨きをかけ、ゲームを次の段階へと引き上げた。

このバージョンでは、ADHDの子どもたちを対象とした第3相プラセボ対照試験を含む複数の臨床試験が行なわれた。試験では、子どもは1日30分、週5日のペースで1カ月プレイし、薬学的な言葉で表現するならそれが「1回分の服用量」とされた。

2020年、「エンデバーRx®」と名づけられたこのゲームが、アメリカ食品医薬品局により、ADHDの子どもたちを治療するクラスⅡ医療機器として承認された。

「これはADHDに対する初めての非薬物療法であり、あらゆる分野における初めての子ども向けデジタル治療ですから、承認されたときは本当に興奮しました」とアダムは言う。

現在、彼のビデオゲームは医師により処方されている。アダムの取り組みの素晴らしいところは、注意力の欠如といった学び方のちがいが脳内で実際にどのように作用しているのか、そしてアートを注入した経験がそれにどう対処できるのかを理解している点である。

「知るための創作」——不確かなものは不安だけど、創造的

アダムのゲームのプレイヤーやVR学習を利用するアリゾナ州立大学の学生は、仮想オブジェクトやアバターを操作しながら学んでいく。しかし、多くの学習は実際に手を動かす単純な活動や何かをつくる行為から得られることを忘れてはならない。

アイビーは素材やアイデアで遊ぶことを知っている。育ったのが物づくりの家庭だったことが影響している。

父親はかの有名なレイモンド・ローウィと一緒に仕事をした工業デザイナーだった。20世紀の工業デザインの父と呼ばれるローウィは、コカ・コーラのボトルやラッキーストライクのパッケージ、スチュードベイカー社の数々の自動車モデルのデザインで知られていた。

アイビーは素材や物を新たな視点から観察するように教えられた。子どもの頃から形や色、

素材、感触に興味を持ち、よく手を使っていろいろな物をつくっていた。

アイビーはジュエリーデザイナーとしてキャリアをスタートし、チタンやタンタル、ニオブなどの金属を、ブレスレットやイヤリングにいち早く取り入れた。実験によって、これらの金属は帯電させると鮮やかな色のスペクトラムへと変わることを発見した。そこで細く加工した虹色のタンタルを編んでカフスリンクやイヤリングにした。

現在、彼女の作品はワシントンD.C.のスミソニアン・アメリカ美術館をはじめ、10カ所の国際的美術館の常設コレクションとして収蔵されている。それでも、創作の過程で新しいことを知る喜びに勝《まさ》るものはない。発見に到達するには、自分の手と直感を使い、いろいろ試してみることになる。**学習とは、創作であり、外からやって来るものを吸収するだけでは成り立たない。学習とは触れられるものだ。試行錯誤するものである。**

ローン・ブックマンはこのプロセスに名前をつけている。その名も「知るための創作（Make to Know）」。これは2021年に出版された彼の著書のタイトルにもなっている。

ローンは、アートおよびデザイン教育における国際的リーダーで、カリフォルニア州パサデナのアートセンター・カレッジ・オブ・デザインの学長を務めている。「人類のもっとも偉大な経験のうち、学ぶ能力が上位3つに入ると言ったのはガリレオだったと思います」とローンは私たちに語った。「まさにそのとおりだと思うのです。私たちが人生で味わう最大の喜びの1つは、学ぶ能力があることです」。

ローンがアートを基盤とするスタジオ教育と、著書執筆のための調査を通じて分かってきたのは、創作という行為が私たちの学習を促すことだ。

その恩恵を得るためにスタジオアーティストになる必要はない。脳と手にはつながりがあり、身体化された認知、つまり理解を支えている。とくに手工芸は手先の器用さと忍耐力、素材への敬意が求められ、人的なつながりをつくるのにも役立つ。

「知るための創作は、飛ぶための飛行機を製造するのとは異なります。規律や才能、経験、そしてスキルが必要です」と彼は説明する。「不確かというのはもちろん恐ろしいもので不安定な場所ですが、きわめて創造的な場所でもあります。その空間へと足を踏み入れるには勇気がいるでしょう。では、その勇気をもたらすものは何でしょう？」。

簡単に言うと、好奇心と根気だ。**自信と勇気、信念、エネルギーをもって不確かな場所に向かって進み、「じっくりと探究し、発見を得る」には、先入観にとらわれているわけにはいかない。**発見には疑問が伴う。「何かを応用して新しいことを切り拓けば、そこからまた疑問と会話が生まれる可能性があるのです」。

ローンは自分を例にして説明する。彼は以前、演劇に挑戦したことがあった。「だめな役者でした」と彼は笑う。

「僕には登場人物はこうあるべきだという理想があって、リハーサルや公演ではいつも、自分がそれを満たせないと、そのことで頭がいっぱいになり、不安が頭をもたげて全部台無しになってしまいました。これはぜひとも覚えておかなくてはなりません。もし、**あらかじめ思い描いていた理想を表現しようといつも猛進していたら、それが目的になってしまい、創造的な発見は得られず、いきいきと取り組むこともできなくなってしまう**のです」

アートはいつ始めても遅すぎることはない

2015年、『ハイヤー・エデュケーション・スタディーズ』誌にナイジェリアからの研究が発表された。数学と科学の概念を学ぶため、生徒が体験的プロジェクトを与えられたとき、どのようなことが起きるのかを検証したものだ。

研究者たちは「数学と基礎科学の成績とクラスの出席率の両方に明らかな向上」があっただけでなく、教師の関わりが増したことを明らかにした。

生徒は粘土や石や絵の具などを使って物をつくり、操ることで、自分たちの数学と科学のスキルをアートの手法で表現することができた。彼らはそれによって、学習内容の理解度を教師に示す機会を得ていた。

筆記テストが苦手だと思われるある生徒は、何かをつくる機会を得たことでその科目に対する才能を示した。「教師たちも課題から多くの恩恵を得たと認めており、それにより、生徒が数学と科学の知識を有意義に獲得できているかどうかを評価する別の方法を模索するようになった」と研究者たちは書いている。[21]

現在、**介入、発見、素材やアイデアに遊び心を取り入れた経験的学習を導入する機運が高まっている。**サンフランシスコには、エクスプロラトリアムという科学とアート、人間の知覚を探究する博物館がある。そのなかのティンカリング・スタジオでは、来場者が探求できる興味深い経験を提供し、「いじくることのできる経験」と呼んでいる。

ここでは特定の科学とアートの現象のなかで、幅広い探求を行なえるような素材を厳選し、その素材でさまざまなキットを開発している。例えば、音楽的リズムをつくるプロジェクトや、アニメーションを制作するプロジェクト、さらには電子回路で遊ぶプロジェクトもある。

どれも自由に探究することができ、そこにはたった1つの正解や不正解があるわけではなく、好奇心とつくって学ぶ環境だけが存在する。ここで参加者は手で考え、自分にとって意味のある何かをつくることで知識と理解を積み上げていく。段ボールや木の作品、動くおもちゃから自分の人生がつまった「絵画」に至るまで、創作の内容はさまざまだ。

ティンカリング・スタジオの共同設立者マイク・ペトリッチとカレン・ウィルキンソンは、この取り組みを世界中に広めている。「私たちは博物館や図書館、課外活動など、昔からこのような活動にふさわしいとされる場所で活動しています」とマイクは私たちに言う。

「それだけでなく、刑務所での学習制度で学ぶ人々や幼児教育の専門家、さらにはダライ・ラマの僧侶たち『ゲシェー』（仏教哲学博士）にもプログラムを提供しています。学習能力を伸ばしたいと願う人なら誰とでもパートナーになります」

スーザンはこのように創作して学ぶことをよく知っている。1988年、彼女はアートをベースとした学習関連企業、キュリオシティ・キットを設立した。誕生して間もない認知神経科学と、感覚的な実体験による学習を融合させた企業の先駆けだった。キュリオシティ・キットは4歳から14歳までの子どもたちのために600以上のプログラムを開発し、アートや科学、世界の文化について触って感じる冒険をデザインした。例えば、子どもたちは万華鏡やネイティブアメリカンの彫刻を施した陶器、ルリコマドリやチョウの巣箱をつくった。こうしたプロジェクトは好奇心が原動力となり、興味のあることや、テーマとなる分野に関する子どもたちの理解を高め、家族や友達との魅力的で楽しいつながりを築いた。

サリエンシー、注意、ユーモア、遊び。実行機能と知るための創作。授業に組み込まれたアートは学習を支援する。

しかし、こうした学習の究極の目的は、大人として世の中を生きていくための準備をすることだ。子どもの頃にアートに親しむと、大人になってからも引き続きアートを創作したり、鑑賞したりする傾向が見られる。ただし、いつ始めても遅すぎることはないし、それまでのアートとの関係や経験がどんなものでも問題ない。

多くの大人は、アートとその創作はアーティストと呼ばれる人々のものだとみなしている。私たちは慌ただしい暮らしのなかで遭遇する多くのもののせいで、身近なアートの実践から遠ざかってしまう。

機能心理学の生みの親の1人とされる心理学者で教育改革者のジョン・デューイは、かつてこう記している。「アートは作家や画家、音楽家とみなされる少数の人々のものではない。あらゆる人々の心からの表現である」[22]。アイビーは「人生はキャンバスであり、私たちは1日も欠かすことなくそのキャンバスに描いている」と言うのが好きだ。

アートと美は、満ち足りて生き生きとした人生へと至る道である。

創造的なスキルの強化に動いたスターバックス

2008年、スターバックスは窮地に陥っていた。ブランド・ロイヤリティが低下し、店舗の平均売り上げが減り、社内では人と人の結びつきが欠けていた。互いに信頼し合うことができなくなっていた。体制の強化を図るため、元CEOのハワード・シュルツが復帰した。

彼は早急に、22人の経営トップと合宿を行なうことをキース・ヤマシタに委《ゆだ》ねた。

キースはコンサルティング会社のSYPartnersの設立者で、これまでにアップル、eBay、IBM、オプラ・ウィンフリー・ネットワークなどの企業に招かれ、リーダーシップ教育にあたってきた。彼はデザインの分野を極め、データ経済学、組織行動学を学んだのち、企業の創造性にフォーカスした。というのも、彼が私たちに説明してくれたように、それはひじょうに多くの人々が人生の大半を費やす難題だからだ。

「私はビジネスの分野で技術的スキルと同じように、創造的なスキルにも時間をかけるべきだと考えています」と彼は私たちに言った。

「技術的スキルというのは、物事をやり遂げられるように手助けするものです。経理ソフトを使いこなせるか？　プログラムが書けるか？　自分の考えを表現できるか？　これらはもちろん重要です。ですが、最終的な目的は何でしょう？　創造的なスキルとは、創意工夫が生まれるところです」

キースはスターバックスの経営陣を引き込むためのあらゆる方法を検討した。「当時、同社には多くの問題がありました」とキースは言う。「そんなとき私たちはアナリティクスにすべての時間を費やすこともできました。しかしグループにとって必要なのは、彼らにとって何が本当に重要なのかを探ることでした」。

ビートルズに囲まれた部屋に幹部を集めた理由

あなたがスターバックスの22人の幹部の1人で、業績不振の立て直しを任されていると想像してみよう。将来について話し合う重要な会議に呼ばれたのに、その場所は本社の役員室やCEOのオフィスではなく、シアトルのダウンタウンのひどくさびれたロフトだった。**到着して渡されたものは2つだけ――短い指示が書かれたカードと、アイポッドシャッフル。**音楽を聴き、文化の象徴を生むものは何かを考えるようにと言われる。

ヘッドフォンをつけ、プレイリストを見る。ビートルズが録音したすべての曲が入っている。ロフトに足を踏み入れると、部屋はビートルズのポスターや写真、ドキュメンタリーなどで溢れている。あなたはそこで1時間近く、音楽をかけながら1人で見て回るようにと言われる。

その後キースとそのチームは幹部を集め、テーブルを挟んで横一列に11人ずつ座るように指示した。「それはもう距離が近かった。というか居心地が悪いほどぴったりと座っていました」とキースは笑いながら言った。「そして私たちは1つだけ質問しました――何がビートルズをアイコンにしたのか?」。

誰もが堰《せき》を切ったように話し始めた。この顔ぶれはビートルズとともに成長した世代なので、ある曲を初めて聴いたときの話や、一気によみがえった思い出を語った。「やがて、はるかに中身のある話をするようになりました」とキースは言う。彼らは言い争いをし、意見の相違をさらけ出した。「ヨーコのように、部外者が急に現れ、彼らを刺激したのです」。

そしてこのタイミングで、キースは2つ目の問いを投げかけた――スターバックスが文化の象徴だとしたら、再生させるにあって望むことは何か？

「するとついに本当の気持ちが表面化し、涙まで見られました」と彼は言う。

3日間の合宿はこうして始まり、スターバックスの幹部たちは企業理念をゼロから書き直し、ともに築きたいと願う未来を簡潔にまとめた。

その3日間は、3年にわたる企業改革へと発展した。「改革を可能にしたのは、経験に対する神経美学の作用でした」とキースは言う。「**彼らの頭のなかで曲が流れ、若い頃の感情がよみがえった！**　のです」。

キースはこの例を用い、職場で目の当たりにしているより大きな傾向を指摘する。

「私たちはビジネスにおいて、あくなき効率化の最終段階に来ていると思います。これ以上〝無駄をなくす《リーン》〟ことも、効率的になることもできない状態です」と彼は言う。

「私たちは理性だけでなく、感情のある人間として生きる必要があります。これはつまり、あらゆる感覚と芸術性、人生のアートを受け入れるということです。理由はいろいろですが、私たちは効率のためにこうした重要なことを排除してきました。いまや、大切なのは喜びであり、人としての自由な表現であり、大切な事が意味を持つ充実した人生です」

リーダーシップ育成の未来は多次元になる

このような経験を得るために必ずしもオフィスを離れる必要はない。オフィスにいても、日々の慌ただしい取引の世界を抜け出し、もっと具体化された世界につながる扉を開く方法はある。

2017年、グーグルはリーダーシップ開発の未来について検討を始め、その取り組みはやがて「グーグル・スクール・フォー・リーダーズ」として結実した。

企業としての持続的な成長と成功には、マネージャーとリーダーを引きつけ、維持し、成長させることが必要だ。社内調査からは、**マネージャーとリーダーが新たなスキルだけでなく、新たな考え方を学ぶ必要があることが明らかになった。**グーグルは「スキルセットとマインドセットの両方」が不可欠であると総括した。

スクールの本格稼働に向けて専用の物理的な学習空間が開設され、「スクールハウス」と名づけられた。この取り組みを率いたマヤ・ラゾンは神経美学の力を認識しており、ジョンズ・ホプキンス大学のスーザンの研究室に連絡し、室内空間のデザインについて協力を求めた。

「私たちの調査からは、どこでどう学ぶかは、何を学ぶかということと少なくとも同じくらい重要であるという結論に達しました」とラゾンは言う。

「学習とリーダーシップ育成の未来はまちがいなく、多次元、かつ経験に基づくものになります。**スクールハウスのデザインに採用した多感覚に訴えるアプローチは、学習者の感覚を刺激し、学習経験をより良く理解し、維持するうえで役立っています。**またシンプルに、遊び心に溢れ、完全にカスタマイズされた美しい空間でもあります。手ごたえは目覚ましく、スーザンと研究室との協力はスクールハウスの成功になくてはならないものでした」

神経美学を基礎とした学習の有望な点は、新たな情報の保持にとどまらない。神経美学には、この世界での生き方を革新する可能性がある。

目標のある、充実した人生を過ごせるような、ダイナミックな生き方のモデルを構築する支えになるだろう。神経美学の希望はそこにある。

Chapter
6

マンネリ気味の日常を変える6つの条件
——持続的幸福

金魚
自分を定義するのは自分を閉じ込めるようなもの
だから僕は定義しなかった
自分自身を見つけるために

金魚は自分が暮らす鉢より大きくなれないと言われる
ところが水槽に入れると、その広さによって成長の仕方が変わることがある
金魚にはゆとりが必要で、ゆとりがなければ可能性を発揮できない
だから未知のものを解き放つには環境がとても大切だ

金魚は自分が鉢よりも大きくなれると知っているのだろうか

オリンピックのプールくらいの大きさの池があることを知っているのか
世界が自分の知る境界よりもはるかに大きいと知っているのか
ともかく、僕はこの小さな金色の魂に感情移入する

なぜなら僕にも開拓したことも言い表したこともないゴールがあるから
自分ではどうにもならない環境によって抑圧されていたゴールだ
僕は自分がそれしか知らないからといって、いまだに小さくしているのか？
自分のなかには生まれつき巨人がいるのに、それを見せたことがあるとは思えない

僕はわざと1人になり、このことを自分に問いかけた
すると体が家のなかを埋め尽くすほど大きくなって
四方八方に広がる
ありとあらゆるすき間が埋め尽くされる
そして身長ははるかかなたまで伸びて
頭が月を越える
僕はゆっくりと回転する地球を見下ろす
僕は国や都市や町を見下ろす

僕は四角いブロックと周囲の建物を見下ろす
僕は家の前の通りを見下ろし、自宅の屋根をはぎ取る
僕はカウチに座り、書き物をしている自分を見下ろす
ほら、僕はほとんど気に留めない、見下ろしているのが僕だ
自分がどこにいるのかまるで意識してない
深い話だ
そこで、僕は屋根を戻し、体を縮めて地上に戻る
自分の疑念を永遠に閉じ込めるなんてどうかしてる
このうえなく小さなところに宇宙を詰め込んでいるなんて
太陽系をほっぺたのなかに押し込めているなんて
存在に向かって話しているのに、自分がどんなふうか忘れているなんて

そしてほぼ毎日、僕は自分がガラスのどちらの側にいるのかわからない
僕はシャワーで歌うたびにグラミー賞を受賞する
ところがスポットライトを浴びると、とっさに逃げ出したくなる
どこの出身か話すだけでも瞬間接着剤で足を貼りつけないといけない
僕はとても若いときから検査されるのに慣らされてきた

内向的な人間にとって、大勢と向き合うのは簡単じゃない
僕はむしろ太陽とにらめっこを始めたい
どちらが勝ったのかは知る由《よし》もないが

それは自然であり、滋養《じよう》であり、ジャングルみたいな人生に縫うように入り込み
競争を戦い、光を求めて枝を広げる
僕は耳を傾けたが、聞こえるのは自分の昔の心だけだった
それは僕に向かって人生を自分のもっとも偉大なアートに変えろと叫んでる
だけど、どこから始めればいいのだろう？

壁は人々を締め出し、人々を閉じ込めている
誰がどこで終わり、また別の誰かがどこで始まるのかわかればいいのだが
だけど、僕らの境界線は可能性を知ったときから監獄になる
記録によると、これまでいちばん大きな金魚は全長46センチほどだ

I N - Q

I N - Qによるこの詩のように、私たちの多くはこの地球にいる短い期間の目的について

考える。詩人として賞を受賞し、講演活動を行ない、ベストセラー作家でもあるＩＮ－Ｑは、自分の物語を変えたとき、人生を変えることができると信じている。

「感情とは何か、ということについてこんな格言があります――それは動きのあるエネルギーである」と彼は私たちに言う。「**感情を閉じ込め、内にとどめてしまったら、自分の人生を生きることが阻《はば》まれる恐れがあります。**情熱や好奇心から隔てられてしまうのです」。

幸福度を測る5つの指標

障害を取り除き、満ち足りて情熱的な存在へと近づくには何が役立つのか？　豊かな人生を築くものは何か？

人は何世紀もの間、こうした疑問を抱いてきた。アリストテレスをはじめ古代ギリシャ人は存在の豊かな状態を定義しようと試み、それを「ユーダイモニア（eudaimonia）」と呼んだ。簡単に言えば「幸福」という意味だ。

今日、繁栄に関する研究がふたたび盛んになっている。急速に発達している神経科学と心理学のサブフィールドは、最近では持続的幸福（フラーリシング）という状態に貢献する神経メカニズムの解明に力を注いでいる。世界中の研究者たちが、人間の状態にとって健康的な、つまり有益とされるものについて研究している。

現代では、アリストテレスの時代ほど哲学的な議論は活発ではなく、幸福という感情に焦点を絞ることもない。最新のテクノロジーや複数の専門分野にまたがる協力、多くの実証研究が結実し、繁栄——豊かで有意義な存在であること——に必要な要素の理解が進んでいる。フラーリシングの普遍的な特徴を明らかにするのは複雑な作業だ。この研究にいち早く取り組んだ研究者の1人が、疫学者でハーバード大学「人間の幸福度プログラム」の責任者、タイラー・ヴァンダーウィールだ。

2017年、彼は持続的幸福の度合いの測定方法を開発した。**土台となる5つの指標は以下のとおりだ。⑴幸福感と人生の満足感　⑵心身の健康　⑶意味と目的　⑷性格と美徳　⑸緊密な社会的関係。**「持続的幸福の構成要素についてはいくつもの考えがあり、それに対する意見も異なるだろう」と彼は書いている。[01]「さまざまな立場はあるとしても、持続的幸福のためには、少なくとも生活全般について、これら5つの分野において順調であることが欠かせない点に異論は少ないだろう」。

持続的幸福とは、本物の満ち足りた人生を歩むことだと私たちは考えている。すでに自分の身近にあるものに目を向け、感謝することで、存在し、生きていると感じる。大切なのは、意義と目的意識、倫理観、美徳の感覚を持って生き、そのために自分自身とつながることだ（多くの人はこれをマインドフルネスと呼ぶ）。

持続的幸福には、他者の幸福を思いやることと、公共の利益に貢献することが含まれる。

持続的に幸福であるときは、好奇心と独創性に富み、新しい経験を受け入れ、意識的に前向きな考え方をしようと心がける。また、心身の健康と社会の健全さを育み、この地球で得た時間を大切にしている。

ともすると「良い」人生は、すべてがうまくいくような完璧さと同一視される。持続的幸福はそんな非現実的な思い込みとはちがう。なぜなら、誰もが知るように人は完璧ではないし、人生には困難がつきものだからだ。むしろ目指すべきは、物事の本質を見抜き、成長し、前進することを生涯にわたって追求するあり方だ。そして、人としての成長を目指すひたむきな道を歩むという選択にほかならない。

神経生物学的な観点からすれば、持続的幸福は単一の心の状態ではない。それはいくつかの心理的状態と神経の状態の組み合わせであり、自分自身と共鳴し、かつ広い世界とも共鳴している感覚をもたらす。

私たちは収集した神経科学の調査報告と独自の取材に基づき、畏怖、好奇心、目新しさ、驚きといったいくつかの心理状態が持続的幸福に貢献していると考えるに至った。これらは生まれながらにして誰にでも備わっているものだ。

しかし、美的マインドセットを取り入れ、持続的な幸福は手に入れられるものだという考えを受け入れれば、この章で紹介する簡単な訓練を通じ、あなたもこうした心理状態を醸成し、高めることができる。

持続的幸福を得る方法——未来の自分を想像して作文を書く

2020年、心理学、認知感情神経科学、臨床心理学の領域において蓄積されてきた研究成果の幸福に関する側面について、徹底した調査が行なわれた。そこで疑問が浮上した——神経可塑性を誘発するメンタルエクササイズによって脳を鍛えれば、持続的幸福は高まるのか？

一例として、「目的」に関する研究を見てみよう。これは要するに自己意識のことだ。実証的研究ではまず、人生における目的が私たちにきわめて強い影響をもたらす理由を明らかにしている。

人生に目的意識を持つと、慢性的ストレスからくる負の影響が軽減される。また状況によっては、**人生においてより高い目的があると「高齢者はストレスから速やかに回復することが予測され、これは唾液中のコルチゾール濃度により測定可能である」**と研究者たちは結論づけている。

目的意識を強化するような行動を意図的に生活に取り入れると「レジリエンスが高まり、健康的な行動が助長され、脳と抹消の生態に有意義な変化をもたらす」というのだ。[02]

タイラーはハーバードでの研究において、持続的幸福を得るために脳を訓練する科学的根拠に基づくいくつかの方法を提示している。1つは創作的な作文だ。例えば、未来の理想的な自分を想像し、それがすでに実現したかのように自分の人生について書くことなどが挙げられる。複数の小規模なランダム化比較試験の結果からは、こうした簡単な習慣が楽観的見方と生活の満足度を高めることが示唆されている。

持続的幸福は、使うと強くなる筋肉のようなものだ。そしてどんなこともそうだが、訓練を重ねると習慣になる（前章で説明した学習の神経可塑性を思い返してみよう）。ヨガやランニングを続けるように、あるいは健康的な食べ物を選ぶように、自分に必要な毎晩の睡眠時間を把握するように、持続的幸福がある人生を育み、支えるパターンがしだいに分かってくるはずだ。

本章では、持続的幸福の6つの基本的な特性について見ていく。好奇心と感嘆、畏怖、豊かな環境、創造性、儀式、斬新さと驚きである。これらの心の状態を組み合わせて取り入れることで、持続的幸福のある人生へと至る自分自身の道を築くことができるだろう。

好奇心と感嘆――絵の前に立たせた多忙な医師に投げかける問い

ある木曜日の午後、ボルチモアのジョンズ・ホプキンス病院では、12人の医師と数人の研修中のインターンが会議室に集まり、スクリーンに映し出された絵画を見ている。

描かれている場所はリビングルームのようで、人種の異なる6人がいる。何人かは鮮やかな黄色とオレンジ色のカウチに座り、何人かは立っている。ティールブルーと緑のラップドレスを着た1人の女性が医師たちに背を向け、優雅で複雑な三つ編みにした黒髪を見せて立っている。

絵画がナイジェリア出身のアーティスト、ジデカ・アクーニーリ・クロスビーの2013年の作品であることや、アクリル絵の具や木炭、パステル、色鉛筆、コラージュで制作されたことは伝えられていない。それどころか、医師たちは絵について何も知らされていない。ただ鑑賞するように指示されただけだった。

集まった医師とインターンは、世界有数の研究病院で、強い緊張感とリスクを伴う環境で日々を過ごしている。休む暇はほとんどなく、ましてやアートを鑑賞する時間などない。にもかかわらず、室内は水を打ったように静まり返っている。深い物思いに伴う静けさだ。

メグ・チザムが沈黙を破った。**「この絵のなかで何が起きているでしょう?」**。

メグがこのグループを集めたのは、わずかな間、持続的幸福を感じるためだった。

彼女は精神科医として、持続的幸福という表現が生まれる前からそれを奨励する必要性を誰よりも早く理解し始めていた。臨床医である彼女は、精神疾患や薬物依存症に苦しむ人々の治療にあたっていた。10年が過ぎ、患者が充実した活気ある人生を手に入れるには、急性疾患の症状を取り除くだけでは不十分だということを、はっきりと理解するようになった。

「患者が心から望む人生を送れるように、病気以外の面で支援する必要がありました」と彼女は私たちに語った。

２０１５年、メグはジョンズ・ホプキンス大学医学部の「ポール・マクヒュー・プログラム・フォー・ヒューマン・フラーリシング」に加わり、現在はディレクターを務めている。プログラムの目的は持続的幸福の知見を医学生と医師に広めることだ。メグはこのプログラムを構築する最善の方法を確立するため、神経科学者や心理学者などの最新の研究を学んできた。そのなかには心理学者のマーティン・セリグマンの研究があった。

マーティンは持続的幸福のためのポジティブ心理学のモデルを考案した人物だ。これは以下の要素の頭文字からＰＥＲＭＡと呼ばれている――「ポジティブな感情（positive emotion）」「没頭（engagement）」「ポジティブな人間関係（relationship）」「意味（meaning）」「達成感（accomplishment）」。

メグはこうした調査の結果、学生が満ち足りた人間であることと、持続的幸福がどのようなものかを模索するには、アートこそが最適な方法だという結論に達した。

次に、メグは医師たちに絵について話すように促した。数人が恐る恐る手を挙げ、ためらいがちに語った。メグはこう言って背中を押した。「ほかに気づいたことはありませんか?」。

この問いかけは、ただ目の前の絵を解釈すればよいと伝えていた。するとさらに声が上がった。そして急に会話が変化した。多忙で意欲的な医師たちは、感情について、意味について、絵のニュアンスについて活発に話し始めたのだ。

アートは内省のきっかけになる

これは30年以上前にニューヨーク近代美術館において、同館の教育部部長だったフィリップ・ヤノウィンによって考案された「ヴィジュアル・シンキング・ストラテジー（VTS）」と呼ばれる対話型鑑賞法だ。フィリップはチームの展示法が、ギャラリーのアート作品に対する人々の理解を深めているかどうかの評価を任された。

研究者の力を借りて行なった調査からは多くのことが明らかになり、そのうちの1つとして、**来場者の80％がある主要な感情を共有していることが分かった――それはつまり好奇心だ**。来場者の興味を引きつけたのはアートが伝えようとする物語だった。

好奇心は進化に必要なものとして、人の脳に織り込まれてきた。現在、認知神経科学者たちの間では、好奇心は脅威を検知するシステムの一部として（不安といったほかの神経活動とともに）、何千年もかけて進化してきたと考えられている。

進化の目的は、予測不能な世界で最善の判断をできるように適応することだ。私たちの先祖は好奇心のおかげでこう問いかけることができた。

この赤いベリーは食べても害はないか？　石と石を打ちつけて火花を起こしたらどうなる

か？　この木を削って先を尖らせたらどうなるだろう？　**好奇心は現代の世界を形づくり、精神と物質の世界を大胆に探索する人々によって電球や火星探査車といった発明が誕生した。**

　神経生物学の視点から、好奇心は脳のさまざまな領域を活性化することが知られているが、好奇心の強さにもっとも深く関わる領域は海馬にある。何かを探究し、最終的に答えを得て好奇心が満たされると、脳の報酬物質であるドーパミンが体に溢れる。これは同時に幸福感や満足感をもたらすこともある。

　その結果、心理学者で『好奇心？　充実した人生のために欠けている要素を見いだす（*Curious? Discover the Missing Ingredient to a Fulfilling Life*）』の著者トッド・カシュダンが言うように、人は「新たな知識と新たな経験の探求と、不確かさを受け入れることに強い持続的な満足感」を見いだす。[03]

　アートは好奇心を養うにはうってつけだ。アートはまさにその性質により、理解したい、感動したい、そして同時に曖昧さを心地良く受け入れたいという私たちの欲求を引き出す。

　私たちはこちらに語りかけてくる何かを見たり、感じたりすると、関心を抱き、さらに知りたくなる。評価をせずにアートを鑑賞し、浮かび上がるものを見るというシンプルな行為は、自分だけの洞察を促す素晴らしいきっかけになる。アートはこのようにして好奇心の媒体となり、究極的には自分自身と世界を発見することへとつながる。

好奇心は持続的幸福の基礎となる要素だ。[04] 研究によると、それは幸福へとつながる高いレベルの前向きな感情を引き出す。好奇心は共感をふくらませ、絆を強める。共感力の高い人は他者に対してひじょうに強い好奇心を抱いている。[05]

そしてメグがよく知っているように、好奇心は医療にも役立つ。医師は患者の経験をより受け入れやすくなり、共感力と観察力の高い優れた医師となる。

「私がアートを用いるのは、それが深みのある会話を導く威圧感のない手段だからです」とメグは言う。「アートは内省のきっかけとなり、それぞれが自分なりの洞察を得て、他者の視点を理解し、さらには自分たちが身を置く医療業界についても、持続的幸福に至る道をいかに支援できるかという視点で問い直すようになるのです」。

その日メグがジョンズ・ホプキンス病院で行なったトレーニングは、正解を求めるものではなかった。むしろ、重要なのはその瞬間に身を置き、注意を払うことだった。

注意を向けることは好奇心をかき立てるうえで欠かせない。注意というのは脳が神経学的に意識をコントロールし、導いている状態であり、これは頭頂葉とコミュニケーションを取りながら、主に前頂葉で起きている。

あなたが思考や感情、知覚に注意を払うとき、脳の活動は活発になる。あなたが意識する人生はあなたが注意を払ったものにほかならない。そして好奇心は訓練によって強化できる感情の状態である。

感嘆の念を呼び込むために好奇心を養う

好奇心のいとこことも言うべき感嘆の念は、疑問に対する答えを探し求めるときだけではなく、思いがけない出来事に驚いたときにもわき起こる。バーバラ・グロスは感嘆を呼ぶ名手だ。バーバラはこれまで、その可能性を試行錯誤しながらキャリアを重ねてきた。

2015年、彼女は自然やアート、コミュニティ、演劇を基盤とした没入型体験を提供する「ノマディック・スクール・オブ・ワンダー」を開設した。「感嘆《ワンダー》の念というのは説明するのが難しいところがあります」と、バーバラはニューメキシコ州サンタフェにある彼女のスタジオから私たちに語った。「それは愛のようなもので、誰もが何らかの形で、それがどんなものか知っています。経験はしているのですが、言葉にするのに苦労するのです」。

感嘆の念は複雑な感覚であり、意識と感情が高まった状態を生む。[06]好奇心に近いが範囲がより広く、驚きと喜びという特質が含まれる。科学的文献では、世界を理解したいという人間本来の欲求と定義され、個々人の内面で火がつけられるのをじっと待っている。感嘆の念は好奇心の種をまくことも多い。

感嘆について探る研究者たちによると、美は感嘆をもたらす最たるものだ。

神経美学という分野は、美の神経生物学を理解しようとする試みから始まった。セミール・

ゼキが美について研究を始めたのも、まさに人が何を美しいと感じるのか、脳科学に基づいて理解を深めたかったからだ。

彼は人が普遍的に美しいと感じる現象があることを知った。例えば、夕日。しかし、何が美しく、何が美しくないかという世界的な定義は曖昧だ。

その理由は、本書の序盤で脳とデフォルトモード・ネットワークに関する説明で触れたように、美の認識の多くの部分は個人に依存するからだ。この分野では、脳内に美を感じる中心的位置があるのかどうかもいまだにはっきりしていない。[07]

アートはしばしば、美しさや思いがけないものを含んでいるため、感嘆を促すには最適だ。何らかのきっかけで強い印象を受けると、その驚きが豊かな土壌となる。感嘆の念は注意を引きつけ、好奇心をかき立てるもっとも効果的な方法の1つである。

森を歩くだけでも脳にポジティブな効果をもたらす

バーバラが感嘆の念に光を照らす学校をつくるというアイデアを思いついたきっかけは、死を迎える大切な人たちの介抱を手伝った経験だった。[08]

「残された時間が少ない人たちの前では、人生が色鮮やかな力を帯びるのだと気づきました」と彼女は2021年に『フォーブス』で語っている。「この世で過ごす日々が残り少なくなる前に、そんな豊かな状態で生きるにはどうすればいいだろう、と思いました。ある日の午後、ぼんやりしていたときのこと。ふと〝ノマディック・スクール・オブ・ワンダー〟と書き、これだと思いました」。

スクールが目指すのは身近にあるこの魔法を再認識させることだ。彼女はこれを没入型の旅と経験によって実現している。そしてメグと同じように、不確かな領域にも踏み込んでいる。「人の心、とくに大人の心は、不確かなものに強い居心地の悪さを感じます」とバーバラは言う。「私たちはアートによってその不確かさの縁で踊り、創造性や拡張された意識、拡張された知覚、遊び、より社会性のある行動を呼び込むことができます」。

バーバラと、アーティストと協力者たちから成るチームは、みごとな自然環境のなかで活動を始め、参加者をアイスランドのフィヨルドやカナダのニューファンドランド島、カリフォルニアのセコイアの森へと連れていった。

こうした生命力に溢れ、多感覚に訴える美しい自然環境に身を置くだけでも、脳にポジティブな変化をもたらす刺激になる。

2017年、マックス・プランク人間発達研究所生涯心理学センターの研究では、赤外分光法という技術を用い、森を散策し、周囲に注意を払う人々について神経生物学的データを集めた。すると、このシンプルな行為がリラックスした気持ちを促すことが明らかになった。[09]

リラックスした状態になるとエンドルフィンが体を満たし、血流が増加し、心拍数が落ち着

き、これらはすべて明晰な思考をサポートする。[10]心からリラックスした状態は、前頭葉に心地良い鎮静状態にあることを伝える点で、ある種の軽い恍惚《こうこつ》状態と似ている。

あるとき、バーバラは参加者をニューファンドランドのファーゴ島へと連れて行き、このときはアイビーも加わった。ファーゴ島は、広大で荒涼とした風景が広がり、魅力的な人々が暮らす美しい土地だ。

バーバラが率いる参加者が島に着くと、とてつもなく奇抜な衣装に身を包んだアーティストが出迎えた。参加者はこれですぐに「何かが変わった、何かがこれまでとちがう」と警告される。「入口でまず変化があるのです」とバーバラは言う。

バーバラとチームは旅に先立ち、その土地ならではの冒険のテーマを選び、現地のコミュニティとともに経験を創造していた。ファーゴ島では、旅のテーマは互いと自然、そして自分自身と一体になることだった。

アイビーから見ると、これはまさに参加者全員を日常から引き離す経験だった。一行は到着するとすぐに、この遠い北大西洋の島の厳しい美しさと、そこに暮らす人々の文化に心を奪われた。それぞれの新しい体験は、参加者を驚きと喜びで満たすように工夫されていた。

納屋パーティーで現地の人たちと踊り、料理や工作のクラスを取り、昔の服を着て歴史的なメイデーのパレードを再現した。少し前の時代に戻る瞬間もあり、アイビーは電気のない時代の島での暮らしを体で感じたのを覚えている。最後には、誰もが継続的で有意義な形で自分が良い方に変わったと実感した。

このように、「**感嘆というのは大いなる謎とダンスをするような感覚です**」とバーバラは言う。

私たちは、謎めいたこと、あるいはなじみの少ない何かに出合ったとき、感嘆の念を抱き、好奇心を刺激される。1990年代の初め、カーネギー・メロン大学のジョージ・ローウェンスタインは、いわゆる「情報の空白」という好奇心の理論を展開した。好奇心は基本的に、知っていることと、知りたいと思うことの隔たりであり、謎は私たちが答えを探し求めるように駆り立てる強い精神的欲求になる、と彼は説明する。

『ニューロン』誌に掲載された「好奇心の心理学と神経科学」というタイトルの論文には、こんな記述がある。被験者たちをfMRIで測定しながら、いくつかのささいな質問をした[11]。答えが正しいかどうかは知らせない。次に、別のいくつかの質問を答えとともに提示した。その結果、被験者にすぐに答えが提示されないと、報酬系が働き始めることが明らかになった。

報酬系はドーパミンやセロトニン、オキシトシンといった気分を良くする脳内化学物質を分泌し、喜びや前向きな感情を誘発する。**謎がある状態で生き、隠れている答えを発見しようとする行為は、それ自体が報酬になっていた**のだ。

メグとバーバラはどちらも、参加者がアートに関する問いに答えたり、見知らぬ土地を理解する機会を設けたりするといった、報酬系を作動させるアート体験を提供している。

しかし、感嘆の念や好奇心を養うには、ニューファンドランドまで旅する必要はないし、美術館を訪れたり、メグの授業を受けたりする必要もない。美的マインドセットを心がければ、そういった感性を呼び覚ますことができる。そして美的な見方は、きわめてありふれた瞬間にも心をよぎることがある。

バーバラはこう語る。

「私はここサンタフェの自宅のドアから出て、感嘆と好奇心を味わう経験をできます。散歩に出かけ、詩人のメアリー・オリバーが言うように、**注意を払って驚きを感じるのです。広い空をカラスたちが飛んでいくのを見たり、ただ散歩をしながらまわりを観察したり、素晴らしい経験をできる。**そして、自分の感覚を通じて得たこうした美や、こうした存在が心に押し寄せ、自分がより大きなものの一部なのだという感覚を受け止めるのです」

畏怖――すべての感覚が解放される場所

バーバラはまた、自分自身より大きなものの一部だという広がりのある感覚について語る。これは感嘆や好奇心を超越する知覚的体験であり、さらなる奥深さを秘めている。神経学的には畏怖とも呼ばれる状態だ。

この脳の状態と、それが私たちに及ぼす影響について理解するために、1959年に遡《さかのぼ》ろう。その日の南カリフォルニアの沿岸部は、美しく晴れわたっていた。

少し前にポリオワクチンの開発に成功したウィルス学者のジョナス・ソークと、比類のない近代的建築で知られる建築家のルイス・カーンが、サンディエゴ近郊の太平洋を臨む高台に立っていた。2人がともに思い浮かべていたのは、科学的探究の未来に向けた空間だった。

ソークは、学術界の厳格な環境のなかで研究を行なってきたため、肩書を取り払い、さまざまな分野が融合し、世界でもっとも優秀な科学者たちが生命の根本的な疑問を探究できるような研究施設を夢見ていた。

ソークはカーンに建築を依頼した。というのも、科学者と建築家は好奇心と感嘆の念をもって、人間の存在の謎に問いを投げかけるという大きな共通点がある、とどちらも信じていたからだ。ソークの要望は明確だった——科学とアートを融合し、時代を超えて色あせず、創造性と革新を育む研究所をデザインすること。「ピカソが訪れたくなるような」場所を造って欲しい、とソークはカーンに言った。

ソークは、**場所には人にひらめきを与える力がある**ことを知っていた。

1950年代序盤、ポリオウイルスが大流行し、子どもを中心に毎年数十万人が麻痺に襲われ、命を落とすこともあった。ソークは治療法を求め、ピッツバーグ大学の迷宮のような地下の研究室で蛍光灯に照らされながら、1日16時間も研究に打ち込んでいた。ひどく疲れた彼はしばし研究を離れ、待望の休暇のためイタリアを訪れた。

ソークはウンブリア州の歴史ある丘の町を、オリーブの木の香りを感じながら歩いて回った。そこで訪れたのがアッシジのフランチェスコ聖堂だった。

丘の上に灯台のようにそびえる、13世紀に建てられたフランシスコ会の大規模な修道院だ。修道院が建つシバシオ山から切り出された石材は、あたたかな日差しのもとではピンク色に輝き、月の光のもとでは白くきらめいた。ソークが古いオークの扉から中に入ると日中の暑さは消え、礼拝堂にはひんやりとした土交じりの麝香《じゃこう》の匂いが漂っていた。

足元の石の床は、大勢の巡礼者たちが訪れたことで光を放ちそうなほど摩耗していた。頭上では、アーチ型の天井に描かれた14世紀のフレスコ画のロイヤルブルーとテラコッタが、縦に仕切られたマリオン窓から差し込む光を受けて輝いていた。

そして、壮麗な建物に足を踏み入れた多くの人々と同じように、ソークはすべての感覚が解放され、無限の可能性を感じた。

ダッチャー・ケルトナーは、ソークにこのような心境の変化をもたらした原因について持論を展開する。つまり、ソークは畏怖の念に打たれたのだ。

好奇心と創造性を高める効果がある

カリフォルニア大学バークレー校の心理学教授のダッチャーは、バークレー社会的交流研究所のディレクターであり、畏怖と感嘆の心理学の権威だ。人間の存在の本質に関する彼の研究と洞察は、長年にわたり私たちの探求の基礎になってきた。私たちはこのつかみどころのない深遠な感情について意見を交わすため、彼に連絡を取った。

「畏怖は私たちのDNAに組み込まれています。まさに、生まれつき備わっているのです」と彼は語った。

「空を見上げると畏怖の念に打たれることが多い——天の川、森の林冠、虹。自然は畏怖の多くが生まれる源泉であり、人間は洞窟の壁に最古の絵を描いて以来、この感情を人為的な環境に持ち込んできました。つまり建物から都市に至るまでの、人工的に築かれたあらゆるものに」

畏怖は文字通り、あなたの動きを止めることがある。体が震えることもあるかもしれない。鼓動は速まる。畏怖の影響によって胸が熱くなり、目には涙が溢れることもある。

このように高揚した状態では、脳の大脳皮質のデフォルトモード・ネットワークに関わる領域が下方制御する。あなたは分析をやめ、解放される。そして、心が静かになった状態において、特別なことが起きるのだ。

神経伝達物質の水門が開き、シナプスが神聖な状態でそれを浴びる。高揚感と幸福感が高まり、「至高体験」もしくは「超越」と表現されるものとなる。

畏怖は意識を自己中心的な状態からコミュニティ中心的な状態へと変え、あなたの社会性を高め、自己対他者という考え方を打ち砕く。ダッチャーはこれを「小さくなった自己」と呼ぶ。それは好奇心と創造性を高める効果もある。また、寛容さや思いやり、共感力、希望を育む力を秘めている。

畏怖はエンパワーメントをもたらす根本的な感情であり、行動を起こし、必要とあれば自己犠牲さえいとわない状態へと駆り立てる。「畏怖はほんの少量でもずば抜けた効果があるのです」とダッチャーは言う。

ソーク研究所で経験した超越

畏怖は進化においても重要だと彼は説明する。新たな考えや目的意識を持ち、可能性を感じながら前進するよう鼓舞するからだ。

ソークとカーンは、当時は呼び方こそ知らなかったかもしれないが、どちらも畏怖というつかみどころのない感情を目に見えるものにする必要があると理解していた。

1963年、ソーク研究所が完成した。ソークとカーンは、ソークができると確信していた超越する感情の共鳴を呼び起こすことに成功した。このデザインでは、建物とともに青い太平洋とカリフォルニアの空が研究所の一部となり、トラバーチンの中庭を囲むコンクリートとガラスとチーク材でできた画一的な棟に自然のリズムを絡めている。

中庭にあたる広場には「生命の川」と呼ばれる水路が一直線に伸び、海に流れ込んでいるように見える。建物はつねに変化する光と投げかける影によって姿を変える。

春分の日と秋分の日の年に2度、水路の延長線上に太陽が沈む。**本書のカラーページGに掲載した写真**がそのようすだ。私たち2人は冬至にこの場所を訪れ、多くの来訪者たちと同じように、崇高さともいえるものを目の当たりにした。屋外の広場に立つと、この場所を造った2人の飾らない大胆さに驚かずにはいられなかった。

連なる建物により視線は海へといざなわれ、私たちはより大きく、広大で、開放的な何かの一部になったように感じた。そして太陽が空を移動し、水路を黄金の液体に染めるのを眺めた。そのようすは生命に満ち、まるで建物が生きていて、敷地全体が息をしているかのようだった。自然と建築が融合した神聖な瞬間だった。

私たちはどちらも、ソーク研究所をあとにするときには、**ほんの少しの時間しか経っていなかったのに、来たときとは別人になっていた。**ダッチャーが説明し、ジョナス・ソークが経験した超越を感じていた。

畏怖の念を引き出すシルク・ドゥ・ソレイユの仕組み

人は一定の環境において誰もが畏怖を感じる。しかし、私たちはさらに知りたい――アート体験は測定可能な畏怖の念を起こせるのか？　そして畏怖の念は、持続的幸福を促進するようなタイプの変化をもたらすのか？

畏怖の念を引き出すアートにより人が感動する仕組みについて理解を深めるうえで、真っ先に思い浮かぶのはシルク・ドゥ・ソレイユだ。

シルク・ドゥ・ソレイユを観たことがあれば、誰もが子どものように目を見張る感覚的体験を味わうようすが思い浮かぶだろう。これまで何百万人もの観客が公演中に流れる、圧倒的な感覚の逸話的物語を共有してきた。しかし、私たちは神経科学者ボー・ロットのおかげで、このアート経験が畏怖を誘発することについての実証的研究を垣間見ることができる。

サーカスの曲芸師の一団と同じような放浪の精神と冒険心に満ちた才能を持ち合わせている科学者がいるとしたら、それはボーだ。彼は人がそれぞれのリアリティを通じて世界を経験するようすを研究している。イギリス（およびアメリカ）を拠点とする彼のニューロデザインスタジオ「ラブ・オブ・ミスフィッツ」は、才能ある研究者とアート界の反逆者たちから成る、複数の分野にまたがるチームを引き寄せてきた。

２０１８年、ボーとチームはラスベガスのベラージオを訪れた。１９９０年代からシルク・ドゥ・ソレイユが代表的なショーの『オー』を上演してきたホテルだ。

この類まれなパフォーマンスは５７０万リットルの水を溜《た》めたプールが舞台となり、85人の曲芸師とシンクロナイズドスイミングのパフォーマーが、幻想的な世界を飛び交う。ステージの頭上15メートルほどのところには木馬が吊り下げられ、色彩と衣装、照明デザイン、人が織りなすパフォーマンスが一体となり、息を飲むほど美しいショーが繰り広げられる。

ボーは『オー』のように美的にダイナミックなことを観ている間、人の脳で何が起きているのか数値化しようと考えた。彼とチームは10公演以上にわたり、パフォーマーの大胆な離れ業を見守る２００人以上の観客の脳を記録した。また、公演の前後に観客の行動と知覚についても測定した。

結果は驚くべきものだった。観客の脳の活動にはゆるぎない一貫性があり、畏怖の神経生物学的状態と相関している。そこでボーたちは、人工の神経ネットワークを訓練し、人々が畏怖の念を経験しているかどうか、平均して76％の精度で予測することができた。

この研究により、ほかにもいくつかの興味深い発見があった。**積極的に畏怖の念を経験している人々は、自主規制をあまり求めず、不確かさに対する耐性が比較的高い。リスクに対する耐性も増す。**「それどころかリスクを求め、リスクをうまく取れるようになるのです」と人気を博した２０１９年のＴＥＤトークで述べている。[12]

「そして本当に奥深いことなのですが、『あなたは畏怖を感じやすいタイプか？』という問いかけに対し、公演を観る前より、観た後の方がイエスと答える傾向が高かったのです」

ショーを見た後、リスクに強くなる

ラブ・オブ・ミスフィッツは、シルク・ドゥ・ソレイユの観客が、会場に入る前とは生理学的に別人になって会場から出てきたことを突き止めた。

この最高の美的経験は彼らを変えていた。パフォーマンスによって引き起こされた畏怖という神経化学的状態により、自己と世界についての認識が変化したのだ。

つまり、シルク・ドゥ・ソレイユのようなイベントに参加することは、畏怖のような神経生物学的に豊かな感情を呼び起こし、私たちがより前向きな感情と認識へと向かうように促す可能性があるのだ。

「畏怖を感じることには、自分自身と、世界における自分の立場についての見方を変える力があります」とボーは２０２１年のポッドキャストで説明している。[13]

「**畏怖を感じると、私たちは多様性を受け入れ、評価し、称賛できるようになるため、人と人のちがいが無意味になる**のです」

これはささいなことではない。[14] 精神医学の研究者であるダイアナ・フォーシャ、ネイサン・

トーマ、ダニー・ヤンたちは、否定的な感情と前向きな感情はどちらも私たちにとって良いものだと考えている。

怒りや悲しみ、渇望などはあまりそう思えないかもしれないが、私たちはそうした感情から学び、それに応じて変化できるのだ。怒りの感情を分析すると、自分が情熱を傾けているものについて得難い洞察がもたらされることがある。しかし、進化は感情を特別扱いし、人は生存と関わる否定的な感情を優遇する傾向にある。

彼らは2019年に『カウンセリング・サイコロジー・クォータリー』に掲載した論文のなかでこう説明している。「脳の『不動産』の資源は、親和的な問題解決型の感情よりも、回避型の否定的な感情にはるかに多く捧げられている」。例えば、**悪い出来事は肯定的な出来事よりも5倍の速さで記憶され、5倍の期間記憶として残る。**

これは誰もが経験してきたことだ。どんな状況でも、私たちの心はうまくいきそうなことよりも、失敗しそうなことに向かう。人の脳が生まれつき否定的な感情に傾くとすれば、この人間の不快な傾向を和らげ、持続的幸福を生み出す方法について、ボーは何らかの提案をしてくれるだろうか。「持続的幸福について語るとき、私が使うのは〝動き〟という言葉です」とボーは私たちに言った。「それは変化を積極的に招き入れることです。畏怖と感嘆をもたらす芸術的習慣を呼び込むことは、動きを生む1つの道です」。

ボーはこれをヨガの練習になぞらえる。彼は個人的にヨガの練習をしているが、それは単なる運動のためではなく、心の習慣を築くためだ。彼にとって、ヨガは一連のポーズをこなす以上のものであり、精神的訓練にほかならない。「ヨガはじつのところ、マットの上にいないときのための練習です」と彼は言う。「そこで習得したことを、人生のほかの場面にあてはめることなのです」。

アートや美的経験に見られる畏怖は、持続的幸福を拡大するための練習の一部になり得る。

豊かな環境——ストーンヘンジを前に言葉を失う経験

ノマディック・スクール・オブ・ワンダー。ソーク研究所。シルク・ドゥ・ソレイユ。これらには本質的な共通点がある——**活力のある、多角的な没入型の環境だ**。

こうしたアート体験や美的な場所は豊かな環境を提供する。多感覚に訴えるさまざまな刺激をもたらす場所は、結果的に脳の神経可塑性を促進する。

Chapter1で紹介したアンジャン・チャタジーは、建築が私たちの幸福全般に貢献する経緯について研究してきた。彼が興味を抱いているのは、天井の高さや窓からの光、部屋の大きさといった建築上のいくつかの特徴が、神経と精神のプロセスにどのような影響を与えるかということだ。

アンジャンはスペインである研究を行なった。被験者にｆＭＲＩの装置に入った状態で室内の画像200点を見てもらい、脳の活動を観察したのだ。

彼はこの研究をアメリカでもオンラインで続け、被験者に室内の写真を見せ、美しい、心地良いなど、16の心理的パラメーターに基づいて評価してもらった。そして2021年のインタビューで、「空間に対する好感と確実に結びついている3つの要素」を突き止めたと語っている。[15]「**部屋の景観がいかに整えられているかという統一性。部屋がどのくらい興味深いかという魅力。そしてその空間でどれだけくつろげそうかという心地良さ**です」。

建築とデザインは概して主観的なものだ。にもかかわらず、万人に効果のある視覚と空間のデザインには一般的な原則があり、しかもアンジャンによるとその原則は生物学的事実に基づいているという。

いくつかの建築上の要素には、魅力や心地良さを感じさせるだけでなく、私たちの感覚的経験を高める力もあり、それはジョナス・ソークが味わったような精神状態をもたらすほどのものだ。アメリカ・カトリック大学建築計画学部教授のジュリオ・ベルムデスは、ワシントンD.C.の無原罪の御宿りの聖母教会のような建物のデザインが、私たちの神経学的状態をどのように変えるかについて研究している。

この聖母教会は、多くの大規模な宗教的空間の例にもれず、高い天井にドーム型の屋根、類まれな採光、そして壮麗さを備えている。人類の壮大な建造物についても考えてみよう。エジプトのピラミッドの見事な対称性、ストーンヘンジの神秘的な形状。アーグラのタージ・マハル、イスタンブールのブルーモスク、バルセロナのサグラダファミリア。どれも目にすると言葉を失う。感情を伝える言葉を見つけることができない。

「数千年の歴史を振り返れば、人々が最高の資源と信じられないほどの時間を費やし、霊的な状態、もしくは理解に到達できるような建造物を設計し、建設してきたことが分かります——それは心の静けさや畏怖、感嘆、悟り、ウェルビーイング、完全であること、喜びといった感情を呼び覚ますます」。ベルムデスは2021年のインタビューでそう述べている。

建築評論家で作家のサラ・ウィリアムズ・ゴールドハーゲンは、建築の未来は神経美学の新たな知識を役立て、人の気持ちと幸福をより良くサポートする環境を築くことにあると信じている。彼女は2017年に出版した著書『あなたの世界へようこそ——構築環境はいかにして私たちの人生を形づくるか（*Welcome to Your World: How the Built Environment Shapes Our Lives*）』のなかで、構築環境の神経科学と、認知心理学について書いている。「建築家はつねに、デザインを通して経験に基づく効果を創造することを目指しています」とサラは私たちに語った。「かつては、そのための手段は主に個人の記憶と経験を頼りにし、おそらく少しばかりの社会学と、しばしば多くの歴史的先例が加味されていました」。

ところが現在はそうではないと彼女は言う。環境心理学と認知科学から生まれる研究が深まり、「人々が構築環境でデザインの要素をどのように経験するのかについて確かな証拠」が得られるようになっている。彼女はさらにこう述べる。

「高い天井は開放的な思考を促すのか？　イエス。光沢のある血のように赤い色はストレスレベルを上げるか？　イエス、などなど。**建築家は、ある経験的効果を生むにはどのようなデザインの特徴を選ぶべきか、データに裏づけられた判断をすべきでしょう」**

創造性――「自分が大切にしているもの」を取り戻す

あなたはきっと、3年生くらいのときに先生か身近な大人から、アーティストには「才能」がないとなれない、というようなことを言われた経験があるのではないだろうか。

そして、創造的であることは、学校で延々と行なわれるテストで正しい答えを出すことより大切ではないと思うようにもなっただろう。

Art2Lifeのアーティストで創設者のニコラス（ニック）・ウィルトンは、人々をその創造性とふたたび結びつけることを人生の使命にしている。決して消えたわけではないが、長年休眠状態にあったあのきらめきを取り戻すためだ。

ニックはカリフォルニア在住で、独学で画家として活動している。幾重にも色を重ねる作品には独特の趣《おもむき》があり、視覚の詩と呼ばれている。確かにそう呼ばれるだけのことはある。思慮深さと落ち着きが感じられる筆使いには、のびのびとした創造性のほとばしりの対話を見るかのようだ。

彼が絵を教え始めたのはスタジオの外に出るためであり、また、アートの制作に対する姿勢がとても寛容なことも関係していた。世界中からあらゆる世代の生徒を何千人も受け入れ、自信と喜びを持ってカンバスに向かうように励ましてきた。私たち2人もそのなかに含まれている。

「アートの制作というのは、本来であれば、人生で生きていることをもっと感じるための行為です」とニックは私たちに語った。「創造的な道のりは、自分自身になるために内面を解き明かすプロセスであり、ぜひともすべき素晴らしい旅なのです」。


人には本来、芸術的な側面があるが、それを受け入れることを妨げる最大の障害は、創造性を遮断する内なる批判だ。自分が何をしていて、どこに向かっているのかを知ることは人として不可欠であり、それをうまく行ないたいと思うのも私たちの願いだ。

しかし、ニックは生徒に自分が何を経験したいと思い、何を言いたいのかよく見きわめるようにと促す。「私は、自分にとってほかのものよりもイエスと語りかけてくる形や色のエネルギーを感じるように教えています。自分は何を大切に思い、それを自分のアートにどう表現するのかを見きわめる作業です」。

未知のものに心を開くことで、創造された作品はもはや目的ではなくなる。「それはアートの制作を自分自身になるプロセスの1つとして捉え直すことであり、道中で制作するものはそのプロセスの所産にすぎません」と彼は言う。

生徒からは、彼のクラスで解き放たれた創造力は、子育てや仕事、庭いじり、料理など、生活のほかの場面でも活かされる、という声が届く。

即興の演奏中は「時間が飛ぶように過ぎる」

創造力とは簡潔に言うと、想像し、独創的なアイデアや解決策を思いつく能力だ。既知のものや既存のものから積極的に離れ、可能性のあるものを探求する。**創造的思考は、新たな角度から情報を有意義に結びつけ、結果的に創意と革新が生まれる場となり、人類にとってもっとも貴重なスキルの1つでもある。**自覚がなくても、誰もが持っていて、毎日使っているスキルだ。戸棚にある余った食材で料理をするとき、子どもから寝る前の話をせがまれるとき、家の修繕のため日曜大工をするとき。これらは想像力によって自然とわき起こる即興だ。

私たちの脳は、こうしたタイプの飛躍的な即興をサポートするように構造化されている。マイルス・デイヴィスの「ソー・ホワット」にはこの瞬間がある。大ヒットした彼のジャズ・アルバム『カインド・オブ・ブルー』の冒頭に収められたこの曲で、トランペットの巨匠は本来とは異なる演奏をしている。楽譜から逸れ、魂のこもったリズムを奏で始めるのだ。まるで1950年代後半のニューヨーク52番街に立ち並ぶ、煙が充満した伝説的なジャズクラブへトリップした気分になる演奏だ。

ジャズでは即興が欠かせない。プレイヤーたちは音楽による言葉で語り合うが、これには華麗なシンクロニシティとその瞬間に没頭する意欲が求められる。

2000年代初頭、チャールズ・リムはジョンズ・ホプキンス大学で耳鼻科外科医として聴覚について研究していた。耳の構造の理解に多くの時間を費やし、人々が聴力を回復する力になっていた。

チャールズは音楽も大好きで、とくにジャズに思い入れがあり、リハーサルどおりの演奏と即興の曲を演奏したときでは、脳でどのようなことが起きるのか興味を抱くようになった。幼い頃から音楽家でもあった彼は、これら2つのタイプの演奏に関わる脳のプロセスは同じではなく、まったく異なる2つの創造的な精神状態を生むという説を唱えた。

音楽家が即興の演奏をしているとき、頭のなかでは何が起きているのか？　スーザンの研究室は、これらの調査の支援を行なった研究室の1つだった。

チャールズは鉄類を含まない特殊なプラスチック製の電子キーボードをつくり、fMRIに入っても磁気を乱さないようにした。そしてプロのジャズ・ミュージシャンたちに装置に入った状態で2曲演奏してもらった。1曲はリハーサルした曲で、もう1曲は即興演奏だ。

どちらの場合も、スキャンにより脳のさまざまな部分が動員され、輝かしい相互接続が生まれていた。彼は2008年にこの発見を学術誌『プロス・ワン』に発表した。

リハーサルをした曲を演奏するとき、演奏者の脳ではエネルギーが急上昇し、前頭前皮質が活性化した。ところが**即興で演奏をすると、前頭前皮質のかなりの部分を占める外側前頭前皮質の領域の活動が低下した。そして同時に、自己表現に関わる部位である、内側前頭前皮質の領域が活性化する**ことをチャールズは確認した。

脳のこの部分が活性化した瞬間に経験する状態は「フロー」と呼ばれ、ある活動に完全に没入していることを意味する。心理学者のミハイ・チクセントミハイは、フローをこう表現する。「ある活動そのものに完全に没頭している状態。自我は消失。時間は飛ぶように過ぎる。そして新たなアイデアが生まれるのです」。

フロー状態では、なぜ新しいアイデアが生まれるのか

フロー状態に入ると、身体的感覚として説明することのできない無上の喜びを感じる——言葉で言い表せない感覚だ。

「即興演奏は完全に自由で、筋書きもなければ、予《あらかじ》め決められた規則もありません」とチャールズは私たちに語った。「即興は100回プレイすれば毎回異なります。ジャズについてこ

うした神経科学の実験を行なったことで、脳は自発的で創造的なフロー状態にあるとき、まぎれもなく変化していることが分かってきました」。

現在、カリフォルニア大学サンフランシスコ校医学部で教授を務めるチャールズは、何年にもわたり創造性についてさらにいくつかの研究を行ない、ラッパーや漫画家、演劇やコメディでアドリブを行なう人々の脳に同様の反応を認めている。

俳優やコメディアンはステージに上がるとその瞬間に身を委ね、既成概念を手放してひたすら流れに任せる。**神経生物学的にも感情的にも、フロー状態に入る。このフロー状態は前頭前皮質の活動を低下させ、脳のアルファ波を増幅させる。これは瞑想状態やリラックスしているときに生じる現象だ。**

脳のフロー状態は、最高のパフォーマンスを補強するものにほかならない。

しかし、創造的なアイデアはそもそもどこから生まれるのか？　一部の人々がほかの人々よりも自らの創造性を駆り立て、うまく利用できるのはなぜか？　ペンシルベニア州立大学創造性認知神経科学研究所のディレクター、ロジャー・ビーディーはこのような疑問で頭がいっぱいになった。

ロジャーは神経画像や心理測定の手法を含むさまざまな手段を駆使し、創造的思考の心理と神経科学について研究している。目標は、人がいかにして新たなアイデアを創造し、問題を解決するのかを究明することだ。

「純粋に自発的なプロセスだというロマンチックなイメージに反し、心理学および認知科学の実験からだんだんと得られているエビデンスからは、創造性には認知的努力が求められることが示唆されています」[16]。彼は2020年にこのテーマについて語ったポッドキャストでそう述べている。この努力には、予備知識による雑念、つまり物事はこうあるべきだという思い込みを克服することも含まれている、と彼は説明する。

よく用いられる創造性についてのテストでは、回答者はカップやホチキスなどのありふれたものについて、用途をいくつ思いつくか問われる。ほとんどの人は、該当するものの通常の使われ方を知っていると、回答に苦労する。

「こうした発見を踏まえると、一般的に創造的思考とは、脳の記憶と制御システムのダイナミックな相互作用であると考えることができます」とロジャーは説明する。「記憶がなければ私たちの精神は白紙の状態です——知識や専門性が求められる創造性を招くことはありません。一方、**精神をコントロールできなければ、思考を新たな方向へ推し進め、すでに知っていることにはまり込むのを避けられないのです**」。

ロジャーの研究と、創造性について探求するほかの神経科学者たちの研究により、創造的思考が脳のデフォルトモード・ネットワークと実行制御ネットワークの相互作用から生じるようすが明らかになってきた。そして、「これらのつながりにより、私たちは自発的にアイデアを創出し、それぞれを批判的に評価することができます」とロジャーは言う。

「そして私たちは、記憶システムがどのように貢献しているかについて知見を得ています。まさに過去を思い出すときに用いるネットワークが、未来の経験を思い描き、創造的に考えることも可能にしているのです」

アートに携わることは、こうしたシステムを活性化し、創造性に拍車をかける1つの方法だ。例えば、仕事の手を止めてひと休みし、アートの創作活動に従事しながら心をさまよわせると、アイデアがふと湧いてきたと感じる瞬間があるかもしれない[17]。

少しの間、脳をオフラインにして、ぼんやりする状態をつくるのだ。マインドワンダリングが行なわれるのはデフォルトモード・ネットワークである可能性が指摘されており、それは興味深く重要な神経学的スキルである。

基本的に、**脳は内面で起きる想像力を伴う活動を守るために、外部環境に関する積極的な処理など、自分自身の認識活動の一部を中断することがある。**このようなタイプのマインドワンダリングは、私たちの創造性を高めることが明らかになっている。

儀式——脳は物語が大好き

習慣を変えるのは難しい。人は物事を同じやり方で繰り返す傾向にあるが、それは神経可塑性が諸刃の剣になるからだ。決まった行動は神経経路を構築し、それが思考習慣を構築する。その習慣や決まった行動が良いものでなくても、それは変わらない。

作家のアニー・ディラードはこう書いている。「私たちが日々をどう過ごすかは、言うまでもなく、人生をどう過ごすかということだ」。

脳は日々の経験によって形成されるようにデザインされており、感情、認知、肉体、環境に起きた出来事の反復パターンがその人のあり方を決める。**練習と繰り返しが脳を書き換える。**反復されるパターンは、脳が素早く回転し、エネルギーを温存し、力を発揮するのに効果的だが、それが不都合の原因になることもある。

タイラー・ヴァンダーウィールがハーバードでの研究において指摘したように、豊かな心のあり方を実現するうえで、実現可能なもっとも望ましい自己の姿を想像することが鍵となる。自己の私的な物語を、より前向きな物語へと変化させるのだ。

あなたが日々自分に言い聞かせる物語が重要だ。脳は物語が大好きで、物語は自分自身をどのように概念化するかを方向づける。

内なる台本を書き換えるために舞台に立つ

ただし、自分の物語を発見し、再構成し、書き直すために、意識の下に潜んでいるものを掘り起こすには難しい点もある。

ステラ・アドラー演劇学校のスタッフ、アレックス・アンダーソンは、生徒の1人でニューヨーク在住のある男性について話を聞かせてくれた。

この男性は2ページにわたるモノローグをなかなか覚えられず、週に1度のリハーサルのたびにひどく打ちひしがれ、首を振っていた。

ついにある日のリハーサルで、彼は「学習障害があるのでセリフを覚えるのに苦労している」と打ち明けた。彼が子どもの頃、母親は学校の教師からあなたの息子は物分かりが悪いと言われ、それからというもの母親は何度もその話を繰り返した。そして、それが彼の自己像になっていたのだ。

彼をよく知る仲間の俳優は納得がいかないようすだった。彼女は彼をじっと見てこう言った。「あなたは学習障害じゃない」。

まるで彼の目に光が灯ったようだった。それまでとはちがったレンズで、新たな物語を通して見る人がいたのだ。

翌週、舞台に立った彼は、モノローグをよどみなく披露した。

彼が参加したのは、ステラ・アドラー演劇学校のアート・ジャスティス部門による「リチュアルフォーリターン（Ritual4Return）」という12週間のプログラムだった。彼はかつて収監されていたほかのメンバーとともに、うまく社会復帰できるように、舞台を通じて新たな通過儀礼に臨んでいるところだった。

刑務所での生活を終えて社会に戻るとき、世の中では出所した人物についての物語ができていることが多い。こうした物語は内面化され、振り払うのが難しいことがある。

「自分を押し殺して生きる代わりに、舞台にいる自分を誰かに見てもらうだけで、一瞬にしてそれを覆すことができるのです」。ステラ・アドラー演劇学校の芸術監督トム・オッペンハイムは私たちにそう語った。「俳優としての成長と人としての成長は同じことです」。

私たちは誰もが日々演技をしている。舞台に立っているかどうかは関係ない。例えば、オフィスに足を踏み入れたら、組織の一員としての役割を演じる。帰宅すれば親や配偶者の役割を演じる。良き隣人やボランティアになることもある。

人は誰もが物語のなかで生きている。神経学において、こうした役割は自己についての一人称視点と捉えられる。[18] メリル・ストリープは演じることの意義についてこう述べている。**「演技とは別人になることではありません。表面的にはちがって見えるものに類似点を発見し、そこに自分自身を見出すことです」**。

神経学的には、舞台で演じることと、ある役を生きることとはわずかに異なる。私たちは演技をすることで、意識的にその役になりきることができる。

役が架空のものでも、演技者本人の自伝的な提示であっても変わりはない。こうして役になりきることは、相手の立場になって考えることや共感、アイデンティティの変容と関係するネットワークに神経性の変化をもたらすことがある。『ロイヤル・ソサイエティ・オープン・サイエンス』誌に発表された研究はそう指摘する。[19]

この研究では、演技の神経基盤に着目した。研究者たちは役者をfMRIの装置に入れ、シェイクスピアを演じてもらった。すると、役になることにより、脳の活動が広範囲にわたって減少したことが明らかになった。いわゆる「自己喪失」と呼ばれる状態だ。**役に没入することは制約を振りほどくのに役立ち、感情を新たな形で抱けるようになる。**[20]

この研究の目的は演技とロールプレイの認知神経科学を確立することだが、驚くべき発見として、人は演技ではなく単に外国語のアクセントをまねて話しているときでも、脳に同様の反応が見られ、相手の立場になって考える傾向が高まることが明らかになった。

アレックスが考えた「リチュアルフォーリターン」というプログラムは、参加者に架空の人物を演じさせることや、自伝的物語を演じさせることで、彼らが自分自身に対して新たな視点を得ることを支援しているのである。

創造的かつ効果的に変化をもたらすリハーサル

アレックスはソーシャルワーカーになり、ステラ・アドラー演劇学校で働くようになる前は、ギャングのメンバーでしばらく服役したこともあった。ギャングに加わるためには、いくつかの儀式を通過しなければならなかった。そして、刑務所に入っては出ることを繰り返すうちに、刑務所暮らしに伴う儀式に慣れてきた。

「刑務所に何度も出入りするたびに儀式があるなら、人生をより良いものにするにも儀式が使えるんじゃないかと思うようになったんです。うまく利用すれば、反対の方向に進むようにできるだろうと」。彼は私たちにそう語った。

アートの介入によって創造された儀式は、持続的で効果的な変化を生じさせる。文化に基づいた儀式には絶大な効果が期待され、アレックスは自分自身とほかの人々のためにそれを取り入れ始めたところ、求めていた変化が起きた。

彼らはドラムサークルや、音楽や言葉で絆を築く活動を通して、互いを歓迎する儀式を行なった。これは刑務所で失われがちな社会の優しさを蘇らせ、敬意と配慮のある空間を確立する1つの方法だ。**こうした儀式は、私たちの脳にストレスの軽減に役立つ安定と掌握の感覚をもたらす。**

アレックスは、刑務所から復帰した人々を支援するための、アートに基づく儀式をほかにも手掛けている。しばしば社会から置き去りにされる元服役者たちが、社会に溶け込み、仕事や人間関係のストレスに対処できるように支援する。

「このようなサポートや手助けとなるつながりを得ずに社会復帰した場合、誤った儀式を行なうようになります。あるいは、ほかの人々から儀式を受けることになるかもしれません」とアレックスは言う。「そういう誘惑によって社会的堕落にたちまち引き戻されてしまうのです。気がついたときにはまた刑務所ということもめずらしくありません」。

神経美学研究の発達により、儀式とリハーサルがいかに創造的かつ効果的に変化をもたらすか、そのプロセスへの理解が深まりつつある。

舞台はパフォーマンスを行なう場にとどまらない。他者と力を合わせて取り組み、ともにアートを創作する方法を学ぶ場にもなるのだ。

俳優が舞台でリハーサルに臨むようすについて調べた研究では、被験者たちは「批判的な声を沈黙させ、雑音を取り除き、共演者や台本との対話に心を開けるように」努力していたことについて語っていた。ジョン・ラタビーは、リハーサルの神経科学に関する研究のなかでそう述べている。[21]「考えてみてください。**舞台にかぎらず日常生活においても、私たちは誰もが自分の頭のなかの声を黙らせようとした経験があるでしょう**」。

演劇は、他人から認められたい、気にかけてもらいたいという人間の根底にある願望に沿っている。「ときにトラウマやスティグマがあまりに根深いと、前に進むことが妨げられ、同じ場所で停滞してしまいます。そんなときはアートが介入してイマジネーションに火をつけ、そのような力学を根底から覆す必要があるのです」。

アレックスはこのプログラムの参加者についてそう語る。「アートはいわば、人々を奮い立たせるためのもう1つの言語なのです」。

リハーサルという行為は、役に立たなくなった習慣を破壊し、それを有益な新しい習慣に置き換えるうえで役に立つ。社会復帰をしようとする人々に対し、社会での日常的な営みを安全な空間でリハーサルする機会を提供すれば、リスクを避けながら生きるための練習をする機会となる。

研究からは、アートの実践としての儀式に参加することを通じ、感情や象徴、知識が分析されたとき、それらは力強い意義と自己認識の感覚を構築するのに役立つことが示されている[22]。アートはそのプロセスに、習慣を確実なものにするサリエンシーを吹き込んでいる。

斬新さと驚き——「人々の暮らしに創造性を」

儀式と習慣も大切だが、人の脳は持続的に幸福であるには斬新さと驚きも切望する。脳も退屈することがあるのだ。ときには、**「正常」なものの外に出て、あっと驚くことも必要だ。**

創造力のテストの1つが、身近なものの意外な使い方を思い描くことだとすれば、ミャウ・ウルフのデザイナーたちはとてつもない点数を取るにちがいない。

ニューメキシコ州サンタフェには、彼らが手がけた70室から成る没入型のアート体験施設「ハウス・オブ・エターナル・リターン」がある。ボーリング場を改装したこの施設では、衣類乾燥機は別世界への扉となり、光の部屋はメタバースへのワームホールに、壁は来場者が触れて自分のアートをつくれる光の壁になっている。

この独創的なアーティスト集団が生み出したのは、創造力と感嘆、そして何よりも驚きに対するモニュメントだ。ミャウ・ウルフという名前は、設立当初の十数人ほどのメンバーが、帽子にそれぞれ2つずつ単語を入れ、ランダムに引いて並べたものだ。この名前のつけ方が物語っているように、彼らは日常に斬新さを持ち込むことを願っている。

企業理念でも述べているように、「アート、探究、遊びを通して人々の暮らしに創造性を呼び起こし、イマジネーションによって世界を変える」ことを目指している。

まずはアーティストのイマジネーションがある。この才能と創造力に富んだ集団は2008年に自分たちが既存のアート界の枠組みの外で活動していることに気づいた。そんな彼らが集まり、プロジェクトを立ち上げ、没入型のポップアップ式の空間や建物を創造した。

「私たちは没入型の環境を創造する活動を中心に集まった友人とアーティストの集団でした」。ミャウ・ウルフの共同設立者で元理事のショーン・ディ・イアンニはそう述べる。「とことん開放的で、アナーキーなアート集団でした」。

人は創造する生き物だ。創造していなければ幸福になれない。自己表現は自分のあり方に欠かせないものだ。ミャウ・ウルフの創設者とアーティストは、一般的な営利目的のアート産業に組み込まれるのを待つことなく、独自のシステムを構築した。

そして見る側として、私たちがミャウ・ウルフで経験したのは斬新さと驚きだった。２０１６年にハウス・オブ・エターナル・リターンがオープンしたとき、アーティストたちは年間の来場者を約12万５０００人と予測した。

本書のカラーページAをご覧いただきたい。来場者は最初の３カ月でその予測に達した。「世界はあるものをしきりに求めるようになっており［中略］それはミャウ・ウルフがすでに何年も取り組んでいることだった」。ジャーナリストのレイチェル・モンローは、２０１９年の『ニューヨーク・タイムズ・マガジン』の特集記事にそう書いている。[23]

目新しさが自分を変え、世界をも変える

美をめぐる神経学的研究においては、ときに親しみのあるものが好まれる傾向があるが、斬新さが好まれることも多々ある。アートにふと足を止め「ああ、これはクールだ」と思わせるような新しさだ。

例えば、浜辺を見て、浜辺だと思うのは当然だ。私たちはそれが浜辺だと知っていて、美的な心地良さを感じるかもしれない。だが、《スパイラル・ジェティ》のようなアース・アートに出会えば、脳は斬新さに引きつけられる。《スパイラル・ジェティ》は、ロバート・スミッソンがユタ州のグレートソルトレイクの岸辺に、泥と塩の結晶、玄武岩で構成された全長

約460メートルのアート作品だ。**斬新さとは、私たちの脳に目新しく、従来とは異なるものとして刻まれるものを指す。**

私たちの脳は、目新しい刺激に注意を払うように精巧に調整されている。通常とは異なる刺激に反応する。単調にだらだらと話す講義と、生き生きとして、声の大きさや調子が変わる講義を聴いている場面を思い浮かべてみよう。これはあらゆる感覚について言えることだ。

2012年に行なわれた斬新さに関する初期の研究から、**目新しいことを経験すると、ドーパミンの放出により海馬の活動が刺激されることが明らかになった**[24]。とくに、黒質および腹側被蓋野で活動が見られた。fMRIを用いたこの研究では、目新しさが脳のこの領域の活動を誘発し、結果的にさらなる関与を促したと理解した。

斬新さはしばしば驚きを引き起こし、予測を覆す。私たちがなぜ驚きを感じ、それが脳でどのように働くのか、1980年代から研究が行なわれてきた。

驚きはしばしば新たな行動を刺激するため、順応性をもたらすと考えられている感情だ。驚きは大脳基底核の一部である側座核で処理される[25]。この感情を覚えると瞳孔が拡大することから、興奮状態にあると示唆される。

私たちの注意は問題となる対象に集中し、脳が吸収力のある状態となり、次にすべきことの判断材料とするためできるだけ多くの情報を取り入れる。**驚きが心地良いものである場合は報酬系が作動する**[26]。ミャウ・ウルフのような例では、驚きは心地良く感じられ、新鮮な角度から世界を見られるようになる。

ひじょうに強い畏怖の念を呼び起こすようなことでも、何度も繰り返し目にすれば、最初と同じような生物学的反応は見られなくなる。脳はエネルギーを温存するため変化のない出来事に慣れる。そうした出来事、つまり刺激はもはやサリエントではなくなり、脳はエネルギーを浪費せずにすむのだ。習慣化は脳内で起きる学習の一種にほかならない。そして脳は、新たな経験に注意を向ける。生き生きとして、息を飲むような経験に。

その角を曲がったら何があるのか？　驚きの要素は何か？　通勤のルートを変えることや、新しい美術館に行くこと、新しいレシピを試すことといった簡単なことでもかまわない。

ミャウ・ウルフのような経験は、斬新さと驚きという点で爆発的な成功を収めている。会場を出たときには、好奇心が刺激され、思考が広がり、アーティストたちが期待したように、神経学的な視点から、自分自身を変えられるような、さらには世界さえ変えられるかもしれない状態になっている。

「これらのスペースには多くの扉があります――次元間の旅へとつながる冷蔵庫とか。けれど、いちばんの素晴らしい扉はミャウ・ウルフから外へ出る扉です」とショーンは言う。「それは外のすべての世界へと続く扉で、外に出るとさまざまなことに気づくようになるかもしれません。もしかすると平凡なものに目を止めるかもしれない。歩道のごみとか、建物とか、パーキングメーターとか。それを新鮮な目で見るようになる。周囲にある、あらゆるものに気づくようになるのです」。しかも、それを驚くほど新鮮な目で見るようになる。脳はそれを好んでいる。

すべての要素を統合する――アートを利用した人物

私たちは長年にわたり、また本書の執筆を通して、美的マインドセットに基づいて生き、持続的幸福を手にした大勢の人々に出会う機会に恵まれた。

精一杯生きるとは何かを模索するためにアートを利用した人物と言えば、すぐに頭に浮かぶのはフレッド・ジョンソンだ。

フレッドにはさまざまな顔がある。海兵隊員だったときには、ベトナム戦争のさなかに現地に派遣された。ミュージシャンとして高く評価される彼は、マイルス・デイヴィスやチック・コリアなどのジャズ界のレジェンドたちと世界を回ったこともある。その気になれば、即興演奏の巨匠としてチャールズ・リムの研究対象になるほどの才能だった。

また、歌がとてもうまく、聴き手に喜びをもたらす歌声の持ち主でもある。さらに、マルセル・マルソーの伝統を受け継ぐ沈黙のアート、パントマイムの研究にも長年にわたり打ち込んだ。パントマイムという方法で動きを表現することに魅了されたのだ。

彼は興味をそそられた何かに対して注意と関心を払いながら掘り下げていくうえで、アートの実践の儀式的な力を信じた。そのなかで言葉の大切さに気づくとともに、沈黙のアートを使ってコミュニケーションを図ることの意義を実感した。

のちにフレッドは、西アフリカのストーリーテリングの2人の達人から指名され、何世紀も受け継がれてきた、旅する「ジョリー（Diali）」の伝統を教え込まれた。訪れる土地で語り継がれる歴史を維持し、音楽と詩を通して人々を癒す役割だ。

フレッドは生涯をかけて、真剣な情熱を紐解き、積極的にリスクを受け入れて新たなことに挑んできた。彼は思いやりと謙虚さに満ちた注意力を持ち続け、そのおかげで自分の才能を見出し、共有し、祝福するとともに、他者の才能を称賛することができている。

出生に遡ると、フレッドは養子だった。養子に出された黒人の少年として養父母の家庭で育ち、人生の大半を自分の生まれについて知らずに生きてきた。「母親が誰なのか分からないというのは強烈なことです」とフレッドは私たちに語った。「私はひじょうに不利な状態でこの世に生まれたと言えるかもしれない」。

フレッドは誕生すると行政の保護下に置かれた。5歳半になるまでは、里親の家や孤児院を点々とした。「私は人生のなかでもとくにつらい時期を過ごしていたが、最大の成果を得たのはこのときでした」と彼は言う。

フレッドには才能を開花させる能力が生まれながらに備わっていた。たとえきわめて過酷な環境にあっても音楽を通じ、物事に注意を払い、一定の創造的好奇心を生み出す術を幼くして身につけた。「成長期のあの頃に手にしていたのは、自分の声と動きでつくる音だけでした」と彼は言う。「私はいつも音を鳴らしていた。私はそうやって自分を寝かしつけた。自分の声の周波数と振動に耳を傾けて。ただ心のままに」。

もう少し成長すると、フレッドは曲を覚え、歌を練習するようになった。「人が自分のところに集まってくれる経験を初めて味わった。嫌がられ、私から離れていくのではなく」と彼は言う。彼は人とつながるこうした瞬間に畏怖の念を感じていた。

フレッドは音楽に情熱を傾け、悲惨な子ども時代だったにもかかわらず、音楽を追求した。そして目的意識を持った前向きなものの見方を身につけ、音楽の練習と演奏を通じ、自分自身と世界に創造的に関わるスキルを養った。「音楽がなかったら、私は今ここにいないかもしれない」と彼は言う。

フレッドは若いときにベトナムに派遣され、死を招く戦争の残虐行為を経験して、人生の情熱に新たな活力が芽生えた。自分の才能を、他者とつながり、音楽が彼にもたらした意味と目的を自分以外のためにも活かしたいと願うようになったのだ。「戦争のあとに自分を取り戻すには、他人の役に立つことが唯一の道だった。それがベトナム戦争に参加して私が受けた精神的傷に対処する、私なりの方法でした」と彼は言う。「私は残りの人生を、自分ができる方法で命を与えることに捧げた。戦争を経験した後で、ふたたび自分の声を見つける必要があり、他者を助けることでその声を見つけたのです」。

以来、フレッドは声を使って癒すと同時に幸福になるための旅を続けてきた。世界にバランスをもたらすことにより、彼自身のなかにもある程度のバランスを見いだしている。

彼はフロリダ州タンパにあるストラズ舞台芸術センターの招聘アーティストおよび社会貢献のスペシャリストとして、心身に活力を与えるためつねに変化する豊かな環境を見つけてきた。

フレッドは権利を奪われたコミュニティにも働きかけ、人々が自分の声を見つける手助けをしている。自分と同じ退役軍人にも、演劇や物語、音楽を通じて経験を語るように勇気づけている。また、彼がストラズで手がける「コミュニティの声」というプログラムでは、先住民のアーティストと有色人種のアーティストを集めて合同で公演を行ない、互いに学ぶ機会を設けた。目的は、「新たな声を与え……力づけ、教育し、できればコミュニティで団結する新たな方法を確立できるように鼓舞すること」だと、ラジオのインタビューで述べている。

フレッドはイベントだけでなく、儀式を創造することも得意とし、人々が持続的幸福を得られるように土に種をまく手助けをしている。フレッドがジョリーの伝統を受け継ぐ2人の年配のストーリーテラーに出会ったのは、この文化の国際的垣根を越えた取り組みを行なっているときだった。そして彼らに触発され、フレッドもジョリーを行なうようになった。

彼らは、「どんな集会でも、音楽や食べ物、歌によってコミュニティを一体感と共通の意識でまとめることができると教えてくれました」とフレッドは言う。

「ひとたび心がまとまり、存在が一体化すれば、ともにすべきことや、協力して運営し、ともに前進することについて話し合う段階では、すでに意識のうえで団結し、みんなの利益を目指す心構えができています。ジョリーはストーリーテラーであるだけでなく、癒しを与え、夢を織りなす役割も担い、自分たちがともに創造できるのだと気づかせています。ともに考えを表明できるのだと。私たちには、夢を見ること、想像すること、切望すること、祝福することが大事なのです」。

スーザンはフレッドとよく協力しているため、さまざまな場面で彼の活動を目にしてきた。

100人以上の神経科学者たちがそれぞれの研究について議論する特別な会合が開催されたとき、スーザンはフレッドを招き、その日の会合に彼の魔法を吹き込んでもらった。フレッドは科学者たちの研究発表に静かに耳を傾けていた。するとある医師がトラウマの対処法に関する一節を読み上げた。

「彼の言葉はひじょうに鋭く、心にしみました」とフレッドは振り返る。「そして私にとって、生きるというアートは、私たちが互いに差し出すべきもの、私たちがありたいと願う姿、それを表明する方法、そういったものの全体像に本当に結びつくことができるように空間に存在することなのです」。

フレッドはその一節を歌わせてほしいと申し出た。そして会場に畏怖の念をもたらした。語られた言葉を経験し、具体化する斬新な方法を示したのだ。

フレッドはごくありふれた場面においても、人には思いもよらない有意義な方法で結びつく能力があることを全員に気づかせた。フレッドが歌い終えたとき、スーザンは誰もがその物語を新たな視点から理解したことを覚えている。

そして2018年、フレッド自身の物語が展開した。彼の血のつながったきょうだいたちがインターネットで大がかりな調査を行い、彼を見つけ出したのだ。

「私は自分が誰なのかという究極の祝福を得た。私はうしろを振り返ることを恐れ、ずっと前を見て人生を過ごしていたのだから」とフレッドは言う。「大げさではなく、あの日家族とつながり、翌朝になって目が覚めると視界が急に広がった感じでした。すべての方向が見えるようになったのです」。

フレッドはアートを通じ、持続的に幸福な人生の本質を体現している。喜び、苦悩、感嘆を味わいながら生き、どこまでも開いている。まるで花が咲くように、自己とコミュニティの充足に向けて開いている。

ほかの人々のなかに本当の持続的幸福を育むこと。それがフレッドの人生の中心にある。

「人間らしさの本質は、私たちが本当の自己との結びつきに気づくことです」と彼は言う。

「世界のクリエーターたちは、いまやこれまで以上に、人生と生きること、存在することの美しさについて、互いに確認し合うとてつもなく大きなチャンスを手にしていると信じています」。

そして誰もが知るように、私たち1人ひとりのなかにそうした種がある。誰もが自分の資質を磨き、持続的幸福を手に入れることができる。

これを80億倍にして、地球上に住むすべての人々に広めよう。コミュニティになかでアートと文化を育てたら、どんなことが起きるだろう？

HUARIU

Chapter

7

人類はアートとともに進化する
――コミュニティの構築

アートの目的は、答えによって隠されてきた疑問をさらけだすことだ。

――ジェイムズ・ボールドウィン（作家）

人類が誕生してからというもの、人が集まるあり方は変化してきたが、集うことの理由は変わらない。

人間はきわめて社会的な生き物であり、生物学的に自分より大きなものに所属するように進化した。私たちは互いを必要としており、家族や友人、同僚、隣人との強く永続的なつながり、つまり生涯をかけて築く関係がないと生き残ることはできないし、ましてや繁栄することはできない。

コミュニティで生きなければならない宿命を根底から支えているのは、思想やアイデア、感情を創造的に共有する独特の能力だ。

人間の繁栄は突き詰めるとこう集約できる。**アートが文化を創造する。文化がコミュニティを創造する。そしてコミュニティが人間らしさを創造する。**

2億5000万年以上にわたる進化は社会性の発達を促してきた。私たちは人間の独創的な表現がコミュニティの創造をどのように促してきたのか理解したいと考えた。そこで、進化生物学者のエドワード（エド）・O・ウィルソンと、彼が2021年にこの世を去る前に対話を始めた。

アートの起源は「火」

エドは自然界に関する画期的な研究と洞察により、世界中で尊敬されていた。何十年にもわたって人間の存在の土台について研究し、それを『知の挑戦——科学的知性と文化的知性の統合』（山下篤子訳、KADOKAWA）や『創造性の起源（*The Origins of Creativity*）』をはじめとする著書にまとめ、多くの映画やテレビやラジオの番組で語った。

私たちはアートと美的経験が人間の発達に欠かせないものであることについて、彼と意見を交わした。これは、エドが長い間考察してきた話題でもあった。

エドと話していると5分もしないうちに、彼の飽くことを知らない感嘆の念と好奇心に引き込まれる。堅苦しさは一切ない。すぐに話題の核心に入る。まるですでに思考中だったかのようだ。

エドは楽しく話をするのが大好きで、私たちの会話はアートの創造から生物の多様性、さらには彼が異星人の文化が見つかる可能性を信じていることなど話が逸れることもあった。

エドはまず、説得力のある4つの考察の1つ目から話し始めた。「人類は火の明かりとともに始まった」と彼は私たちに言った。「我々の命は誰もが知るように、稲妻のおかげで今があるのです」。

アフリカのサバンナでは、太陽の表面より6倍も熱い電気のアークが木ややぶに火をつけて燃え上がった。初期のホモ・エレクトスやホモ・サピエンスはこの魔法を手に入れ、それを行く先々へ持ち運んだ。私たちの先史時代の先祖は、野火を利用して安全なたき火をすることを学び、それをすみかや野宿の場へと持ち帰った。これは言うまでもなく、初期の人類の進歩の転機となった。なぜなら肉を調理できるようになったからだ。

採集に狩猟が加わったことで、劇的な変化が起きた。肉を食べるようになったことで体に変化が起きた——奥歯から消化管に至るまで、あらゆる箇所が変化したのだ。

だがそれだけではなく、複雑なコミュニケーションと連携も求められるようになった。日中は、獲物を追跡する計画や子どもたちの世話や食べ物の準備など、集団にとって必要な日常の基本事項に対応するため、言葉が発達した。

だが、夜になると注目すべきことが起きた。火が起こされ、たきぎが音を立てて燃え上がり、気分を高揚させる心地良い煙の香りが辺りを満たした。はちみつ色の光が初めて顔を温め、暗闇を明るく照らし、暖かさに加え、捕食者たちから身を守る術がもたらされたのだ。

こうして、人は輪になって揺らめく炎を見つめ、語り合いたいという欲求を永遠に抱くようになった。

日中の現実的な思考は、夜の神秘的で心を揺さぶる雰囲気に道を譲り、火は集うことの新たな形態を育んだ。物語をつくり、歌い、踊った。集団の道徳観や倫理観を伝える神話やたとえ話を創造した。祝い、哀悼した。やがてともに歌い、体を動かすようになり、そうして感情と音を共有することで、絆や集団の超越感、集うことの喜びを築いた。

火を囲むこの場所で、人間らしい創造的な方法によって、意味づけや帰属に関する重要な表現が幾重にも発達した。現在「アート」と呼ばれる活動が、生存のための進化上の優先事項として形成され始めたのは、まさにこの場所だった。先祖たちによるアートの創造が、文化とコミュニティの基礎を築いたのだ。

こうした初期の集いは、神経生物学的な報酬系を刺激することで、コミュニティという社会的価値の種をまくことに貢献した。今では研究により、**このように社会的つながりに参加し、それを育むことは、脳の訓練をしているに等しいことが分かっている。**

つまり、認知機能を高め、ストレスを減らし、気分の落ち込みを軽減する。そしてミラーニューロンにより、人類は他者に対して共感や理解を示すようになった。アートに接し、注目することは、自分自身と世界について学ぶことだった。

自己を表現する美的な差異が社会的アイデンティティになった

エドはアートと文化がこのようにして誕生したことを、自身の研究だけでなく、化石の発見や考古学的発見、さらには最古の文明に近い生活様式を維持する現代のコミュニティのフィールドスタディからも検証している。

例えば、現在のジブラルタルとイスラエルにある先史時代の住居には、2種類の炉の跡が残っている。1つは調理用の炉跡で、入口付近にあることが多い。慌ただしい日常の活動の中心となる場所だ。もう1つはもっと奥にある。岩の自然なくぼみによって隔てられた居間のような空間で、人々はそこに集まり、火を取り囲んで互いに交流していた。

これはエドが教えてくれた進化に関するもう1つの発見につながる。「私たち人間は、アリやハナバチ、狩りバチ、シロアリとともに、地球全体でわずか19種しかいない『真社会性』を持つ種です。つまり、集団の未来を確保するために協力しています。**個人の生存より集団選択が優先されたことで、思いやりや共感、チームワークといった、私たちが今日まで磨き**

をかけてきた人間の核となる特徴が発達しました」とエドは語った。「集団の一部が集団全体の利益のために犠牲を払うのですから、コミュニティを築いて支えるには利他的行為が欠かせなかったのです」。

いつもそうだとは言い切れないが、人は大昔から孤立や身勝手な行為より、コミュニティと利他的行為を選ぶことが多かった。[01] 飽くなき対立状態は、進化の点から見ると致命的だからだ。

私たちの先祖がうまく協力し合うには、意図はもちろん、複雑な考えや感情を他者に伝える新たな手段が必要だった。そこで個人と集団のアイデンティティを伝え、表現するためのさらに高度な手法を生み出した。

先祖たちは地面から天然の粘土を掘り出して黄土色の顔料にしたり、石を細かく砕いて顔料にしたりして、体に塗りつけた。装飾や儀式のために色鮮やかな鳥の羽を集めた。自然に象徴や意味があると考え、想像を通して現実の世界を表現するようになった。強い社会的スキルは遺伝的に優遇され、代々受け継がれる特徴となり、美的な差異は社会的アイデンティティへと続く道になった。

その結果、複雑な感情を生み出す脳の発達が促され、これがエドの3つ目の考察となる。

「私たちの先祖が複雑な感情を伝え、互いに特定の感情的反応を引き出すスキルを身につけたようすを理解するのは、ひじょうに興味深い」と彼は言う。

一例として、物語を聞かせることについて考えてみよう。語り手の想像から生まれた物語は、聞き手を別の場所や時代へ連れて行くことができる。また、重要な情報や意味を提供する。脳が化学物質を次々と放出し、海馬において情報を符号化する過程を経て、私たちは物語を文字通り「感じる」。

現在では、感情的な側面が強ければ強いほど、物語の記憶が強く残ることが明らかになっている。大切な気持ちや考え、感情、共有すべき知識を伝えるために人が物語をつくり出す能力は、人間が他者とともに美的な方法で世界を理解するために発達させた能力の1つにすぎない。

物語が自己と他者をつなげる

物語を聞かせることは脳内で強い神経反応を引き起こし、聞き手を、語られる考えと話し手に結びつける。2010年、プリストン大学の研究者たちがｆＭＲＩの画像を用い、物語の語り手と聞き手の脳で何が起きているか観察した。[02]

とくに注目したのは、脳のどこでいつ活動が起きるかを示す時空間活動だった。彼らは話者の脳の活動の地図を作成した。そしてそれを聞き手の脳の活動と重ね合わせた。するとどのような結果が得られただろう？　なんと、**話者の脳の活動は聞き手の活動と一致したので**

ある。

これは神経カップリングあるいはミラーリングと呼ばれる現象だ。聞き手の脳が語り手の活動を文字通り映し出す。神経カップリングが強いと、物語の理解や解釈が深まると研究者たちは結論づけている。**物語がサリエントであればあるほど、聞き手の脳の活動は語り手の活動とより積極的に一致する。**物語のサリエンシーは無数の要因から生まれるが、Chapter5（学習）とChapter6（持続的幸福）で述べた、神経化学的な情動反応も含まれる。

好奇心に畏怖、驚き、ユーモア、斬新さもそうだ。不思議なことに、物語の結末を知っているときでさえ、サリエンシーが存在することがある。脳は記憶を大まかな物語として符号化する（Aが起きると、次にBが起きる）[03]。関連する記憶を呼び覚ますことのできる物語は、それをさらにサリエントなものに感じさせる力を秘めている。脳はそもそも、生まれながらの語り手だ。脳は投下される刺激に対し、絶えず物語を与えようとしている。

その結果、脳は飛躍的に成長した。大きさが前頭葉を中心にかなり増した。人類出現以前の先祖の頭蓋容量はチンパンジーと近かったが、ホモ・サピエンスは脳の質量を急激に（進化のタイムラインから見てということだが）3倍以上に増加させた。

人は複雑な感情や共通の経験を表現する新たな方法を考案し、脳はそれに応じてアートを生む新たな手段を創造することで変化したのである。

人は複雑な心の状態と思考を伝達可能なアート形式に変化させられるように進化した。そしてそのアート形式とは、自己と他者の距離を埋めるのに役立つようなものだった。ノースウエスタン大学の神経科学者で心理学者のリサ・フェルドマン・バレットは、端的にこうまとめている。「人類はこの地球上で、いとも簡単に話をつくり、集団でそれについて合意できる唯一の動物であり、しかもそれを現実のものにする」[04]。

エドは最後の考察として、この驚くべき進化の価値は、「私たちがイマジネーションと創造的思考によって新たな未来を創造できることにある」と説いた。それはまさに、人類が何百万年もの間行なってきたことである。

国の文化を継承するためのアート

人類が世界各地に定住するようになると、私たちの先祖は常設の野営地を築き、先史時代の仲間たちから得た知識とともに先住民族固有の文化が誕生した。

アートはコミュニケーションの一形態であり、人は感情や信念、観察から得た知識を表現する手段として磨きをかけるようになった。「何かをつくり、創造したいという欲求は人間にとって根本的なことです」とエドはあるときの会話で私たちに言った。「発達の次の段階は、絵を描き、木や石を彫り、道具をつくり、創造性やイノベーション、試行錯誤を通じて複雑な問題を解決したいという欲求を拡大させました」。

新たに誕生した特色ある各コミュニティは、身近な環境で得られる資源を用い、調理法を編みだして調理をした。絵を描き、像をつくった。衣服やボディーアート、装身具、入れ墨を考えついた。器や宝飾品、繊維を用いたアートを洗練させ、さらには従来とは異なる新たな視点や立場から見た複雑な構造まで試し始めた。例えば、オーストラリアの先住民は、空から眺めた地形図を描いた。

洞窟に記号が残されたのを皮切りに、言語と文字が誕生すると、人類が創造する能力は大いに高まった。**世代間で知識を継承できるようになり、身近な仲間から生き延びる方法を学ぶしかない他の動物よりも飛躍的に進歩した。**また、そのおかげで人は創造的になるうえで欠かせない時間を手に入れ、それが脳の増大へとつながった。状況に合わせて行動を変化させるには、さらに多くの脳細胞が必要になるからだ。

各地に根づいた文化は、社会的価値や信念を伝えるために、創造的活動や物づくりの新たな方法に磨きをかけた。そして興味深いことに、創作物の文化は地域によって異なるが、つながり、伝え合い、絆を深めようという根本的な意図はすべての文化に共通していた。

現在、世界には90カ国に5000以上の代表的な先住民族グループが存在し、その人口は約4億7500万人にのぼる。これは世界人口の約5%に相当する。どのコミュニティにも独特な文化があるが、歴史的にも、時期的にも、アートと美をコミュニティの構築に用いている点では共通する。

ホピ族の文化を表すカチーナ人形

最古のコミュニティにおいて、アートが文化の構築に用いられたようすを知るために、地球の反対側に位置する2つの先住民族を紹介しよう。

まずはアメリカ南西部に暮らす、フィリップとジュディのトゥワレッツティワ夫妻である。フィリップはホピ族の一員で、ジュディはChapter3で出会ったビジュアルアーティストだ。私たちはニューメキシコ州ガリステオの、赤土の稜線《りょうせん》に囲まれた盆地にある夫妻の自宅を訪れた。この日は、辺りにはセージの葉の香りが漂い、広い空を見上げると太陽がさまざまな光のいたずらをしていた。

ジュディは独特のあたたかく魅力的な笑顔で私たちを迎えてくれた。フィリップは「くよくよするな　ホピ族であれ」と書かれたTシャツにブルージーンズで現れた。のちに知ったが、これが彼のいつもの服装だ。80代になって間もない2人は結婚して30年以上になり、互いの考えを知り尽くしている。

家のなかで私たちが引きつけられたのは、白い土壁に飾られたホピ族の見事なカチーナ人形のコレクションだった。

ホピ族の男たちはコットンウッドの根を彫ってこの人形をつくる。カチーナ人形はホピ族が信じるカチーナと呼ばれる超自然的存在、つまり精霊を表している。カチーナは何百年も前からアメリカ南西部の自然環境で育まれてきたホピ族の行事で用いられている。部屋にいたのは私たち4人だが、にわかにそれ以上の存在が感じられるようになった。

「ホピ族の文化では、アートと暮らしとアイデンティティは今も昔も切り離せないものなの」とジュディは語り始めた。ホピ族は先祖が何世紀も前に行なっていたのとほぼ同じやり方で創作し、祝い、儀式を行なっている。

「そういう創造的な表現が社会の理想を揺るぎないものにしていて、きちんと行動してれば、ホピ族の道を歩んでいることになる」とフィリップはつけ加えた。

アイビーはフィリップとジュディを20年以上前から知っている。ガリステオのコミュニティセンターで毎年開催されるチリ料理コンテストで出会った。

アイビーは2004年にガリステオに家を購入していたため、町の人たちと知り合いになりたいと思っていた。人口300人にも満たないこの町に引きつけられたアイビーは、「自然を注入」するために訪れるのだとよく冗談を飛ばしている。

3人はフィリップのチリ料理を通じてすぐにつながった。「**ホピ族にとって、料理はそれ自体がアートなんだ**」。彼は私たちの訪問中にそう言った。コンテストでフィリップが優勝したのもうなずける。彼のチリ料理の材料はスープとトマト、チリ、それにスパイスが少々。「豆はなしだ」と彼は力を込めて言う。

「もっとも、ホピ族にはトウモロコシがベースの料理がいくつもある。**トウモロコシについて教えよう。それは命なんだ**」とフィリップは続ける。トウモロコシはさまざまな行事の中心にある。この砂漠の文化では、欠かすことのできない大切な食料だ。ホピ族は乾燥地帯で食物を栽培する術を身につけ、種を確保してまく儀式を代々伝えてきた。

「母なる大地に枝で深い穴を掘る。その穴にトウモロコシの小さな種を何粒かまき、土をかける。種から芽が出て伸びる。成長するとトウモロコシの子どもになる。世話をして育てないといけない。トウモロコシは命の象徴だ。小さなトウモロコシは守る。ときには小さな風よけで囲う。水をやる。カラスやウサギとか、天敵から守る」

ホピ族はトウモロコシの一生を20以上のライフステージに分け、名前をつけている。そして、このたった1つの食材をさまざまな料理に変えているのは驚くばかりだ。多くの儀式や行事の中心にはトウモロコシとそれを料理する蒸気があった。

ホピ族の精神を体現し、自然界を祝福する歌や踊り、祈り、物語が生まれた。子どもから老人まで誰もが役割を持ち、誰もが参加した。ホピ族にとって、「アートはとても民主的なプロセスだった」とフィリップは言う。

儀式を通じて「絆の形成」が活性化する

ホピ族の創造的表現は多彩だ。織物に陶器、宝飾品、彫刻。完成品がどのようなものであっても、特定の意味が込められた一種の簡単な視覚表現により、普遍的なシンボルが文化を表現している。

さまざまな例があるが、カチーナ人形は1つの美しい例だ。「このアートは抽象的であり、具体的でも、比喩的でもあり、記号や象徴がたくさんつまっているの」。ジュディはそう言いながら2体のとても個性的なカチーナ人形を掲げた。

1つは「競争者」と呼ばれる黒い人形で、小さな丸い目から口にかけて2本の赤い線が描かれている。頭は四角く、角がやや丸みを帯び、両手をへそに当てた、ごく小さな黒い体に取り付けられている。もう1つは「クロウ・マザー」というカチーナの母とされる人形だ。ハイカットのモカシンを履いて複雑な衣服をまとい、毛布状のショールを肩にかけ、頭に羽をつけている。ジュディとフィリップはそれぞれの人形の役割と性質、そして彼らの物語を伝える行事について説明してくれた。

こうした行事では、参加者が生み出すリズムや歌や動きが融合して集団全体のものになる。謎や危険、恐怖、喜び、誇り、満足感を伝える物語が幾度となく語られる。そしてこうした昔の経験を通して、人類の存在の道に共通の理解が生まれる。

先住民の文化は衣装と小道具で観光客を楽しませるアトラクションではない、とジュディは私たちに念を押した。「ホピ族は現代の世界に存在する古代のコミュニティなの」と彼女は言う。日々の儀式と深遠な行事のサイクルを通して、ホピ族の伝統は世代から世代へと引き継がれ、生きるための教訓が強化されるのだ。

満足感や幸福感に関する神経生物学的な研究からは、**こうして人が集うことと、動きや音を共有する喜びには、生物学的な相関関係が存在することが明らかになっている。**ドーパミン、オキシトシン、セロトニン、エンドルフィンは、楽しさを感じたときだけでなく、そうした瞬間を予期するときや思い出すときにも放出されるのだ。音楽と踊りは、これらすべての神経伝達物質のレベルを上昇させる。

ホピ族はトウモロコシとカチーナの儀式や行事により、絆を形成する強力な化学物質を本能的に活性化し、1つにまとまった民族を形成した。音楽や踊り、パフォーマンスを伴うコミュニティの活動は、脳内で思いやりやつながりの意識を作動させる。[05] ドーパミン、オキシトシン、セロトニン、エンドルフィンの放出とともに、他者への思いやりや喜び、畏怖、満足感を深く覚えることが研究から明らかになっている。

ジュディとフィリップから見て、地球の反対側で暮らしているのはジェローム・カヴァナだ。彼はアオテアロア（ニュージーランド）の作曲家でアーティスト、そしてマオリ族の伝統楽器タオンガ・プオロの奏者である。彼が生まれた北島では、沿岸部にも内陸部にも彼の先祖の部族が暮らしていた。

ジェロームは全身に「タ・モコ」と呼ばれる先祖から受け継いだタトゥーを入れている。タ・モコは自分のファカパパ（先祖）と来歴を表現している。どれもジェロームの家系や彼の役割、部族との関係を表す特有のシンボルだ。彼の体はマオリ族の世界観（テ・アオ・マオリ）における彼の立場を称える生きたアートだ――マオリ族の世界観では、命があるものもないものも含め、あらゆるものとの間に結びつきと関係があるとする。

「こういうシンボルはマオリ族の世界観ではいたるところにあります」とジェロームは私たちにそう語る。「マオリには『ワーナンガ（wānanga）』という概念があり、これは集うための時間と場所を設けることを意味します。ワーナンガでは、そうした物語や儀式が共有され、実践され、受け継がれ、私たちの文化のなかへと織り込まれてゆくのです」。

彼の説明によると、マオリ族の言葉で物語は「プーラーコウ（pūrākau）」と言い、「話をする木」を意味する。「これは単刀直入に、私たちの文化が自然と強く結びついていることを物語っていて、それは根本的な事実です」と彼は言う。

「マオリ族の文化とアートでは、すべてのものが自然界と関係し、バランスを保っています。すべてのものが結びつき、すべてのものが大切だという認識があります――小さな草の葉、砂粒、一滴のしずくに至るまで。すべてが大切です。ある年長者はいつもこう言っていました。

『川について話してはいけない。川に行って、川と話をするんだ』」

マリオ族のアートは、日常生活のなかで重要な役割を果たしている。**タオンガ・プオロという楽器は昔から今に至るまで、治療や、メッセージを伝える手段として、人生の節目やその他さまざまな行事で用いられている。**楽器は自然の素材でつくられ、風や海、鳥のさえずりなど自然の音を表現している。

マオリ族の言葉でアートの創造は「マヒ・トイ（Mahi Toi）」と表現され、西洋のアートの概念とは異なる。アートの創造とは、自然に対する文化的反応に関わる先祖伝来の習慣を継続することにほかならない。

「私たちが行なっていることはむしろ敬意に関わることです。私たちの文化、私たちのアート、それは私たちの部族に尽くすことを重視しています」とジェロームは言う。


ある日私たちが話をしたとき、ジェロームはプトリノを彫り終えたところだった。これはニュージーランド北島原産の木からつくった木笛のことだ。彼が何時間もかけてこの伝統文化から生まれた楽器をつくったのは、子どもが生まれたばかりの両親のためだった。子どもをこの世に迎え入れるためのしきたりである。

「この楽器は3通りの方法で演奏でき、この楽器にまつわる物語には、自然とコミュニティのつながりと知恵に関するテーマがあります。こうした物語は、私たちが現代において人生をしっかりと歩んでいけるように先祖から伝えられたものです」とジェロームは教えてくれた。「この文化的習慣は私たちのつながりを保つ役割を果たし、西洋的な個人主義の概念を退けています。それぞれがテーブルに何か持ち寄れば、みんなが楽になるという考えです」。

私たちの会話はアートだけでなく、しばしば科学の話題にも及んだ。ジェロームはときどき、科学的発見に関するニュース記事を読んで、マオリ族はすでにそれを知っていたと思うことがあるという。

そういった知識は、例えば、物語の形式や、アートの形式で記録されてきたものだ。そんなとき、コミュニティではちょっとした冗談を言うそうだ。「なんだ、そんなのもう知ってるよ。小さいときに教わった。それを今さら、科学的発見をしたって？」。

コミュニケーションに用いる方法が進化しても、価値観を伝え合う原初のアートの役割は失われていない。人はコミュニティのなかで暮らしていくよう生物学的に定められており、私たち2人が目の当たりにしたのは、マオリの人々がアート、美的経験、文化といった創造的な表現を使って相互関係を築きながら根源的な価値観を織りなしていくようすだ。

そして、どんなにささやかでも、こうした共通の価値観が行動に移されたとき、私たちは繁栄するのである。

一例は自然界に敬意を払い、畏怖の念を抱くことであり、エドはこれを生命愛と呼んでいる。自然や他の多様な生物とつながることは人としての欲求だ。先住民族の文化において、自然は存在の根幹に関わるものでもあり、行事や儀式は自然のサイクルを讃えるために考えられ、時期が定められた。そしてそれがアートの創造を促している。

創造的表現を繰り返すことが、団結をより強固にする

もう1つの信条はアートを日常的に実践することだ。初期の文化に「アート」という言葉は存在しなかったが、創造的な表現行為は日々の暮らしと密接に結びついていた。そうした行為は日常の一部となり、創造的なことをしたいという衝動は普遍的だった。

創造的活動は、専門知識の有無や年齢、性別に関わらず、誰もが参加できるという点で民主的だった。創造する側と、見守る側に境界はなかった。多様性や互いの補完関係は推奨された。コミュニティの要求やアイデンティティ、成長を創造するには、さまざまな声やアイデア、スキルを統合する能力が存在したのである。

このようにアートを日常的に利用することは、共通のビジョンの育成に役立つ。信念とコミュニティの原則が手近な資源を利用して表現され、強化される。先住民族の文化では、陶器や絵や織物、農業、住居の建設、その他の創作活動がこれに当たる——さらには歌や踊り、神話づくりなどもそうだ。

今日、意味を創造するための素材や技術は山ほどある。現代の美しい例は都市の壁画だ。本章の冒頭に掲載したのは、ポルトガル人のストリートアーティスト、ファアリウの作品《アフリカン・ビューティ》だ。ファアリウはこの作品について説明してくれた。「貧しい地区の、主に黒人のコミュニティがある地区で描いたもので、そこに暮らす人々の美しさを強調し、表現することを目指しました。すごく心が温まる経験でした」。

さらに大きな意味が織り込まれていることも多い。どう呼ぶかは自由だ――宗教、霊性、神聖さ。アートは超越した瞬間を創造するための基礎を築き、コミュニティの暮らしに存在する感情的な絆をつくる。文化とは自己認識を形成するものだ。

象徴、偶像、比喩は意味を増幅し、しばしば何世代にもわたって受け継がれる。

こうした文化的所産は、コミュニティの強さを守り、存続を確かにする価値観と信念を体現するのに役立つ。そして、おそらくさらに重要なことに、歌や物語、寓話、神話、踊り、その他の儀式による創造的表現を実践し、繰り返すことが、信念やアイデンティティ、団結をさらに強めるのである。

ふたたび文化とつながる

ホピ族とマオリ族は力強く活気のあるコミュニティだ。しかし、世界中の多くのコミュニティと同じく、大きな障害や抑圧に直面している。

マリア・ロザリオ・ジャクソンは、とくに歴史的に周縁化されたコミュニティ（同化を強いられたコミュニティや、軽んじられ、消し去れてきたコミュニティ）では、「ルーツとなる文化」に対して危害が加えられてきた、と指摘する。

マリアは学者、研究者、アリゾナ州立大学教授（休職中）であり、全米芸術基金の理事長を務めている。彼女はこれまで、包括的コミュニティの再生、制度の変革、コミュニティにおけるアートと文化について、高等教育やシンクタンク、慈善事業、政府、さまざまな非営利組織など、多様な視点から研究を行なってきた。

必要なのは人々が文化的ツールを蘇らせ、同時に新たな伝統を生み出す場所だと彼女は言う。自分が個人としても、集団としても、どのような姿を見せたいと望んでいるのかを理解し、さらに将来の姿を思い描く機会を得られるような場所だ。

マリアは30年前から、人種差別や社会的不平等をはじめとする複雑で多角的な「やっかいな問題」の解決に取り組んできた。この取り組みを通じ、彼女がアートと文化に向き合い始めたとき、同僚たちは悪気があるわけではなかったが、社会の正義と変革に身を捧げる彼女が、なぜアートにエネルギーを注ぐのか理解できなかった。

「道を見失ったと思われました。よくこう言われたものです。『低所得地区や貧困、不平等、人種差別的政策や待遇を気にかけているのに……どうしてまたアートや文化なんかに関わっ

ている の?』と」

しかしマリアは、人々が抑圧されるとき、真っ先に奪われるのは彼らの文学や言語、アートだと理解していた。「個人としても、集団としても、外部から評価を受けることなく、過去、現在、未来について掘り下げられることはひじょうに重要です」と彼女は言う。

理解を深め、創造的な表現の機会を育み、さらには公衆衛生とコミュニティの発展、アイデンティティの再生と進化を支えられるようなアートと文化を統合する特別な場所をつくることが、マリアの活動の重要な柱だ。

エドやフィリップ、ジュディと同じく、アートが世界を理解するうえで人間にとって欠かせないものであることを彼女も理解している。「ただし」と彼女は言う。「多くの課題を前にして、ともに何かを創造し、つくりあげ、世界を理解し、自分をどのように見せ、どのような意見を持ちたいのかを考える場所がなければ、いくら今の社会で多様性が賛美されたとしても、本当の意味での参加は困難が伴うか、不可能でしょう」。これまであまりに多くのコミュニティが居場所を奪われ、文化を育む能力を失ってきた。

アートの継承が行なわれる「文化のキッチン」

マリアは、創造的な自己とコミュニティを回復し、鼓舞し、ふたたび活気を与えることのできる場所を、「文化のキッチン」と呼んでいる。マリアのこのたとえは素晴らしい。

家のなかで、キッチンは昔からみんなで使う場所だった。プライベートな場所としては親密な会話をする場所だ。一方で、外部の人々を招き、食事を出す場にもなる。

「文化のキッチンは、人が生産的になり、個人と集団の意図や公共の利益について意見を交わすようになる場所です」と彼女は私たちに語った。

「そこではみんなが修復し、栄養を与え、進化させ、何かをつくり、共有するのです。アート、文化、創造性、継承は、交流に欠かせません」。住まいと同じように、どのように他者を招くかは受け入れる側にかかっている。重要なのは、人々が自分の進む道を決められるようになることだ。

「文化のキッチンはさまざまな形態が考えられますが、いずれもこう問いかけます。**自分は誰なのか、この変化する環境において自分たちは誰なのか、自分および自分たちは何をもたらすのか？　自分および自分たちの声や貢献を公にすることは何を意味するのか？**

アートや創造的な表現は単なる消費財と思われる傾向があります」と彼女は言う。「つまり、消費されるために生産されているものだと。すると消費されることが重要になっていきます。それはもっとはるかに大きな絵の小さな一部にすぎません。大きな絵は、つくり、行ない、教え、批評し、完全な存在になることとつながっているべきです。文化のキッチンとは、こうした多面的な関わり方ができる場でないといけません」。

自宅のガーデニングがウェルビーイングを高める

マリアの文化のキッチンという概念を体現しているのは、シカゴ南東部にあるスイート・ウォーターだ。数ブロックにわたる菜園とコミュニティセンターから成る施設である。

これは「天才賞」と呼ばれるマッカーサー・フェローシップ助成金を授与されたエマニュエル・プラットが、2014年に「再生式近隣開発」として始めた取り組みだ。コーネル大学とコロンビア大学で都市計画と建築の2つの学位を取得した彼は、大学院を卒業するとシカゴに移り住んだ。そしてこの場所で近隣の住民とアーティストとともに、草の根の、住民主導の自然豊かなオアシスをつくる計画を練った。

市街地のおよそ8000平方メートルの土地には何百ものかさ上げ花壇が整然と並び、その間にはウッドチップを敷きつめた小道が整えられている。

植えられているのは、ケールやフダンソウ、トマト、カボチャなど。背の高いヒマワリの花壇では、ミツバチが飛び回っている。この辺りでは見られなくなっていた種類の鳥たちが群れを成して戻り、新しく植えた果樹に巣をつくる。

「ここは五感をすべて生かせる場所です。それが癒しの庭の定義です」とエマニュエルは言う。菜園の美しさ、色や形が、生命を愛《いつく》しむ心や、自然界への敬意と畏怖の念に語りかける。

「土を掘るだけで人の幸せが高まります」と彼は言う。

実際に、土を掘り起こすなどしてそこに住む微生物を吸い込むことで、脳の機能が高まり、気分が高揚することが科学的研究から明らかになっている。

ガーデニングは実用的な活動だが、気分を安定させ、幸福感を生み出すホルモンとして知られるセロトニンの濃度を高める創造的表現の一種でもある。ガーデニングは創造する側にも、見る側にも効果のある、ハイブリット形式の輝かしい美的表現にほかならない。

2020年、プリンストン大学の環境工学者たちによる研究で、都会でガーデニングをしている370人について追跡し、普遍的な尺度を用いて感情のウェルビーイングを測定した。[06]さまざまな測定内容には幸福感や生きがいのほか、こうしたポジティブな感情を強く感じた回数も含まれていた。その結果、自宅でガーデニングをするとスコアが高くなることが明らかになった。しかも、これは低所得者が住む地区で顕著だった。

日常のアートに敬意を払う場所

スイート・ウォーターに隣接するエングルウッド地区は、かつては「シカゴの殺人の首都」と呼ばれていた。今でも住民の半数近くが貧困ラインを下回る暮らしをしている。

長年にわたり権利を剥奪され、凶悪犯罪が多発したせいで、この地区では金融機関の融資審査上の差別や、有色人種の締め出しが行なわれ、社会的つながりが失われた地域になっていた。世界の多くの例にもれず「荒廃」した地区として片づけられる場所だ。これはよく耳にする、コミュニティ衰退のありふれた物語である。

「そういえば、荒廃（blight）という言葉はもともと農業から来てるって知ってますか？」エマニュエルは、バーチャルツアーで私たちにスイート・ウォーターを案内しながらそう言った。

彼によると、荒廃というのは、穀物が枯れたり腐ったりして生きられなくなる状態を意味する。「そこで『荒廃』が広がると美観が損なわれます。抑圧、空き家、空き地、雑草、荒れ地、**そういう景観になります。**こういったものがコミュニティを蝕んできました。今、コミュニティは、もううんざりだと声をあげるようになっています。私たちは人々が集い、この都市でふたたび人間らしくいられる空間を築きたいと思いました。今は羽化しようとしているところです——どうなるか分かりませんが、荒廃した土地に希望の光（light）をもたらそうと考えているのです。21世紀の都市計画者は、そのことを理解し、正しく評価することが絶対に必要です」と彼は言う。

ところが、こうした地区の再生は外部の開発業者にアウトソーシングされることが多く、コミュニティ自体に委ねられることは少ない。エマニュエルはこのような状況を「衰退と再生の対立」と呼ぶようになり、それが「不在の生態系」を生んでいる。

スイート・ウォーターは見捨てられた約８０００平方メートルの敷地を、住宅地のなかの農地に区分し直すことで、不在の状態から脱却しようとした。「簡単な作業だと思うなら、手続きがどんなに大変だったか話しますよ」とエマニュエルは笑いながら言った。

次に、通りを挟んだところにある、差し押さえられた家を買い取り、菜園で取れたものを缶詰にする作業所にした。壁には鮮やかな絵を描き、近隣の人々を引きつけた。「私たちはこの家に人々を集めるようになり、それまではほとんど価値のない家でしたが、そこからコミュニティスクールが生まれました」。

あるクラスでは、近隣の学生たちが魚と植物を同時に育てるアクアポニックスと農業の講座を主導している。別のクラスでは、シェフがそこで育った食材を収穫して料理を教えている。「カボチャの花が咲いたら、この場所で素晴らしい料理になるんです」と彼は言う。

この家は「シンク-ドゥ・ハウス」と呼ばれている。**ここでイメージをふくらませ、考えをまとめ、それからグループで話し合って意見をまとめ、アイデアを実現させ、**リサ・フェルドマン・バレットが「人間の美的創意」と呼んだように、人々が思い描き、そして創造しているのだ。

「私たちは自分たちのことを解決者と呼んでいます」とエマニュエルは言う。「まわりは問題だらけですが、私たちは解決策を探します。考えて、思い描き、取り組み、実現して、販売する。それが私たちのやり方です」。

スイート・ウォーターはコミュニティを育成するために、アクアポニックスや大工仕事、都市計画とともに、アートや建築、デザイン、農業を用いている。

菜園の通路に敷き詰められたチップは、敷地内の木工店から出る廃材だ。この木工店では、近隣の若者たちが大工仕事を学んでいる。運搬用の木材パレットや、中心地の高層ビル開発で使われる高価なガラスの梱包用木材のあまりを手に入れ、それを花壇の枠やプランター、温室、さらには屋外用のブランコやベンチに加工している。

ここは日常のアートに敬意を払う場でもあり、おいしい家庭的な食事の香りや、ただ集うことの美しさが生産的で美的な活動であることを理解できる。「一緒に食事をすることの社会的重要性があまりにも過小評価されています」とエマニュエルは言う。

「パンを分け合う」行為が、実際に人の感情と行動に影響を及ぼすことが、研究から明らかになっている。食事は現実的に必要であると同時に、文化的にも欠かすことができない。食べ物そのものの美しさに提供の仕方の美しさ、そしてそれが私たちの感覚にもたらす効果は美的経験であり、研究が進められている。

味覚を司る主要な領域である島皮質は、私たちの本能的および感情的経験にも関連する。人は誰かと一緒に食事をするときの方が、風味を強く感じる。イエール大学の心理学者アービング・ジャニスは、食事をともにすることがコミュニケーションのあり方を変えることも観察している。一般的に、協調性やチームワークが高まり、関係性を深めることができるという。

スイート・ウォーターでは、近隣住民が一体となってつくりあげたビジョンが共有されている。そこには多様な声と、補完し合う人々の協力関係がある。

象徴と比喩が至るところに見られ、都市の荒廃に代わって生まれた豊かな菜園も例外ではない。信念とスキルは提供される講座だけではなく、発信されるメッセージでも繰り返される。スイート・ウォーターのキャッチフレーズは「そこで地域が育つ」だ。

そしてさらに、ここには自分の内面的世界とのより大きなつながりもある。「こんなふうに美的な変化が起きると、会話も変化し始めます」とエマニュエルは言う。「内面が変化するのです。土地や家だけでなく、自分自身に、感情的に、精神的に変化が起きるのです。美が内なる自己を形成するようになります」。

コミュニティは求められている姿に応じて自己を定義する。

尊重され、耳を傾けるべきは内部の声だ。エマニュエルとスイート・ウォーターの生みの親たちは、この事実を本質的に理解している——コミュニティは内部から生まれる。社会としていつも繰り返される過ちは、他者が何者なのかを「決めつける」ことだ。都市活動家のジェイン・ジェイコブスが書いているように、「どんなコミュニティも自身の再生の種をもっている」[07]。

コミュニティケアとしてのアート

ジル・ソンクはフロリダ大学の医療におけるアートセンターの研究部長であり、長年にわたりアートと健康、公衆衛生のプログラムを立案してきた。

ジルはかつて、ニューヨークのザ・ローリー・ベリラブ&ザ・イサドラ・ダンカン・ダンスカンパニーなどの舞踏団でプリンシパルやソリストを務め、1994年には「フロリダ大学ヘルス・シャンズ、医療におけるアート」プログラムの招聘ダンサーになった。彼女はヘルス・シャンズ病院にダンスをはじめとする創造的芸術を持ち込み、2年後には「医療におけるアートセンター」の共同設立に貢献した。

2020年、ジルはフロリダ大学内に、全米芸術基金の研究室であるエピアーツ研究所を開設し、ロンドン大学ユニバーシティ・カレッジのデイジー・ファンコートとともに所長に就任した。

この研究所では、アメリカにおける公衆衛生の成果にアートと文化への関与がどのような影響をもたらしているのかを理解するため、大規模コホート研究について疫学的な分析を行なっている。音楽を聴いたり、演奏したりすることや、創造的な執筆、物語を話すこと、演劇、ダンス、ガーデニング、料理、美術館を訪れることなど、創造的な活動が個人とコミュニティの健康状態にもたらす変化について研究している。

そのデータからは、アートが健康と幸福に直接的な影響を与えることが示されている。「人はアートを通じて自己を超越したとき、考え方の境界線を拡張し、世の中をちがった視点で見るようになります」とジルは言う。

「**自分自身をちがった角度から捉えるのです。そういった瞬間はとくに記憶に残ります。**自分が味わった美的瞬間が記憶され、際立ったものになり、私たちの感覚に長い間影響を及ぼし、自分はできるという自己効力感を支えてくれるのです」

こうしてアートや健康、コミュニティに関する知識が増えるにつれ、本書のChapter2で触れた「社会的処方」と呼ばれる世界的なトレンドが生まれている。

アメリカでの一例は、マサチューセッツ州で医師、ソーシャルワーカー、セラピスト、コミュニティのリーダーを結びつけ始めた「カルチャーRx・イニチアチブ（文化的処方戦略）」だ。２０２０年に始まったこのプログラムでは、州内のさまざまな医療サービス提供組織が患者やクライアントにアートと文化的経験が健康に役立つことを伝える機会を提供している。

「**文化へのアクセスによって、立場の弱い人々を巻き込むことができます。身体的活動を促し、ストレスと孤立感を和らげ、薬物からの回復のプロセスを助ける可能性があります。**また、貧困、人種差別、環境悪化といった社会的決定要因に対処するための重要な要素になります――そしてどれも従来の医療行為よりもはるかに低コストなのです」とプログラムのリーダーは説明する。

ターシャ・ゴールデンは、公衆衛生学の博士号を取得し、インターナショナル・アーツ＋マインド・ラボ（International Arts + Mind Lab、ＩＡＭラボ）で主任研究員を務めている。彼女はカルチャーＲｘの取り組みを評価し、何が有効で、何が改善の余地があり、どうすればプログラムを拡大し、再現できるのかを考えた。

ターシャはこう語る。「このプログラムは、アメリカにおけるコミュニティケアの既存のモデルを向上させる模範になると思います。現在、ほとんどのコミュニティケアのネットワークには、基本的なサービスは含まれていますが、幸福や社会的つながりに対する支援は欠けているのが現状です。一方で、アートを基礎とする組織は、参加者を健康や社会的サービスに結びつける体制が整っている場合が多く見られます。そこでカルチャーＲｘのような取り組みは、医療提供者からコミュニティのアートを紹介してもらう機会となるだけでなく、アートと文化をコミュニティケアの仕組みにしっかりと組み込む点で意義があるのです。そうすることで、治療へのアクセスを改善し、コミュニティの健康を強化できるのです」。

人との接触が孤独をうめる

２０１４年、第19代アメリカ公衆衛生局長官に就任したビベック・マーシーは、アメリカ人が直面している健康問題の現状を把握するため、全米を回ることにした。

医師であるマーシーは、心臓病や糖尿病から蔓延する肥満に至るまでの、増加中の身体的病の問題に直面すると思っていた。確かにそうだった。ところが、こうした身体的問題のあらゆる実態の根底にあるのは、意外にも精神的問題、つまり孤独だった。

マーシーがさまざまな家庭や裏庭、教会の地下室を訪れて耳にしたのは、帰属感がないという人々の声だった。[08]彼は著書『トゥギャザー（*Together*）』に書いているように、「私たちは、孤独、社会的つながり、心身の健康の関係について理解を深めなければならない」とすぐに気づいた。「私たちの大半は自分では気づいていなくても、孤独な人々とつねに交流している」とマーシーは言う。孤独は以前から、ありふれた風景に潜む、現代のメンタルヘルスの危機であると言われてきた。

1人でいることはポジティブな効果もたらし、気力を回復することもあるが、人はつねに1人でいるようにも、他人と切り離されていると感じながら生きていくようにもできていない。人は社会的生き物であり、健やかでいるには同じ人間からのサポートを必要とする。

誰もが孤独を感じることがある。なぜなら、この痛みを伴う普遍的な感情は、人という生き物が社会的関係とコミュニティにより生かされ、外部からの脅威を軽減されているのだと私たちに自覚させるように進化したからだ。

だが、**人の脳は他者の近くにいることを期待するようにも進化してきた**。長期的な孤独は、世の中の解釈の仕方に計り知れない影響を及ぼす。

人は孤独なとき、日常的な義務に対して大きな負担を感じる。[09] ところが、**信頼し、愛する相手の手を握っているときは、脅威に直面しても脳が感じる恐怖は比較的小さくなる。**

触れることはひじょうに重要な感覚だ。肌と肌の触れ合いは安心感と、誰かとつながっているという感覚をもたらし、脅威により脳内でストレス反応が引き起こされる場所への血流を減少させる。孤独に関するＭＩＴの研究では、**10時間1人きりで過ごした人々は、食べ物を求めるように人との接触を求めていた。**

マーシーは著書のなかで、人がつながりを感じたいと願う、社会生活の3つの次元を示している。「私的な、もしくは感情的な孤独は、親友や親密なパートナー、つまり愛情や信頼で結ばれた絆を分かち合う相手を求める気持ちである」と彼は述べる。

「関係上の、もしくは社会的な孤独は、良質な友情および社会的親交や支援を切望すること。集団的孤独は、目的意識や興味を共有する人々とのつながりやコミュニティに対する渇望。人はこのうちのどれか1つでも欠けると孤独を感じる可能性があり、協力的な結婚生活を送っている場合でも、友人やコミュニティが欠けていると寂しさを感じる理由の説明に役立つ」

半数以上の人がしばしば孤独を感じている。そして3分の1以上が今まさに孤独を感じている。 人は孤独なとき、「自分が切り離され、無意味で不完全だと感じる」とファウンデーシヨン・フォー・アート&ヒーリングの創設者ジェレミー・ノーベルは言う。

２０１６年、ジェレミーは孤独がもたらす重荷をアートによってどれだけ軽減できるか検証すべく、「プロジェクト・アンロンリー」を立ち上げた。そのなかの「キャンパス・アンロンリー」というプログラムでは、18歳から24歳にかけての、成人へと移行する不安定な時期の若者を支援している。「コミュニティ・アンロンリー」では、普通の集団から疎外されたと感じていると思われる若者を支援している。また「ワークプレイス・アンロンリー」では、従業員が孤立したときに、企業が気づけるように支援している。

人は高齢になると孤独感を感じやすくなることがあるため、「エイジング・アンロンリー」ではそうした孤立感を和らげるプログラムを提供している。マーシーが指摘したように、人生のほかの場所で充足感を得られても、職場やコミュニティで孤独を感じることがある。

この財団では、つながりを見つけられるように、編み物や手芸のサークル、ダンスパーティー、ストーリーテリングなど、さまざまなアート体験を開催し、人々がそれぞれ意義を見出せるような経験と、他者と時間を分かち合う機会を提供している。**参加者は自分が注目され、耳を傾けてもらえていると感じ、気分が大きく改善したと報告している。**

ジェレミーは次に「アンロンリー・フィルム・フェスティバル」を立ち上げた。「学び、笑い、泣き、ほほ笑み、そして一番大事なこととして、人とつながる」機会を提供することを目指し、短編映画を制作している。最近配信されたある作品では、黒人の若者が吃音のせいで仲間外れにされていた。彼は孤独を感じていたが、たまたまヨーヨーパフォーマンスのサブカルチャーに出合った。

「スローイング」と呼ばれるパフォーマンスはまさに魔法のようだ。いわゆる普通のヨーヨーではない。音楽に体の動きにダンス、技の連続は、本当に美しいアートであり、まるでヨーヨーのシルク・ドゥ・ソレイユだ。ジェレミーはこう補足する。「彼は自分のアートを見つけ、目的ができました。ヨーヨーを極め、大会で優勝したことで、自尊心も高まりました。大切なことを成し遂げた、自分には価値があるのだという感覚を得たのです。そして彼は、自分の孤独感に気づき、創造的な方法で自分を表現し、そうするうちにヨーヨーの仲間たちから受け入れられ、認められたのです」。

社会的脳とシンクロする

コミュニティに身を置く能力は、私たちの生存と幸福にとってきわめて重要であるため、カリフォルニア大学ロサンゼルス校（UCLA）の社会心理学者で神経科学者のマシュー（マット）・リバーマンは、その理由について研究を重ねてきた。

『社会性——私たちの脳はなぜつながるように配線されているのか（*Social: Why Our Brains Are Wired to Connect*）』の著者でもあるマットは、エド・ヴェッセルと同じように、デフォルトモード・ネットワークについて研究してきた。とくに関心があるのは、社会的意識との関係性だ。

私たちの脳は、数学の問題を解いたり、カーナビに従って運転したりといった積極的な作業に取り組むのをやめると、ただちに静止状態に戻る。そして、たとえごく一瞬でも静止すると作動するのがデフォルトモード・ネットワークだ。マットは『アトランティック』誌に、さまざまな目的があるなかで、「デフォルト［モード］ネットワークは、私たちに他者の心について考えるように指示を出しています――相手の考えや気持ち、目的などについてです」と語っている。[10] とりわけ、自分は外界とどう関わっているのか、自分はどこに落ち着くべきなのかという文脈で思考が促されるのだ。

私たちの社会意識は、分析的思考（前頭前皮質を中心とする機能）**を行なっているときは静かになる。しかし、それをやめるとデフォルトとしての思考が起動し、これをマットは「社会的脳」**と呼ぶ。脳が休む機会を得るたびに現れるのがデフォルトモード・ネットワークだ。「進化は、脳がすきま時間にすべき最善のことは、世界を社会的に眺める態勢に入ることだと考えたのです」と彼は『アトランティック』誌で述べている。

しかも、私たちはこうした社会的精神状態にあるときは、言葉や創造的表現によって独創的な思想や発想を他者に伝える傾向が高くなる。アートを経験し、また創造することができる人間は、複雑なパターンや特徴、気分や感情を見定め、それによって意味を成立させるという類まれな能力を備えている。

マットが彼の妻で社会心理学者のナオミ・Ｉ・アイゼンベルガーと行なったある研究では、被験者をｆＭＲＩの装置に入れ、「サイバーボール」というゲームをするよう指示した。被験者には伏せていたが、このゲームは疎外感を味わうように設計されていた。

被験者はほかのプレイヤーたちと対戦するバーチャルゲームのなかでボールを投げているつもりだが、実際には、被験者だけが除外されるようにデザインされたアルゴリズムと対戦していた。人間のプレイヤーである被験者は、ゲームのほかのプレイヤーが自分にボールを投げてくれないと思うようになる。

脳のスキャンにより明らかになったのは、**ゲームから疎外されたときに引き起こされる気持ちは、肉体的なけがをしたときと同じくらい強い痛みの反応をもたらすという結果だった。**「私たちは仲間外れにされても大丈夫だと理性的に言うことはできるが、どんな形であっても拒絶されることは、脳に無意識のうちに強い印象を残すものと思われる。そしてそのメカニズムは、肉体的な痛みを経験した場合と似通っているようだ」。マットはこの研究レポートでそう述べている。[11]

さらに最近では、神経科学者たちは「社会脳のコネクトーム」という概念を提唱している。[12]これはつまり、私たちの社会的スキルが、脳のさまざまな領域の相互作用によって存在することを意味する。学者たちは社会脳ネットワークの神経構造モデルを開発した。

２０２２年、カナダ、イギリス、オランダ出身の研究者から成るチームが、アートがこの社会脳を刺激するようすについて調査した。研究結果は、『フロンティアズ・イン・ニューロサイエンス』誌に掲載された「隠された事実——アートは脳に関与する」というタイトルの論文にまとめられている。[13]

彼らは、アートが人に与える神経学的影響に関して、「重要な実用的関連性を引き起こす」ような「社会脳の神経基盤」が存在すると主張する。[14]調査の土台になったのは、ダニエル・アルカラ＝ロペスとそのチームによる研究だ。彼らはそれまでに、ｆＭＲＩとＰＥＴを用いた４０００件近いさまざまな研究データと、２万２７１２人の健康な成人のデータを用い、社会脳のコネクトームの領域を決定していた。

私たちが学習しているときや、社会的スキルを用いているときに脳の多くの箇所が光るように、アートもまた脳の複数の部分と関わっている。研究者たちは「アートが基本的に社会脳に関連している」ことを突き止めた。そして「社会脳のコネクトーム上にアートに関する処理が行なわれる場所をマッピングすること（人間の社会的認知を制御する神経ダイナミクスに関する、かつてない包括的な図）」によって、これを証明している。

アートは「本質的に社会的構成概念であり、だからこそアートへの関与には複雑な社会的行動と同じ脳のネットワークが動員される」と彼らは述べる。そしてこう補足する。

「［したがって］アート作品の意味とその経験は、つねに社会的文脈から導かれるものと考えられる。アートは周囲の世界についてよく考えることを促すが、特定のアート作品の効果が普遍的であると考えることはできない。これは観る側の個人的な知識や経験、社会的および文化的環境に大きく左右されるだろう」。さらに、次のように結論づける。「**アートは、社会および感情に関わる脳の障害を理解し、診断し、治療するためのかつてない強力な手段になる可能性を秘めている**」。

ライブ開演前に鳥の歌声が流れる

ミュージシャンでアーティストのデヴィッド・バーンが歩んできた人生の旅路は、創造的表現によって社会性が増した一例だ。

デヴィッドというと、驚くほど革新的なバンド、トーキング・ヘッズのリーダーのイメージが強いが、本人は自分をロックスターとはみなしていない。彼が主に興味を抱いているのは、好奇心を持ち、アートと音楽、コラボレーションを用いて創造的につながり、コミュニティを築くことがどのようなものか、ということだ。

２０１８年、彼はアービュータス・ファウンデーションを設立した。アーティスト、科学者、ジャーナリスト、教育者、科学技術者などが集い、世界中の人々の心を動かすようなプロジェクトの開発、プロデュース、奨励を行なう場だ。

「だいぶ前ですが、自分は社会的に居心地の悪さを感じてきたと気づきました。コミュニケーションを取るのがすごく苦手なのだと」とデヴィッドは私たち語った。

「その後、音楽が表現の手段に、社会的表現になると気づいた。普通の社会的環境では、人と1対1でコミュニケーションを取るのはすごく難しく感じたのに、曲を書き、演奏し、ステージに上がってとんでもないことをして、かなり外交的だと思われそうな姿になることができた。ところがステージから降りると、またすぐにいつもの内気なデヴィッドに戻るんです。それでも、世界に伝える瞬間が、というか、わずかな聴衆に伝える瞬間があった。『私はこんな人間で、興味があるのはこんなことで、こんなふうに考えている。それで今ここにいる』ということを」

それからすぐに、デヴィッドはこうしたパフォーマンスで何か別のことが起きているのに気づいた。グループの力学の魔法があったのだ。

「共演者たちとのつながりを感じるようになっていました。前よりリラックスしていた。共演することになって、自分自身の、自分の小さな殻から抜け出していたんです。すると音楽がそれを反映するようになり、音楽と公演がグループとしてもっと一体感のある経験になった。今では人とのやりとりがとても気楽です。いずれにしてもそう感じるようになったのかもしれませんが、私はコミュニティの一員になる手段として、公演をして、音楽を制作していたように思えるんです」

デヴィッドの活動はじつに幅広く、多彩だが、つながりを築くために動作やアート、歌によって人々を1つにしようとする点は一貫している。彼はアートを用いて、自分自身について、また人々との関係性について、そして世界で自分が溶け込める場所を理解してきた。彼にとって、他者とつながるこの力こそが何よりも重要だ。

彼はしだいに、作品に科学的研究を取り入れるようになっている。彼が手がけ、賞を獲得した『アメリカン・ユートピア』というブロードウェイのショーがある。その冒頭で、彼は脳の模型を手にし、人が幼い頃に持っていた脳の神経回路が失われていくことを語る。彼は脳がいかに機能し、それがアートと文化を通じて行動にどのような影響をもたらすかという点に魅了されている。

スーザンは2019年にニューヨークの小さな劇場でこのステージを観たとき、幾重にも積み重ねられた美的なディテールに息を飲んだ。ショーが始まる前に耳を澄ますと、劇場には鳥の歌声が流れていた。そして、舞台の人工的な環境と、登場したパフォーマーの動き、自然の音が一体となり、彼女の脳を輝かせた。

ショーが終わりに近づいたとき、デヴィッドはこんなことを言った。「さあ、さあ、みんなで踊ろう」。トーキング・ヘッズのヒット曲「デヴィッド・ダウン・ザ・ハウス」と「ロード・トゥ・ノーホエア」が流れ、デヴィッドと共演者たちが歌い、踊った。観客もステップを踏んで踊り、熱狂した。

デヴィッドはこう話す。「みんなで体を動かすと、とくに同じタイミングで同じように動き始めると、あるいはほかの人たちと声を合わせて歌うと、ばらばらに動き、歌っていたときにはない絆ができます。マーチングバンドや軍楽隊、スクエアダンスもそうでしょう――すぐに親近感や強い結びつきが生まれるものです」。

彼は、体をシンクロして動かすと社会的絆が強化され、より強い所属感が生まれることにも言及している。**研究から、人は互いにシンクロしているとき、寛容さや信頼、受容性が増す**ことが明らかになっている。トロント大学で同調性について研究する心理学者のローラ・チレッリによると、同時に協調的な動きをすると「親近感の追加投与」が行なわれる。[15]

そしてその理由が今まさに解明されつつある。『サイエンティフィック・アメリカン』誌に掲載されたある論文には、この現象の「強力な効果が、神経ホルモン、認知、知覚の要因の組み合わせに起因する」ことの説明として、チレッリの言葉が引用されている。

「それは複雑な相互作用である」。また「人にはシンクロする傾向が見られ、それは進化の過程で選択された可能性がある」ことを示す証拠もある、彼女は述べる。「というのも１つには、それにより大勢の人々とすぐに絆を結ぶことができ、生存するうえでの強みになるからだ」。

これはまさに、スーザンが劇場を出た後に起きたことだった。まるで５００人の親友たちと公演を楽しんだように感じたのだ。

また、すがすがしく、幸せで楽しい気分にもなっていた。これはストーリーテリングや歌、踊りにより、グループ内に強い絆が生まれたときにも見られる。そうした経験は、私たちを生物学的にも、感情的にも変化させるのである。

コロナウイルスにより誰もが閉じこもったとき、デヴィッドは「ソーシャル・ディスタンス・ダンス・クラブ」を立ち上げることにした。隔離が終わりに近づいた頃、彼は共同制作者たちとともにニューヨークのイベント施設アーモリーに人々を招き、DJが流す音楽に合わせて踊るダンスナイトを開催したのだ。参加者はそれぞれ隣と安全な距離をとったスポットライトの中に入った。デヴィッドが動きを指示する。「そして自分のなかでグループを感じるようになると、つまり体が音楽に反応するようになると、今度は無意識のうちに、他人がまわりでしていることをそっくりまねるようになるんです」と彼は言う。

デヴィッドは、参加者たちが1人ずつ踊っていても、会場に小さなコミュニティが形成されつつあることに気づいた。「自分とほかの参加者との間に絆ができて、それは本当にシンプルなことですが、人々が自分を社会的な有機体だと思い始めるという点で超越的なことです」とデヴィッドは言う。

「自分の殻や日常の悩みから抜け出し、個人としての自分自身から離れ、ほかの人たちと絆を結ぶのです。たったひと晩のことかもしれないし、ただ同じタイプの音楽とか何かを好きだという共通点があるだけかもしれない。それでも、ほかの人々と交流し、その晩は大きな部族になるんです」

デヴィッドはダンスイベントに先立ち、最後の曲に合わせて踊るごくシンプルな動作を収めたビデオを参加者向けに配信した。「みんなで同時に同じ動きをするときのあの感じを引き出せるか見てみたかった。言ってみれば、**私たちはずっと踊っています。ずっと動き続けている。それがみんなでシンクロして動くと、強烈なパワーになる。**これはバーチャルでできることじゃありません」。イベントの最後には、人々は叫び、笑っていた。誰もがとても嬉しそうで、一体になっていた。ソーシャルディスタンスを保っていたにもかかわらず。

「そして、こうした瞬間には、差し出した以上のものが返ってきます」とデヴィッドは説明する。「これはゴスペル教会とか、恍惚とした状態になるさまざまな場所で見られることです。その後はまたそれぞれの日常の暮らしに戻るわけですが、いつもとはちがう何か、個人としての自分を超えた何かを味わっています」。

同時に体を動かす行為は、自己と他者の隔たりを埋め、一時的ではあっても強い絆を生む。[16] **そうした帰属感はその場を離れてからも心に残る。**楽しい活動をしているときに分泌されるホルモン、エンドルフィンの放出によりもたらされる「ハイ」になるような感覚だ。

デヴィッドは、誰もがこうした輝きをもたらすことができるし、創造的な自己が他者と関わり、前向きで健全なコミュニティを育むことを促す瞬間を引き寄せることができると信じている。そして、彼はそんな瞬間に火を灯し続けている。

アートを介した意見交換で未来を描く

人はそんな火花とともに、この広大な地球で1つの種としての長い旅を始めた。私たちはあらゆる困難を乗り越え、自分自身を表現する方法を見つけ出した。無制限で美しく、神秘的でときには愉快で、謙虚さや荘厳さがある方法で、社会的に責任のある人として私たちを結びつけるエネルギーを養ってきたのである。

強いコミュニティを築く努力は、世界中のありとあらゆる場所で、社会のあらゆる層で引き続き行なわれている。先住民の文化でも、家庭や学校、職場、地域でも――人が集まるあらゆる場所において。インターネットとソーシャルメディアは世界規模のバーチャルなたき火として登場し、正しく利用すれば健全なコミュニティの成長を飛躍的に促し、支える能力を備えている。

2018年、『ネイチャー』誌は人間の協力に関する特集号を出版し、良好な人間関係の最大の障壁は「単なるコミュニケーション不足」だと結論づけている。ホモ・サピエンスが学び、先住民族の文化が理解し、大勢の人々が気づき始めているように、創造的表現やアートは、効果的な意見交換にとって、そして私たちの生存そのものにとって、何よりも大切なものである。

創造的表現、アート、美は、根本的な目的に役立つ。新たな考えやアイデアを生むこと。大切なことや必要なことを確認し合うこと。人間性という共通の糸をともに紡ぐこと。アートは私たちがともにより良い未来を築くことに向け、再考し、想像し直し、ふたたびつながる力を与えてくれるのである。

Conclusion

おわりに――未来のアート

心は、新たな考えによってひとたび広がったなら、もとの大きさに戻ることはない。

――ラルフ・ウォルド・エマソン（随筆家）

私たち2人が本書の構想を模索し始めた頃、中国の地質学者のチームが、これまでに知られているもののなかでは世界最古とされるアート作品を発見した。

広州大学のデヴィッド章は、チームを率いて中国南西部のチベット高原を訪れていた。「世界の屋根」と呼ばれる標高4000メートルの高原地帯だ。そこで彼らは、楽しげに配置された手形と足形の化石を含む石灰岩を発見した。

2021年に章は仲間の研究者と『科学通報』誌に論文を発表し、その配置は「意図的」で「創造的」であり、この化石は芸術的追求と遊びが人類に対して担ってきた「中心的役割を強調する」ものであると述べている。[01]

ウラン年代測定法による測定からは、22万6000年前の化石である可能性が示された。**人は手と足をアートのための最初の道具として用い、このときから創造力に富んだ印を残してきたのだった。**

アートは数千年の間に進化し、人の経験の中心となり、歴史を通じて革命と文化的変化の火付け役となってきた。アートはまさにその性質上、創造された時代を反映し、特徴づける。アートはその時代を感じ取るものだが、アーティストは将来を予測するうえでも欠かせない存在であり、社会にとっての早期警報システムとして機能してきた。

古代ギリシャ劇の合唱隊「コロス」は、文明の道徳的声となる創造的な演劇上の発明だった。アートは社会的変化を促してきた。ルネサンスは刺激的な音楽と物語の視覚的伝達によって、人々を中世から前進させ、1980年代のドイツの市民アーティストたちは、ベルリンの壁を大胆な絵画へと変えて政治的抗議を行なった。これらはほんの2つの例にすぎない。

脳と体に対するアートの効用によって、私たちは重要なメッセージに説得力を与え、感情を明らかにし、革新を促し、創造性を刺激し、倫理的、道徳的問題を提起し、人類の新時代において導き手となることを可能にしている。

ニューヨーク近代美術館のシニア・キュレーターのパオラ・アントネッリはかつて、アートとデザインは「テクノロジーと認知科学、人間の欲求、美しさを組み合わせ、世界が求めていることにすら気づいていないものを創造するルネサンス的な姿勢」を提供している、と的確に指摘している。

あるいは、ＷＨＯでアートと健康の取り組みを率いるクリストファー・ベイリーは、私たちにこう語った。「アートは私たちが感じてはいるものの、まだ名前をつけられていないことを可視化し、自分だけが感じているわけではないことを気づかせてくれる」。

アートが人類に及ぼす影響についてはもはや反論しようがない。人が生物学的にアートによる影響と密接に結びついているという科学的エビデンスもまたしかりだ。

本書を通じ、私たちは、アートと美によってあなたのなかで作動するメカニズムや神経伝達物質、神経回路、ネットワークの一部について伝えてきた。そして、アートが心身の苦痛を和らげ、より深く学び、コミュニティを活性化し、持続的幸福を後押しするために用いられる可能性を示してきた。

アートは実際に、人の生態と心理、行動を紛れもなく根底から変化させるため、数千年にわたり、個人と社会の重大な変化を導いてきた。

私たちは人類の複雑な言語を伝えるために、手で触れることのできる人間の主要な道具を引き続き用いているが、創造的表現のためにあらゆる世代で新たな手法を解き放ってきた。私たちには仮想世界や拡張世界を構築する技術的に優れた能力や、光や音をかつてない方法で利用する能力や知識があり、これらはごく一部にすぎない。そして研究と技術の進歩に伴い、アートと美の効果によって体が変化するようすをリアルタイムで数値化する能力も高まっている。

アートは本書で検討してきたような科学的知見と触合し、ふたたび人類の新時代を呼び込もうとしている。神経美学の未来は、次の革命となるであろうものの到来を約束する。つまり、私たちが自分のなかに存在するアーティストを受け入れ、意図的かつ持続的な方法でアートの実践を統合することで、自分の生態、家族、仕事、コミュニティを変えるスキルを生まれつき持っていることに気づくようになるはずだ。

新たな研究、発見、応用の可能性は増え続けている。その潜在性はきわめて大きく、変化は加速し続けるだろう。近い将来、一段と進歩した神経美学の研究により、アートはいかにして神経ネットワークに作用し、すでに解明されている600以上のメカニズムに対する影響を計測できるようになるはずだ。アートが及ぼす影響、そして私たちの生活のあらゆる面にもたらす効果について、さらに理解が深まることが期待される。

章のような科学者の研究が人類史におけるアート制作の長い軌跡を明らかにしつつある一方で、神経美学の研究と発明は未来に種をまいている。**神経美学が導く近い将来の世界はど**

のようなものになるだろう？

感覚の拡大と探究

本書で述べてきたように、**あなたは感覚刺激と、気分と感情によって発生した神経ホルモンの混合物を通じて世界を取り込むようにじつに見事にデザインされている。**これらの組み合わせが、脳内で強いシナプス結合を形成するサリエンシーを生む。

味覚、触覚、嗅覚、視覚、聴覚は、よく知られている感覚のごく一部にすぎない。神経美学とその他の分野の研究から、人には実際にはいくつの感覚が存在するのかという議論が活発になっている。いくつかの研究からはその数は53にもなり、複雑な動的ネットワークを含む可能性が示唆されている。

例えば、熱を感じる温覚。バランスを感知する平衡感覚。空間で体がどのように動いているかを認識する感覚。私たちはまだ、人体という宇宙を解き明かす途上にある。多くの研究者たちが関心を抱く新興の複合科学は、その道を照らす助けになるだろう。そしてこれからも、アートと美的経験が持つ、複数の生体システムと脳の各領域に同時に働きかける力の仕組みについて、新たな発見がもたらされるだろう。

技術の進歩により、研究者たちはすでに生物学的データを入手できるようになりつつある。

また、開発が進むいくつかの装置は、さまざまな感覚反応と化学状態をさらに正確に把握する手段を遠からずもたらしてくれるだろう。

技術者たちは、ウェアラブル技術によってすでに捉えられた生体指標だけでなく、ホルモンやタンパク質、化学状態をリアルタイムで分析し、長期的ストレスといった健康状態の初期の危険信号を示す、ウェアラブル皮膚センサーを完成しようとしている。[02] また、スマート・スレッズの開発も注目に値する。[03] これは1日中着用し、肉眼では見えない生地に織り込まれた電気回路を通じてデータを取得する衣服のことだ。

技術はつねに進化するため、将来の技術はより正確で体と同期するものとなり、より多くの情報がもたらされ、利用するか否かの選択が可能になるだろう。

「私的なレーダーシステムだと思って下さい。利用者に力を与え、より健康的に過ごす能力を高めてくれるものだと」とジョアンヌ・デルーカは私たちに言う。

ジョアンヌはジェニン・ロピアーノとともにコンサルタント会社スプートニクを設立した、引く手あまたの文化アナリストで未来戦略家だ。彼らは20年以上にわたって、国際企業に対して未来予測の情報を提供してきた。

ジョアンヌとジェニンは最新の調査に基づき、**感覚を操る人間の能力は拡張する**と主張する。神経美学は点と点をつなぎ、人の心と脳と体の関係についてさらに多くの示唆を与え、この分野の進歩に伴い、ライフスタイルを選択するうえでの知識を増やしてくれることが期待される。

私たちは、ジョギングやウォーキングがコルチゾールを減少させ、セロトニンを増やすことを知ったうえで運動することができる。あるいは、20分間アートに触れるとストレス解消の効果がすぐに得られるというエビデンスを利用することができる。これからは、特定のアート活動がどのような具体的効果をもたらすのかを示す研究結果が蓄積されていくだろう。

アートの創造はますます重要性を増し、広まっていくはずだ。実際に、アート活動はすでに世界各地で増加する傾向にある。[04] ２０２１年に『フロンティアズ・イン・サイコロジー』誌に発表された研究では、『ワシントン・ポスト』や『ザ・ガーディアン』等のニュースメディアから、コロナウイルス感染症の大流行といった困難な時期に人々がアートに目を向けた事例を示した。

研究者たちは、イギリス在住の１万９０００人以上のデータが「アート活動が感情のコントロールに役立つ」ことを示している点に着目している。また、世界中で編み物やガーデニング、絵画、音楽の演奏に取り組み、生活にアートと美をさらに取り入れている人々が増加している状況が見られる。

「感覚のリテラシーについては、生涯にわたりさまざまな形で教えられることになるでしょう」とジョアンヌは私たちに語った。

「幼児期の発達段階は、この知識を予防や保護のために用いる最初の機会になるでしょう。現在は、最新の科学的知識を利用して感覚に重点を置いたカリキュラムが登場し始めています。感覚の訓練は高校、大学、職場にも広がり、医療やリハビリテーションにおいても感覚に関する技能の成長を目の当たりにするようになるはずです」

これまで述べてきたように、現在、労働者として生産性を上げるだけでなく、感覚的世界を満喫しながら生きていきたいという願いが高まりつつある。感覚リテラシーを重視する時代においては、心と脳と体の結びつきに対する集団的意識が生まれ、私たちの健康とウェルネスにとっての進歩をもたらすにちがいない。

新たな感覚器――ミクスト・リアリティ（複合現実）と向き合う

感覚リテラシーが高まる1つのきっかけはVRとARの進歩と融合だ。

ビデオゲームのスノーワールドがやけどの痛みを和らげ、アリゾナ州立大学ではVRが生物学の学生を没入型の生物環境へと移動させる。

このように、**私たちの物理的な「現実」の世界は、精度や臨場感を高めたバーチャルな世界とさらに融合していくだろう。**そして、融合された現実はありふれた光景になる。

簡単な例はすでに身近に存在する。例えば、スマホやソーシャルメディアで自分の姿を変えられるフィルターや、あなたをバーチャルな別の場所に瞬時に移動させるフィルターなど。

こうした融合された世界の姿はさまざまな場所に見ることができる。ジョンズ・ホプキンス大学医学部神経学科では、ジョン・クラカウアーとオマール・アフマドが「アイ・アム・ドルフィン」という没入型体験を開発している。

これはユニークなアニメーションを操作するビデオゲームだ。脳卒中やその他の神経学的疾患、さらにはストレスや燃え尽き症候群からの回復の支援を目的としている。

アイ・アム・ドルフィンでは、バンディットというイルカのキャラクターの意思と動きを操作し、それにより潜在的な認知能力と動作能力を探り、発見する。メドリズムはデジタルセラピューティクス（デジタル治療）の装置で、音楽と関わる神経学的能力を用い、多発性硬化症やパーキンソン病を患う人々や転倒の危険がある人々に対し、歩行能力の向上を支援する。靴に取りつけられたセンサーが、歩調に合わせて音楽のリズムを調整するリアルタイムのフィードバックを行なうことで、装着者がうまく動けるように支援する。

２０２０年、アメリカ食品医薬品局は、メドリズムを慢性期脳卒中の歩行機能低下を治療する画期的な医療機器として承認した。

ＶＲとＡＲの技術は、没入型のストーリーテラーが私たち視聴者を物語へと引き込むことを可能にする。サンダンス映画祭では、実写ＶＲ映画の上映を始めている。

例えば、２０２２年の『ザ・ステイト・オブ・グローバル・ピース』では、視聴者は国連総会で代表者として演説を行なっているとき、セキュリティシステムがハッキングされ、ハッカーと対峙する。

研究者たちは動物モデルによる実験から、仮想現実が海馬のシータ波を強化することを確認した。シータ振動は、学習、記憶、空間ナビゲーションなどの認知機能と関係がある。

2021年にUCLAで行なわれた実験について、神経科学者のマヤンク・メータは『サイエンス・フォーカス』誌にこう語った。「[ラットにおいて]VR体験がシータ波の強化にきわめて大きく影響するのを目の当たりにして、私たちはひじょうに驚きました」[05]。

この新技術には「とてつもない可能性があります。私たちは新たな領域へと足を踏み入れています」と彼は言う。ADHDやアルツハイマー病などの疾患の特定の治療、さらには学習の向上にもVRが使われるようになるだろう。

こうした没入型の豊かな環境は私たちの感覚に関わり、学習と記憶を高める強力な感情的反応を生み出す。マリアン・ダイアモンドの研究が示し、その後の研究からもたびたび証明されているように、感覚的に豊かな環境では学習の速度が増し、情報が記憶に残りやすくなる。

2015年、テート・ブリテンはアーティストたちと提携し、《テート・センソリウム》展というかつてない展覧会を開催した。視覚、聴覚、触覚、嗅覚、味覚を通じ、美術館を生き生きとしたものにした。来場者は1945年にフランシス・ベーコンが描いた肖像画を鑑賞しながら、炭と海の塩、スモーキーな香りが特徴的な中国茶「ラプサンスーチョン」をブレンドした特別な味のチョコレートを食べるように勧められた。

ジョン・レイサムが1961年にキャンバスにアクリル絵の具で描いた《ザ・フル・ストップ》という作品では、サウンドスケープ（音の風景）に加え、音、振動、光を用いて運動感覚を発生させる「空中ハプティック」装置が組み合わされた。

鑑賞者には、この作品に合わせた特殊な音色が流れるヘッドフォンが渡され、同時に空中ハプティックのフィードバック装置が音響と視覚により雨を降らせる演出をした。レイサムの絵を全身で経験することが可能になったのだ。

テクノロジーとアートを組み合わせることで多くの感覚を呼び覚ますと、新たな経験が生まれ、発見への可能性が開かれる。これこそ、私たちの暮らしを将来にわたって豊かにしてくれる新たなアートの形態だ。その最先端を切り拓く1人であるレフィーク・アナドールは、ミクストメディア・アーティストとして、AIとアルゴリズムを用い、比類のない夢のような環境を創造する。

レフィークは機械学習の美学に深い関心を抱き、部屋いっぱいの装置を駆使し、コードやデータの無味乾燥な数字を感動的で感覚に訴える視覚的言語に融合させている。

レフィークは2016年にグーグルの「アーティストと機械学習」プログラムに在籍中、「AIデータペインティング」と「AIデータスカルプチャー」という造語をつくった。これは建築とメディアアート、光の研究、ＡＩデータ分析の交差点において、特定の場所で制作する、三次元の動きのある彫刻を意味する。

チームラボが挑戦する「アートを通した体の探究」

「没入型でいくつもの感覚に訴える空間経験はヒーリング効果を生みますが、それを最先端のデータ可視化技術とうまく組み合わせたとき、最大の効果を引き出すことができます」

レフィークは２０２２年の『デザイン・ブーム』誌の記事のなかでそう説明している。

「痛みの緩和のためにゲーム用テクノロジーやマルチメディアを応用することについて、無数の医学的研究が行なわれています。人類の進歩のために多様な形態をとり得る機械アルゴリズムには、無数の創造的可能性があります。私たちは２０２０年からＵＣＬＡの神経科学者たちと協力し、私たちの作品のウェルビーイングの側面について研究しています。また、ハーバードとＵＣＬＡの科学者たちとも提携し、彼らの研究を長期的視点で支援するためのデータ可視化ツールの開発に取り組んでいます」

２０１８年に《メルティング・メモリーズ》という装置でレフィークは、カリフォルニア大学サンフランシスコ校のニューロスケープ・ラボの脳波測定器などの手段を利用し、認知制御の神経メカニズムについてデータを集めた。そしてラボで集めた人の脳波活動の変化をもとにした多次元のアート作品を構築した。

鑑賞者は壁面を覆うほどの大きさのディスプレイの前に立ち、白い砂のような世界が踊るようにして姿を変え、バーチャルな風景や渦巻く塊に変化するのを見守る。すると、異なるデータセットを表す青やピンクや紫の色が突然現れ、海の波のようにうねり、ぶつかり合う。これらの色はときどき爆発するように見え、宇宙の超新星を思わせる。私たち2人はこれを初めて見たとき、言葉を失った。それほど心に迫るものだ。レフィークの作品はもとになったデータと同じように、細胞レベルで影響をもたらすようだ。

レフィークの革新的な作品は、この結びのセクションの冒頭、**カラーページH**で見ることができる。

レフィーク・アナドール・スタジオは、UCLAでヒューマン・コネクション・プロジェクトのコーディネーターを務めるテイラー・クーン博士とのコラボレーションを通じ、約70テラバイトの多様なMRIデータを処理した。

これには、新生児から90代以上までの人々の構造的画像、拡散画像、機能的画像（fMRI）が含まれ、パターンを見つけ、脳の回路の発達を推測する機械学習のアルゴリズムを訓練した。この画期的な取り組みにより、彼のスタジオは脳の構造について、完全没入型の拡張された三次元モデルをつくり出した。

テートに用いられたハプティックデバイスのようなコンピューティング機能や、レフィークが用いたテクノロジーは、アートがデータと融合する未来を象徴するものだ。そのような未来では、最高のテクノロジーと、最高のアーティスティックな精神が融合し、みずみずしく、刺激なイメージを創造する。

遠からず、再現精度の高いホログラフィック3Dモデルで交流できる日が来るだろう。デジタル技術の向上は、私たちを感覚的なものから引き離すのではなく、むしろさらに具現化する可能性がある。

「私たちが創造し、利用するこうした新たな美的経験は、複数の感覚器官への刺激を通じ、人間らしさをより一層感じさせてくれることでしょう」とジェニンは私たちに語った。

「テクノロジーとしてのアートは、メタバース内での人の感覚的経験を変化させる可能性があります。アートは単なる鑑賞対象ではなくなるでしょう。アートと人が同化していくはずです。私たちがアートの一部になるのです。感覚的経験、空間でどのように感じるのかということは、アートを通した体の探究になるでしょう」

学際的なアート集団「チームラボ」は東京において、自然界に吹き込む「チームラボ・ボーダレス」という鑑賞者主導の経験を創造した。**カラーページE**を参照していただきたい。光と音と視覚効果を融合させ、鑑賞者にアートの一部になったかのような感覚を与える。それは時と場所に対する通常の認識を超越するかのようだ。フロアを進みながら触れることで周囲のものを操作でき、デジタルの花々が咲き、枯れ、ふたたび花開くようすを観察できる。私たちは自分が周囲のものから、つまり自然から、切り離された存在だと思うことが多いが、この息を飲むようなインタラクティブなミュージアムはアートと鑑賞者の境界を取り払い、周囲のものを本能的に感じられるようになる。アーティスト、プログラマー、エンジニア、CGアニメーター、数学者、建築家から成るチームラボは、刺激的で学際的な未来のコラボレーションを象徴している。

トラウマから救う没入型体験

アーティストたちは、パブリックアートについても光によって新たな段階を切り拓いている。ほとんどありとあらゆるものの表面に、インタラクティブな画像や表示を投影することができる。世界各国の都市では、彫刻や高層ビル、美術館、庁舎などにプロジェクションマッピングが出現している。日常の空間が変貌し、人々がこれまでにない方法で身近な環境と関わるようになり、そこには新たな驚きや喜びがある。

ミクストメディアもまた、従来の娯楽の枠を超え、研修や教育、医療へと広がりつつある。2022年、最先端テクノロジーの祭典「サウス・バイ・サウスウエスト」で、『パラダイス』というAIを活用した没入型体験が初公開された。

これはカップルに対し、より親密な関係を築き、パートナーによる暴力に対処するために家庭内での支援を提供するために開発されたプログラムだ。

開発者のガボ・アローラは受賞歴のある映画制作者で、ジョンズ・ホプキンス大学クリーガー芸術科学大学院フィルム&メディア学プログラム内の没入型ストーリーテリング&エマージングテクノロジー研究所の創設ディレクターである。彼はイギリスのオーディオプログラムの制作会社ダークフィールド・ラジオと、ジョンズ・ホプキンス大学看護学部および公衆衛生大学院のナンシー・グラスと提携した。彼らは共同して、家庭内暴力の対策と解決策に関する最新の研究をもとに、サラウンド音響を駆使し、AIを活用したインタラクティブ性、ゲーム的な要素のある30分の没入型劇場プログラムを開発した。

自分のバックグラウンドは映画にあると断り、ガボはこう説明する。

「没入型テクノロジーを知ったとき、従来のメディアでは得られない感情的な共鳴が生まれることに気づきました。そして今、これを裏づける研究があります」

彼が手がけるような没入型のプログラムは、「他のメディアにはできない方法で感情と認識を変える。『パラダイス』が重きを置くのはAIテクノロジーとストーリーテリングです。メンタルヘルスとトラウマという観点から、このアート形態が私たちにどれだけ貢献できるのか問いかけています。こうした作品は、新たなテクノロジーが人のために何ができるのか考えさせるものであり、人間が支配されるのではないかと恐れるべきものではないのです」。

個人のニーズに即したアート

科学はアートと美に対する反応が人によって千差万別であることを明らかにしてきた。科学的データは、教育や医療から公衆衛生やコミュニティの発展に至るあらゆる分野において、個人に合わせた活動や経験、介入のための基礎を築きつつある。

社会的処方とオーダーメイド医療の分野では、すでにその傾向が高まりつつある。クリエイティブアート・セラピスト、医師、心理学者、ソーシャルワーカー、介護ヘルパーは、病気を予防し、症状を和らげ、ウェルビーイングを維持する手段として、アート活動を提案している。今後数年で人間特有の生態に関する発見がさらに増え、そうした研究は私たちの暮らしを豊かにする情報をもたらし、個別化に貢献してくれるだろう。

個人の状態に合わせた美の少量投与も普及すると思われる。医療の分野ではすでにその兆《きざ》しが見られる。ストレスの緩和には特定の香りが用いられ、頭痛の軽減には照明が調整され、不安の解消にはその患者のために選ばれたプレイリストが手渡されている。

病室では、より迅速な健康回復に向けて、望ましい色や音楽、香り、温度、質感を提供しようと、デジタル拡張機能を備えた病室の計画も進んでいる。そして教室では、学び方のちがいがある子どもたちが、1人ひとりに合わせたダイナミックな刺激を受けることで学習に参加できるように、ミクスト・リアリティを取り入れることが考えられる。

音楽家やパフォーマーたちは、プロとしてのアートの実践に基づく肉体的、精神的、感情的恩恵を一般の人々に伝えている。そこから新しいコミュニティや、個人に焦点を当てたヘルスケアの可能性が見えてくる。世界的なソプラノ歌手ルネ・フレミングもそんな活動を推進するアーティストの1人だ。これまでに世界中で何百万人もの人々が、彼女のアートと健康のためのプログラムを視聴してきた。彼女は将来的に、1人ひとりに合わせたアートに基づく治療や予防、ウェルネスのためのプログラムが、医療制度の一部に統合されると信じている。こうしたプログラムに実際に効果があることを示すエビデンスの増加に伴い、保険会社も同様の確信を得るようになっている。

ルネがアートの分野で支援と慈善活動を行なうようになったのは、公演のプレッシャーからくる体の痛みを経験したのがきっかけだった。この10年の間に、彼女は世界中でアートと健康に関する活動が成長するよう育み、さまざまな利害関係者を1つにまとめている。国立衛生研究所と全米芸術基金による「サウンド・ヘルス」というコラボレーションでは全体顧問として先頭に立ち、スーザンが共同運営する「ニューロアーツ・ブループリント」という取り組みでは共同委員長を務めている。

ルネは現在、世界各地での公演に加え、聴衆に向けて「ミュージック・アンド・マインド」という講演を行なっている。これらのイベントでは、研究者、医師、クリエイティブアート・

セラピストなど、音楽と神経科学、医療が交わる場所で働く人々に光を当てている。コロナウイルス感染症の流行時にはこの取り組みをオンラインで行ない、「ミュージック・アンド・マインド・ライブ」というタイトルで全19回の配信を行なった。

また、ルネはアートと健康に関するいくつもの独自のプログラムの開発にも熱心だ。ケネディ・センター、グーグル・アート&カルチャー、マウントサイナイ・ベス・イスラエル病院と協力して開発した「ヒーリング・ブレス」はその一例だ。

さまざまな分野から音楽療法士や俳優、歌手などを10人以上招き、一般の人々と呼吸法のエクササイズを行ない、肺の健康の増進に取り組んだ。クリスティン・チェノウェス、ヴァネッサ・ウィリアムス、アンジェリーク・キジョー、オードラ・マクドナルド、ケリー・オハラ、デニス・グレイウズ、ローレンス・ブラウンリーなどが参加し、ボーカル・トレーニングの秘訣や教材を公開した。

「私たちは歌手や俳優として、自分の声をつくるのに長年実践してきた呼吸法の訓練を信頼しています」とルネは私たちに言った。「私はこの取り組みを、長引くコロナウイルスや慢性閉塞性肺疾患など、肺の衰弱に苦しむ世界中の人々を支援するために分かち合いたいと思ったのです」。

そして、まるでSFのように聞こえるかもしれないが、そう遠くない将来に個別化された美が用いられるもう1つの例がある。

カリフォルニア州カールズバッドのニューロアコースティック研究センターの創設者でディレクターのジェフ・トンプソンは、音の振動を健康とウェルビーイングのための介入として用いている。彼が思い描くのは、毎朝起きるとビタミン剤を飲むのではなく、体が必要とする振動に調整された音の組み合わせが流れ、それが代謝を調整し、慢性疾患の予防に役立つような未来だ。

教育からビジネスまでアートを取り入れ始めた

すでにアートと美を健康とウェルネスのために活用している人々は、世界中で何百万人も存在する。だが、神経美学という分野が最大の可能性を発揮し、万人に開かれたものになるには、それを積極的に支えることも必要だろう。

例えば、横断的な研究や多様な施術者養成のための訓練と教育、公共および民間の政策転換、財源などが充実していくことが望まれる。また専門家のなかでも、社会全般においても、こういった可能性をいかに考えるか、アートと美を私たちの暮らしにいかに取り入れるのかについて、正しい理解のもとでの継続的なコミュニケーションも欠かせない。

歓迎すべきは、アートと美にまつわる世界規模の力強い取り組みがすでに始動していることだ。公衆衛生や教育からビジネスやテクノロジーに至るあらゆる分野が、アートを取り入れ始めている。

医療の分野では、アートは患者と医療提供者の双方に対する支援を拡大するうえで、重要な要素であるとみなされるようになっている。イギリスでは、「健康とアートのプログラム拡大――推進と有効性の研究（Scaling- up Health-Arts Programme: Implementation and Effectiveness Research）」という、この分野では初となる研究が今まさに進められている。

これは、医療制度のもとでアートをメンタルヘルスの治療に組み込む国家的プロジェクトとしては、世界最大規模となる。複雑で幾重にも折り重なった研究は、患者に提供されるアートプログラム（産後うつを患う母親向けの歌を歌うプログラムはその一例）の医療的効果と、こうしたプログラムが公衆衛生サービスにいかにうまく埋め込まれてきたかという2つの側面を評価している。

建築とデザインも、官民各種プロジェクトや住宅開発の質を高めるために、神経美学が応用され始めている分野だ。現在、トップクラスのデザイン事務所や建築業者は、神経美学の知識に基づいたデザインを採用している。そして、教育機関では神経建築学の課程が設けられ、資格認定が行なわれる傾向が高まりつつある。

アートを支援する機関も使命を前進させ、働きかける相手と提供する内容を拡大し始めている。美術館は自らをアート作品の単なる保管場所とは考えず、来場者が健康とウェルビーイングのためにアートや美と関わることのできる、双方向の空間であると認識している。

新しい試みとしては、美術館がプログラムをコミュニティに向けて展開するものもある。例えばニューヨークのルービン美術館では、2021年に常設のインタラクティブな展示スペースとして、来場者の感覚を刺激する「マンダラ・ラボ」を開設した。この企画の中核にあるのは自己認識と共感を重んじる仏教の原則だ。

香りの部屋では、さまざまな香りを吸い込むように促される。瞑想をしながら呼吸をする小部屋には造形作家パルデン・ワインレブのオブジェが展示され、規則正しい呼吸のペースに合わせて光が点滅する。8つの銅鑼《どら》が置かれた空間では、そのうちの1つを木槌で鳴らし、深い振動を発生させることができる。

美術館のエグゼクティブ・ディレクターを務めるジョリット・ブリッチギーは、『アーキテクチュラル・ダイジェスト』誌に、この展示が「ニューヨークの文化的ヒーリングスペースの先駆けとしての役割を果たし、洞察とウェルビーイングの源泉となること」を願うと語っている。[06] ルービン美術館は、これから数年のうちに、この展示をほかのコミュニティでも行なう計画を立てている。

この分野の発展を根底から支えるのは、エビデンスに基づいた実践を確立し、アートと美の拡大した役割を揺るぎないものにする何千もの組織だ——それは、地方自治体、州政府、連邦政府から専門職団体、支援団体、文化およびコミュニティアート団体、カレッジおよび大学など、広範にわたる。

神経美学が表舞台に立つ大きな一歩となったのは、２０２１年に「ニューロアーツ・ブループリント」が発表されたときだった。これはＩＡＭラボのスーザンと、アスペン研究所の健康医療社会プログラムのエグゼクティブ・ディレクターのルース・カッツが共同で推進した5カ年計画のプロジェクトだ。

目的はアートを医療と公衆衛生のメインストリームに組み込むことだった。国際的な諮問委員会は25人から成り（アイビーも名を連ねている）、ルネ・フレミングと、マウント・サイナイ・アイカーン医科大学の神経科学者エリック・ネスラーが共同委員長を務めた。ブループリントは委員会とともに方向性を示した。神経美学が研究を強化し、健康とウェルビーイングを促進するアートの実践を評価、支援し、この分野での教育とキャリアの道筋を広げるにはどうすべきか。持続的な資金調達と効果的な政策を提唱し、この分野を前進させるための能力とリーダーシップ、コミュニケーション戦略を築くにはどうすればよいか。

「世界中でフィールドを確立しようという大きな気運があります」とルースは私たちに語った。「ウェルビーイングの実現にはアートと科学の両方が必要であり、神経科学はその溝を埋めるものです」。

このような未来像は大いに期待できる。しかし待っている必要はない。本書を通して見てきたように、アートの実践と美的経験はいつでも、どこでも可能だ。

リドヴィッジ・エデルコートは、世界でもっとも有名なトレンド予測家の1人だ。社会文化的トレンドの進化を研究する彼女は、美とアートが以前に比べ、すでに私たちの暮らしに取り入れられていることに気づかせてくれる。「美がもっと身近で、もっとパーソナルなものになるような、ちょっとした素敵なことが何よりも大事です」と彼女は言う。

「些細なことでもいいんです。例えば、**フラワーショップに行って自分のために花を買い、思いのままにアレンジしてみる**というような」。シンプルなアートと美の実践は、手軽に無理なくできて、手の届くものである。

本書の冒頭で用いた万華鏡の比喩のように、認識ののぞき穴をほんの少しだけ動かしてみれば、あなたを美的マインドセットへと導く、まったく新しい経験につながるかもしれない。好奇心と制約のない探求、知覚への意識、創造的な表現。それらがあなたの人生の土台になってくれるにちがいない。

さあ、美的なアートライフを始めよう

では、そもそも美的マインドセットを持って生きる、というのはどういうことなのか？ 本書で科学者やアーティスト、施術者たちが示してきたことを実践するとしたら、それはどんな生き方なのか？

あなた自身の人生において、本書で述べた科学や具体的な活動を取り入れた1日を想像してみよう。

新しい朝の日課として、1日を始めるあたり、感覚にまつわる簡単な選択をしておく。人の感情のじつに75%は匂いの影響を受けていると言われており、目覚めを促すお気に入りの香りをあらかじめ選んでいる。

ベッドサイドには花を生けた花瓶があり、キッチンカウンターには鉢植えのハーブが置かれている。好みの香りのハーブティーかコーヒーを用意する。青白色の6500ケルビンの色温度の電球を使った明かりをつける。これは太陽の光を再現し、概日《がいじつ》リズムに起床時間が来たと知らせるためだ。

シャワーを浴びるときは頭から離れない歌を歌い、脳の領域のいくつかを活性化させる。それぞれの領域はすべてが複雑な神経ネットワークによってつながっている。ただハミングするだけでも喜びにつながり、迷走神経を活性化し、副交感神経系に働きかけて気分が良くなる。あなたの脳もハミングを始め、エンドルフィンが放出されて気分が良くなる。[07]。そしてお湯が数兆個の皮膚細胞を癒すと気分が落ち着き、神経系が活性化され、バランスが整い、頭をスッキリさせ、1日を始めるための認知機能の準備は万端だ[08]。

あなたは自分の人生のキュレーターであり、自宅には自分の美意識を反映する豊かな環境が整っている。それは多くの他人が好むものではなく、あなた自身の理屈抜きの好みが優先された環境だ。なぜなら、あなたは美の3要素の交わり方は人それぞれだと知っているからだ。

さらにあなたは、デフォルトモード・ネットワークが実体験から意味をつむいでいることも知っている。あなたには自分が創作したアートや、収集したアートがあり、それが思考に疑問を投げかけ、内面を豊かにする。

あなたには日々のアートの習慣がある。それは瞑想や運動の習慣と同じように欠かせないものになっている。アートはただの趣味ではない。アートは自分自身との対話であり、自分の心と体と精神と結びつき、健康とウェルネスを支える手段だ。

日によっては、苦しいことやストレスを感じる経験をしたあとにコルチゾールを減らすため、ほんの20分ほどスケッチやいたずら描きをする。ときには触覚に働きかけることもある。粘土細工や編み物、ガーデニングなどだ。その間、心はさまよい、フロー状態に入る。

粘土や毛糸、土を触っているときの手の感覚は皮膚と神経終末を刺激し、体内の感覚受容器を発火させる。感覚運動経路を通じ、すぐに注意力が高まり、意識がはっきりとして、感受性が強くなる。アートの創造について大切なのは最終結果ではない。それはプロセスであり、存在し、知ることとの積極的な方法だ。

その日を過ごすうちに頭痛に見舞われたとしたら、ダンスや体を動かす処方が効果的だ。不安を感じたときは、ドとソの音叉で音波を発生させ、逃げるか動きを止めるか、戦うかの反応を和らげ、リラックスした状態を引き出す。

1日のどこかで自然のなかで過ごす時間を確保する。朝焼け、枝にとまる赤い猩々紅冠鳥《しょうじょうこうかんちょう》、髪をゆらす風、鮮やかな黄色い水仙。どれも少し足を止め、自然界に畏怖の念を感じずにはいられない。自然のリズムと改めて結びつくことは私たちを支え、力づける。あなたは今では、こうしたシンプルな日々の美的瞬間が、ドーパミンやセロトニンといった、脳内に存在する神経化学物質を活性化することを以前より意識している。自然界の美しさは、ささやかながら意欲と回復をもたらしてくれる。


美的マインドセットを職場に取り入れると、効率だけが唯一のゴールではないことに気づく——帰属感や協力、創造性、コミュニケーション、配慮、創意に富んだ問題解決等、ほかに大切なことがたくさんある。空間は私たちの考え方と感じ方を変える。職場では、豊かな環境をつくることは、より大きな成功と満足感を達成する状況を整えることにほかならない。

夜は友だちとライブを聴くか、ダンスの公演か舞台に行くか、地域のアートスポットに出かける。誰かと一緒にさまざまなタイプのアートを経験し、楽しむのは素晴らしいことだが、それだけではない。こういった活動により共感を得て視野が広がり、新たな感情や発想に浸り、持続的幸福に欠かせない条件が強化されるのだ。

家族の間でも、こうした因果関係に気づきを与える工夫があるだろう。子どもや孫、甥や姪に、自分だけの実践的アートや美的経験を試してみるように促すのはどうか。子どもたちは、早い段階できわめて重要な実行機能のスキルを獲得し、自分の感情を掘り下げて表現し、アイデンティティとエージェンシー（行為主体性）を構築できるようになるだろう。若い脳は、神経回路を猛スピードで成長させているからだ。

自分以外の誰かのケアにあたるときは、あなたには自分自身をしっかりと労《いた》わるための追加的な手段があり、自分の心身の健康を回復することは習慣になっている。そしてアートと美のツールキットは大いに頼りになる。

認知症を患う相手は長期記憶を保持している可能性が高いため、それを呼び覚ますのに役立つ歌のプレイリストを作成する。創造性を失わずに年齢を重ねる工夫として、絵を描き、コラージュをつくれば、認知機能の低下を抑制できる。一緒に踊ることは、パーキンソン病などの神経変性疾患の症状を軽減する。言葉が失われたときは、絵を描いて思いや考えを伝え、脳のブローカ野の機能を再開させることができる。

困難な感情、厳しい状況、トラウマになるような出来事に見舞われたときは、感情を押し殺すのではなく、紆余曲折は誰にでもあり、アートと美が乗り越える手助けしてくれることを思い出す。弱さや不安を感じたときは文章を表現手段として用い、絵を描き、色を塗ることで、神経可塑性を実際に刺激するような感情へと至る道を探る。

1日の終わりには、料理という創意工夫を発揮できるアートがある。心を癒す音楽は、自分で歌ったり演奏したりしてもいいし、耳を傾けてもいい。日が沈むところや、月が昇るところを眺めるのもいい。ベッドに入るときは、肌触りのいい衣服に身を包み、自然の音が流れるなかで眠りに誘われる。ベッドサイドのランプには、1日の終わりを思わせる暖かな3000ケルビンの光がともる。室温は下げられ、それによってメラトニンの分泌と、概日リズムを整えることが促される。

アートには、比類のない方法であなたを変える力がある。病気から健康な状態へ、ストレスから穏やかな気持ちへ、悲しみから喜びへと移行するのを手助けし、持続的な幸福と繁栄を可能にする。アートはあなたを根底から変化した状態へと導き、あなたの生理機能そのものを変化させる。

アートは昔から希望の最高の姿を示し、今日では科学によって新たな知識がもたらされており、それは私たち1人ひとりの人生に取り入れることができる。

脳波が電気エネルギーのリズムで振動し、音と色が振動してあなたのなかを通り過ぎるとき、あなたの美的ライフスタイルにおける個人的な選択は、あなたという個性をつくり、支えている。

準備は整っただろうか?

世界は、そしてその美しさは、すぐそこであなたを待っている。

謝辞

この4年間はアートと美というレンズを通じ、私たちが直面するさまざまな問題について語る本を著《あらわ》すための旅だった。実体験を集め、見識を得るために世界各地を訪れ、そのすべての出会いが素晴らしいものだった。本書を世に送り出せたことは光栄であり、大変嬉しく思う。

2人で協力して執筆したことは貴重な贈り物のような経験であり、魔法のような化学反応を引き起こすことができた。お互いの考えを熟知し合うようになり、ともにたくさん笑った。

私たちを励まし、アドバイスをくれ、支え続けてくれた多くの方々に深く感謝する。まずはそれぞれの夫であるアーサー・ドルーカーとリック・フガニールに。2人は原稿の編集や事実確認の作業を率先して引き受け、応援してくれた。私たちに与えてくれたインスピレーションと支援に対する愛と感謝は、言葉では言い表せない。

エージェントのボニー・ソロウは、スマートかつ冷静な決断力により、私たちが最高の企画書を書き、最高の本を書き上げられるよう導いてくれた。彼女が思い描いた本書の完成像は、私たちの道しるべとなった。エリザベス・エヴィッツ・ディキンソンは、本書の執筆を手伝ってくれた。彼女は優れた作家であり、今回の私たちの取り組みの重要性を理解し、この仕事を引き受けてくれた。複雑な科学に個人的なエピソードを織り込むことで文章が生き生きと歌い出したのは、彼女の類まれな才能のおかげだ。

ローラ・マーセックは道案内をしてくれるシェルパだった。戦略的マーケティングに関するひじょうに有益な助言から、膨大な調査研究や参考資料の整理に至るまで、彼女なくしては膨大な細かい作業を乗り切ることはできなかった。そしてジュリー・テイトは本書の事実確認を入念に行なってくれた。

ランダムハウスの編集者ベン・グリーンバーグは、本書の可能性を理解し、それぞれの話題を掘り下げるように求めた。読者がさらに多くを学び、アートを日常に取り入れようと思うにちがいないと信じてくれたからだ。彼は本書に1語たりとも無駄がないよう、原稿をともに練り上げてくれた。

私たち2人は、本書自体も「有言実行」とすべく、美的に優れたものにすべきだと信じていた。ともに旅をしてくれたランダムハウスの有能なチームに、心よりお礼申し上げる。本書には20点以上のアート作品が掲載されており、内容についてイメージをふくらませ、理解を深める資料になっている。読者とこれらの作品を分かち合えるのは無上の喜びだ。カバーに作品の使用を認めてくれたレフィーク・アナドールと、脳図の作成に協力してくれた神経科学者でアーティストのグレッグ・ダンに、厚く感謝する。

このような壮大な旅では道に迷うことが多々ある。何もかもが興味深く、価値があるのだから。そんなとき、ジョアン・ゴードンがいてくれたのは幸いだった。作家として数多くの思想的指導者の声を取り上げてきた彼女は、筆者が脇道に逸れないよう優しく、そして熱心に気を配ってくれた。アンドレア・キャンプは政策アドバイザー及びコミュニケーション専門家としての視点で原稿を読み、筆者のメッセージが実際に政府機関等で何らかの対策につながるような形で伝わるよう、助言してくれた。そしてジョンズ・ホプキンス大学の神経科学者で教育者のリンダ・ゴーマンは、最終チェックを行なう科学アドバイザーに立候補してくれ、科学に関する記述内容を確認してくれた。

アイランドプレス社創立者で元発行者のチャック・サヴィットは、アートの科学を人類の未来と関連づける難しさと重要性に気づき、進化生物学者のE・O・ウィルソンを紹介してくれた。エドは本書執筆中に亡くなったが、人類の成功にはアートが必要不可欠である、という彼の画期的なアイデアを読者と分かち合えることに感謝の気持ちでいっぱいである。

本書をまとめるにあたり、数多くの方々が相談に乗ってくれた。その惜しみない情熱と見識がすべてのページに織り込まれている。新しい分野を開拓するノウハウを快く教えてくれた、慈善家で起業家のジェフ・ウォーカーに厚くお礼申し上げる。ニナ・ワイズはインプロ

（インプロヴィゼーション、即興）というツールによって、自分がどんな感情なのか探り出せることを説明してくれた。フューチャー・ハンタース社CEOのエディ・ウェイナーは、より良い未来を見せてくれるアートとして、サイエンス・フィクションと前向きなストーリー展開、そして典型的なスーパーヒーローの持つ力強さに気づかせてくれた。

ハーバード大学の美術史、建築史、アフリカ人およびアフリカ系アメリカ人研究の准教授であるサラ・ルイスは「美の力」と、世界を変えられるアートの力強さに関する独自の素晴らしい解釈を披露してくれた。作家で講演者のセス・ゴーディンは、好奇心と創造力の役割について適切なアドバイスをくれた。社会的な脳について説明してくれた神経科学者のジョセフ・ルドゥーにもお礼申し上げる。ワールド・カルチャー・プロジェクト創設者でディレクターのD・ポール・シェーファーは、豊かな文化と多様性が必要不可欠であることを共有し、インスピレーションを与え、行く道を照らしてくれた。

著者と物語を分かち合ってくれたすべての方々に感謝する。私たちのために時間を割き、アートがどのように人を変えるのかを示すために、今まで成し遂げたことや情熱を注ぐ対象について教えてくれた。本書には収まりきらなかったが、本当ならもっと多くの人々や驚くべき逸話を紹介したかった。世界中の研究者や実践者、アーティストや支持者から学ぶことはまだまだ尽きない。私たちのウェブサイトを通じ、補足していければと考えている。

著者が本書について語るのを聞き、著者を信じ、執筆を勇気づけ、アイデアや意見、アドバイスをくれたたくさんの友人や同僚に感謝する。本書は集団による力の象徴であり、みなさんが少しずつ生命を吹き込んでくれたおかげで、より優れたものになった。

アイビーはこれまでさまざまな企業で才能溢れるデザイナーやクリエイター、アーティスト、同僚と共に仕事ができたことに感謝している。とりわけ、毎日のように美学的な考え方を実践している現在の素晴らしいグーグルのチームに感謝する。

スーザンの職業人生は、この40年ずっと創造性と協調に満ちたものだった。2004年以来、彼女はジョンズ・ホプキンス大学でプログラムの設計にあたっており、とりわけ応用神経美学センターのインターナショナル・アーツ＋マインド・ラボでの、才能に溢れ活気に満ちたチームとの仕事は楽しいものだった。マリリン・ペダーセンの影響で、大学に来て間もない頃から、スーザンはアートと美学が人生に大きな違いをもたらすと信じ、意義のある研究をしたいと考えていた。学界における浮き沈みのなか、マリリン・アルバートは大切な助言者で友人であり続けてくれた。キャサリン・ゴールドマンはスーザンと共にたくさんの冒険に果敢に乗りだし、たとえどんなことがあっても、いつも変わらずそこにいてくれる。

謝辞を締めくくるにあたり、私たち2人がどこから来て、誰のおかげで今に至っているのか述べずにはいられない。アイビーが生涯飽くなき好奇心を抱くよう育んでくれたのは父親だった。トレンド・ユニオンのリー・エデルコートは、あらゆるものに感嘆し美しさを見つけ出すヒントをくれた。母と弟はいつも寄り添い、特別な瞬間や記憶を分かち合ってきた。アイビーの娘のブリタニーが、ママをとても尊敬していると言ってくれると、心が温かくなる。孫のブレーンも授かり、アートの未来は日々現実になっている。

スーザンは「ザ・シスターズ」と呼ぶドナ、サンドラ、カレン、そしてリサの陽気で熱烈な応援に感謝している。子どもの頃から何かをつくることに夢中だったが、これは母パッツィーと祖母グラニーから受け継いだ。彼女たちはいつも手仕事をしていた――編み物、縫物、料理、庭仕事、書き物などなど。アーティストで作家のサンドラ・マグサメンは、誕生したその日から最大の協力者で批評家だった――双子の姉妹にしか出来ないことだ。

スーザンはサムとベンの母であることを幸運に思っている。彼らには、創造的な表現や美学的な考え方の本当の意味を教えてもらった。ニッキー、ヘンリー、アダム、ケイティー、ティナを含め、まだまだ増えそうな大家族と一緒にいると、スーザンはこの美しい集団の持つ健康的な知性、想像力、優しさに触発される。そして忘れてはならないのが愛犬のローガンとライダーだ。彼らは数多くの取材と編集作業の間、ずっと寄り添ってくれた。

私たち2人にとって、本書は愛の賜物《たまもの》であり、比類のない仕事をしてくれた大勢の素晴らしい方々によりもたらされたものだと感じている。

そのすべて方々にお礼申し上げる。

クレジット

各章対向ページのアート作品

P4　『スパイラル・クラスター』：2019年、ノーマン・ガリンスキー作、紙にインク

P14　シャーレ上の神経ネットワーク：リチャード・L.フガニール

P50　DNA声紋画像：サウンド・メイド・ビジブル、ジョン・リード

P104　≪連続する絵画3≫作品番号68：1987年、ジュディ・トゥワレッティワ作、キャンバスにアクリル絵の具、石膏

P166　音により動く心臓の細胞：『バイオ・マテリアル・ジャーナル』

P228　カハルの遺産：マドリッド、カハル研究所(CSIC)

P280　IN-Qによる「金魚」の詩

P338　≪アフリカン・ビューティー≫：フアリウ作、フレスコ画

P386　≪インフィニティ・ルーム≫：レフィーク・アナドール

カラーページ

A　ハウス・オブ・エターナル・リターン　Jess Bernstein

B　スペース・フォー・ビーイング Edorado Delille and Google

C　リトル・アイランド Timothy Shenck

D　《脳》Greg Dunn and Brain Edwards

E　チームラボ・ボーダレス teamLab, Universe of Water Particles on a Rock where People Gather © teamLab

F　《継続する絵画》Judy Tuwaleststiwa

G　ソーク研究所 Chris Keeney

H　没入型アート空間 Refik Anadol Studio

I　永遠や保護をテーマとするオブジェ Creative Growth Art Center

原注

*注釈のない引用は、著者とのインタビューに基づいています。

Chapter1

01 Emily Saarman, "Feeling the Beat: Symposium Explores the Therapeutic Effects of Rhythmic Music," *Stanford News*, May 31, 2006.

02 "Releasing Stress Through the Power of Music," University of Nevada, Reno, https://www.unr.edu/counseling/virtual-relaxation-room/releasing-stress-through-the-power-of-music.

03 Zaira Cattaneo et al., "The Role of the Lateral Occipital Cortex in Aesthetic Appreciation of Representational and Abstract Paintings: A TMS Study," *Brain and Cognition* 95 (April 2015): 44–53, doi:10.1016/j. bandc.2015.01.008.

04 Sandra Blumenrath, "The Neuroscience of Touch and Pain," BrainFacts, February 3, 2020, https://www.brainfacts.org/thinking-sensing-and-behaving/touch/2020/the-neuroscience-of-touch-and-pain-013020.

05 Matt Wood, "How the Brain Responds to Texture," *ScienceDaily*, February 8, 2019, https://www.sciencedaily.com/releases/2019/02/190208124705.htm.

06 Natalie Angier, "Primal, Acute and Easily Duped: Our Sense of Touch," *New York Times*, November 9, 2008.

07 Steven C. Pan, "A Touch to Remember," *Scientific American*, January 8, 2019.

08 Luis Villazon, "What Is the Time Resolution of Our Senses?" *Science Focus*, https://www.sciencefocus.com/the-human-body/what-is-the-time-resolution-of-our-senses/.

09 Lucina Q. Uddin, *Salience Network of the Human Brain* (London: Academic Press, 2017).

10 William Grimes, "Marian C. Diamond, 90, Student of the Brain, Is Dead," *New York Times*, August 16, 2017.

11 Ibid.

12 Robert Sanders, "Recording a Thought's Fleeting Trip Through the Brain," *Berkeley News*, January 17, 2018.

13 Rab Messina, "Google's Milan Show Was Emotionally Painful—and That's Exactly What I Liked About It," *Frame*, April 10, 2019.

Chapter 2

01 Heidi Moawad, "The Brain and Nostalgia," *NeurologyLive*, October 13, 2016, https://www.neurologylive.com/view/brain-and-nostalgia.

02 "Stress in America 2020: A National Mental Health Crisis," American Psychological Association, https://www.apa.org/news/press/releases/stress/2020/report-october.

03 "Caregiving in the U.S.," AARP and National Alliance for Caring, May 2020, https://www.caregiving.org/wp-content/uploads/2021/01/full-report-caregiving-in-the-united-states-01-21.pdf.

04 "Integrated Care for Older People (ICOPE)," World Health Organization, https://apps.who.int/iris/rest/bitstreams/1352688/retrieve.

05 Elsa A. Campbell, "Vibroacoustic Treatment and Self-Care for Managing the Chronic Pain Experience," JYU Dissertation, University of Jyvaskla, June 2019, https://jyx.jyu.fi/handle/123456789/64286#.

06 John Beaulieu, "Nitric Oxide and Tuning Forks," Biosonics, July 13, 2017, https://biosonics.com/2017/07/13/nitric-oxide-tuning-forks.

07 Tamara L. Goldsby et al., "Effects of Singing Bowl Sound Meditation on Mood, Tension, and Well-Being: An Observational Study," *Journal of Evidence-Based Complementary & Alternative Medicine* 22, no. 3 (July 2017): 401–6, https://doi.org/10.1177/2156587216668109.

08 Keith W. Jacobs and Frank E. Hustmyer, Jr., "Effects of Four Psychological Primary Colors on GSR, Heart Rate, and Respiration Rate," *Perceptual and Motor Skills* 38, no. 3 (June 1974): 763–66, https://doi.org/10.2466/pms.1974.38.3.763.

09 Hsin-Ni Ho et al., "Combining Colour and Temperature: A Blue Object Is More Likely to Be Judged as Warm Than a Red Object," *Scientific Reports* (July 2014), https://doi.org/10.1038/srep05527.

10 Nikki VanRy, "What Happened to Adult Coloring Books? Charting the Boom and Bust," BookRiot, November 6, 2019, https://bookriot.com/adult-coloring-books-trend/.

11 Malcolm Koo et al., "Coloring Activities for Anxiety Reduction and Mood Improvement in Taiwanese Community-Dwelling Older Adults: A Randomized Controlled Study," *Evidence-Based Complementary and Alternative Medicine* 6 (January 2020), https://doi.org/10.1155/2020/

6964737.

12 Tamlin Conner et al., "Everyday Creative Activity as a Path to Flourishing," *Journal of Positive Psychology* 13, no. 2 (November 2016): 181–89, https://doi.org/10.1080/17439760.2016.1257049.

13 Nicole Turturro and Jennifer E. Drake, "Does Coloring Reduce Anxiety? Comparing the Psychological and Psychophysiological Benefits of Coloring Versus Drawing," *Empirical Studies of the Arts* 40, no. 1 (May 2020): 3–20, https://journals.sagepub.com/doi/abs/10.1177/0276237420923290.

14 Takashi Ikeda et al., "Color Harmony Represented by Activity in the Medial Orbitofrontal Cortex and Amygdala," *Frontiers in Human Neuroscience* 9 (July 2015): 1–7, https://doi.org/10.3389/fnhum.2015.00382.

15 Sara Harrison, "A New Study About Color Tried to Decode 'The Brain's Pantone,' " *Wired*, November 24, 2020.

16 Isabelle A. Rosenthal et al., "Color Space Geometry Uncovered with Magnetoencephalography," *Current Biology* 31 (February 2021): 515–26, https://doi.org/10.1016/j.cub.2020.10.062.

17 Nancy A. Curry and Tim Kasser, "Can Coloring Mandalas Reduce Anxiety?" *Art Therapy: Journal of the American Art Therapy Association* 22, no. 2 (April 2011): 81–85, https://doi.org/10.1080/07421656.2005.10129441.

18 Megan E. Beerse et al., "Biobehavioral Utility of Mindfulness-Based Art Therapy: Neurobiological Underpinnings and Mental Health Impacts," *Experimental Biology and Medicine* 245, no. 2 (October 2019): 122–30, https://doi.org/10.1177/1535370219883634.

19 Tania Fitzgeorge-Balfour,"Stressed? Take a 20-Minute Nature Pill," *Frontiers Science News*, April 9, 2019, https://www.sciencedaily.com/releases/2019/04/190404074915.htm.

20 Jessica Wapner, "Vision and Breathing May Be the Secrets to Surviving 2020," *Scientific American*, November 16, 2020.

21 Lee F. Mindel, "Lee F. Mindel Compares the Oculi at the Vatican and the Guggenheim Museum," *Architectural Digest*, February 28, 2013.

22 Gerardo Gómez-Puerto et al., "Preference for Curvature: A Historical and Conceptual Framework," *Frontiers in Human Neuroscience* 9 (January 2016), https://doi.org/10.3389/fnhum.2015.00712.

23 Richard Louv, *Last Child in the Woods: Saving Our Children from Nature-Deficit Disorder* (New York: Algonquin Books, 2005), 2.（『あなたの子どもには自然が足りない』リチャード・ループ著、春日井晶子訳、早川書房）

24 Margaret M. Hansen et al., "Shinrin-Yoku (Forest Bathing) and Nature Therapy: A State-of-the-Art Review," *International Journal of Environmental Research and Public Health* 14, no. 8 (July 2017): 851, https://doi.org/10.3390/ijerph14080851.

25 Stephen Rojcewicz, "Poetry Therapy in Ancient Greek Literature," *Journal of Poetry Therapy* 17, no. 4 (December 2004): 209–13, https://doi.org/10.1080/0889367042000325076.

26 Eugen Wassiliwizky et al., "The Emotional Power of Poetry: Neural Circuitry, Psychophysiology and Compositional Principles," *Social Cognitive and Affective Neuroscience* 12, no. 8 (April 2017): 1229–49, https://doi.org/10.1093/scan/nsx069.

27 Arthur M. Jacobs, "Neurocognitive Poetics: Methods and Models for Investigating the Neuronal and Cognitive-Affective Bases of Literature Reception," *Frontiers in Human Neuroscience* 9, no. 186 (April 2015), https://doi.org/10.3389/fnhum.2015.00186.

28 Eugen Wassiliwizky et al., "The Emotional Power of Poetry: Neural Circuitry, Psychophysiology and Compositional Principles," *Social Cognitive and Affective Neuroscience* 12, no. 8 (April 2017): 1229–1249, https://doi.org/10.1093/scan/nsx069.

29 Patrick J. Kiger, "The Human Brain Is Hardwired for Poetry," How Stuff Works, https://science.howstuffworks.com/life/inside-the-mind/human-brain/how-poetry-affects-human-brain.htm.

Chapter3

01 Cathy Hutchison, "To Doodle or Not Doodle? Science Says Doodlers' Brains Are Smarter and Sharper," *Medium*, June 10, 2018, https://cathyhutchison.medium.com/to-doodle-or-not-to-doodle-science-says-doodlers-brains-are-smarter-and-sharper-40ee9f27d5aa.

02 Anne Bolwerk et al., "How Art Changes Your Brain: Differential Effects of Visual Art Production and Cognitive Art Evaluation on Functional Brain Connectivity," *PLOS One* 9 (July 2014), https://doi.org/10.1371/journal.pone.0101035.

03 Marie E. Gill, "Integration of Adverse Childhood Experiences Across Nursing Curriculum," *Journal of Professional Nursing* 35 (March–April 2019): 105–111, https://doi.org/10.1016/j.profnurs.2018.07.003.

04 Bessel A. van der Kolk, *The Body Keeps the Score* (New York: Penguin, 2014), 68.（『身体はトラウマを記録する――脳・心・体のつながりと回復のための手法』ベッセル・ヴァン・デア・コーク著、柴田裕之訳、紀伊國屋書店）

05 Sasha Gonzales, "What Knitting, Painting and Pottery Do to Your Brain, and Why They Can Make You Happier and Reduce Stress," *South China Morning Post*, July 29, 2018.

06 Kerry A. Kruk et al., "Comparison of Brain Activity During Drawing and Clay Sculpting: A Preliminary qEEG Study," *Journal of the American Art Therapy Association* 31, no. 2 (June 2014): 52–60, https://doi.org/10.1080/07421656.2014.903826.

07 James Gordon et al., "Trans-forming Trauma with Lifestyle Medicine," *American Journal of Lifestyle Medicine* 15, no. 5 (2021): 538–40, https://doi.org/10.1177/15598276211008123.

08 James W. Pennebaker, "Expressive Writing in Psychological Science," *Perspectives on Psychological Science* 13, no. 2 (October 2017): 226–29, https://doi.org/10.1177/1745691617707315.

09 Brynne C. DiMenichi et al., "Effects of Expressive Writing on Neural Processing During Learning," *Frontiers in Human Neuroscience* 13 (November 2019), https://doi.org/10.3389/fnhum.2019.00389.

10 Mary Karr, *The Art of Memoir* (New York: HarperCollins, 2015).

11 Melissa S. Walker, "Art Can Heal PTSD's Invisible Wounds," TED Talk, https://www.ted.com/talks/melissa_walker_art_can_heal_ptsd_s_invisible_wounds?language=en.

12 Bessel A. van der Kolk, *The Body Keeps the Score* (New York: Penguin, 2014), 42.

13 Andrea Stone, "How Art Heals the Wounds of War," *National Geographic*, February 13, 2015.

14 Melissa S. Walker et al., "Active-Duty Military Service Members' Visual Representations of PTSD and TBI in Masks," *International Journal of Qualitative Studies on Health and Well-Being* 12, no. 1 (November 2017), https://doi.org/10.1080/17482631.2016.1267317.

15 Kim Armstrong, "Interoception: How We Understand Our Body's Inner Sensations," Association for Psychological Science, September 25, 2019, https://www.psychologicalscience.org/observer/interoception-how-we-understand-our-bodys-inner-sensations.

16 Nisha Sajnani et al., "Aesthetic Presence: The Role of the Arts in the Education of Creative Arts Therapists in the Classroom and Online," *The Arts in Psychotherapy* 69 (July 2020), https://doi.org/10.1016/j.aip.2020.101668.

17 Angela Betsaida B. Laguipo, "Is Dancing Good for the Brain?" *Medical Life Sciences*, June 2019, https://www.news-medical.net/health/Is-Dancing-Good-for-the-Brain.aspx.

18 Scott Edwards, "Dancing and the Brain," *On the Brain: Harvard Medical School*, Winter 2015.

19 Julia F. Christensen et al., "Dance Expertise Modulates Behavioral and Psychophysiological Responses to Affective Body Movement," *Journal of Experimental Psychology* 42, no. 8 (August 2016): 1139–47, https://doi.org/10.1037/xhp0000176.

20 Kai Lehikoinen and Isto Turpeinen, "Fear, Coping and Peer Support in Male Dance Students' Reflections," *Masculinity, Intersectionality and Identity* (February 2022): 207–26, https://doi.org/10.1007/978-3-030-90000-7_10.

21 Amy Loughman and Nick Haslam, "Neuroscientific Explanations and the Stigma of Mental Disorder: A Meta-Analytic Study," *Cognitive Research: Principles and Implications* 3, no. 1 (November 2018): 1–12, https://doi.org/10.1186/s41235-018-0136-1.

22 Amy Loughman and Nick Haslam, "Neuroscientific Explanations and the Stigma of Mental Disorder: A Meta-Analytic Study," *Cognitive Research: Principles and Implications* 3, no. 1 (November 2018): 1–12, https://doi.org/10.1186/s41235-018-0136-1.

23 Michael A. Hoge et al., "Mental Health and Addiction Workforce Development: Federal Leadership Is Needed to Address the Growing Crisis," *Health Affairs* 32, no. 11 (November 2013): 2005–12, https://doi.org/10.1377/hlthaff.2013.0541.

24 Giuseppe Blasi et al., "Brain Regions Underlying Response Inhibition and Interference Monitoring and Suppression," *European Journal of Neuroscience* 23, no. 6 (March 2006): 1658–64, https://doi.org/10.1111/j.1460-9568.2006.04680.x.

25 Shivani Mathur Gaiha et al., "Effectiveness of Arts Interventions toReduce Mental-Health-Related Stigma Among Youth: A Systematic Review and Meta-Analysis," *BMC Psychiatry* 21, no. 1 (July 2021), https://doi.org/10.1186/s12888-021-03350-8.

26 Melissa Campbell et al., "Art Therapy and Cognitive Processing Therapy for Combat-Related PTSD: A Randomized Controlled Trial," *Journal of the American Art Therapy Association* 33, no. 4 (October 2016): 169–77, https://doi.org/10.1080/07421656.2016.1226643.

Chapter 4

01 Hanae Armitage, "Scientific Innovations Harness Noise and Acoustics for Healing," *Stanford Medicine: Listening*, Spring 2018, https://stanmed.stanford.edu/listening/innovations-helping-harness-sound-acoustics-healing.html.

02 Hans Jenny, *Cymatics: A Study of Wave Phenomena and Vibration* (United Kingdom: MACROmedia, 2001).

03 Daisy Fancourt et al., "How Leisure Activities Affect Health: A Narrative Review and Multi-Level Theoretical Framework of Mechanisms of Action," *Lancet Psychiatry* 8, no. 4 (April 2021): 329–39, https://doi.org/10.1016/S2215-0366(20)30384-9.

04 "Chronic Pain," *The Lancet: Executive Summary*, May 27, 2021, https://www.thelancet.com/series/chronic-pain.

05 "Chronic Pain: The Impact on the 50 Million Americans Who Have It," Healthline, https://www.healthline.com/health-news/chronic-pain-the-impact-on-the-50-million-americans-who-have-it, accessed July 1, 2022.

06 Steve Ford, "Understanding the Effect of Pain and How the Human Body Responds," *Nursing Times*, February 28, 2018.

07 Tara Parker-Pope, "Pain as an Art Form," *New York Times*, April 22, 2008.

08 Indra Majore-Dusele, "The Development of Mindful-Based Dance Movement Therapy Intervention for Chronic Pain: A Pilot Study with Chronic Headache Patients," *Frontiers in Psychology* 12 (April 2021), https://doi.org/10.3389/fpsyg.2021.587923.

09 "Art Therapy for Migraine Relief—Does It Work?," MigraineBuddy, September 30, 2020, https://migrainebuddy.com/art-therapy-migraine-relief-does-it-work.

10 Alexandra Linnemann et al., "The Effects of Music Listening on Pain and Stress in the Daily Life of Patients with Fibromyalgia Syndrome," *Frontiers in Human Neuroscience* 9 (July 2015), https://doi.org/10.3389/fnhum.2015.00434.

11 Hunter G. Hoffman et al., "Virtual Reality Distraction to Help Control Acute Pain During Medical Procedures," *Virtual Reality Technologies for Health and Clinical Applications* (August 2019): 195–208, https://doi .org/10.1007/978-1-4939-9482-3_8.

12 Emily Honzel et al., "Virtual Reality, Music and Pain: Developing the Premise for an Interdisciplinary Approach to Pain Management," *The Journal of the International Association of Pain* 160, no. 9 (September 2019):

1909–19, https://doi:10.1097/j.pain.0000000000001539.

13 Daisy Fancourt, "Beyond Measure? Daisy Fancourt in Conversation with Darren Henley," YouTube, November 28, 2020, https://www.youtube.com/watch?v=pO80PTHK3pk

14 Daisy Fancourt et al., "Cultural Engagement and Cognitive Reserve: Museum Attendance and Dementia Incidence over a 10-Year Period," *The British Journal of Psychiatry* 213, no. 5 (July 2018): 661–63, https://doi:10.1192/bjp.2018.129.

15 Judy Rollins et al., "State of the Field Report: Arts in Healthcare/2009," National Endowment for the Arts, 2009, https://www.americansforthearts.org/sites/default/files/ArtsInHealthcare_0.pdf.

16 Jenny Baxley Lee et al., "Arts Engagement Facilitated by Artists with Individuals with Life-Limiting Illness: A Systematic Integrative Review of the Literature," *Palliative Medicine* 35, no. 10 (December 2021): 1815–31, https://doi.org/10.1177/02692163211045895.

17 Steven Brown et al., "The Neural Basis of Human Dance," *Cerebral Cortex* 16, no. 8 (October 2005): 1157–67, https://doi.org/10.1093/cercor/bhj057.

18 Sarah Davies, "Dance, When You're Broken Open," *Medium*, February 20, 2020, https://medium.com/@heart_19487/dance-when-youre-broken-open-439b6aeaae5b.

19 Karolina A. Bearss and Joseph F. X. DeSouza, "Parkinson's Disease Motor System Progression Slowed with Multisensory Dance Learning over 3 Years: A Preliminary Longitudinal Investigation," *Brain Sciences* 11, no. 7 (May 2021), https://doi.org/10.3390/brainsci11070895.

20 Alli Hoff Kosik, "Here's Why Dancing Is Good for Your Brain," *Brit + Co*, May 1, 2019, https://www.brit.co/why-dancing-is-good-for-your-brain.

21 Scott Edwards, "Dancing and the Brain," On the Brain, Harvard Medical School, Winter 2015, https://hms.harvard.edu/news-events/publications-archive/brain/dancing-brain.

22 Kaho Akimoto et al., "Effect of 528 Hz Music on the Endocrine System and Autonomic Nervous System," *Health* 10, no. 9 (September 2018): 1159–70, https://doi:10.4236/health.2018.109088.

23 Robert Jagiello, "Rapid Brain Responses to Familiar vs. Unfamiliar Music—an EEG and Pupillometry Study," *Nature* 9, no. 1 (October 2019), https://www.nature.com/articles/s41598-019-51759-9

24 Li-Huei Tsai, "How Science, Technology, and Industry Can Work Together to Cure Alzheimer's," *Boston Globe*, November 29, 2021.

25 Massachusetts Institute of Technology, "Brain Wave Stimulation May Improve Alzheimer's Symptoms: Noninvasive Treatment Improves Memory and Reduces Amyloid Plaques in Mice," ScienceDaily, March 14, 2019, https://www.sciencedaily.com/releases/2019/03/190314111004.htm.

26 Tamara A. Shella, "Art Therapy Improves Mood, and Reduces Pain and Anxiety When Offered at Bedside During Acute Hospital Treatment," *The Arts in Psychotherapy* 57 (February 2018): 59–64, https://doi .org/10.1016/j.aip.2017.10.003.

27 Annie Waldman, "Big Pharma Quietly Enlists Leading Professors to Justify $1,000-Per-Day Drugs," ProPublica, February 23, 2017, https://www.propublica.org/article/big-pharma-quietly-enlists-leading-professors-to-justify-1000-per-day-drugs.

28 Martha Graham, "I Am a Dancer," *The Routledge Dance Studies Reader*, ed. Alexandra Carter and Janet O'Shea (London: Routledge, 2010).

Chapter 5

01 Michelle Marie Hospital et al., "Music Education as a Path to Positive Youth Development: An El Sistema-Inspired Program," *Journal of Youth Development* 13, no. 4 (2018): 149–63, https://doi:10.5195/JYD.2018.572.

02 John Rampton, "The Benefits of Playing Music Help Your Brain More Than Any Other Activity," *Inc.*, August 21, 2017, https://www.inc.com/john-rampton/the-benefits-of-playing-music-help-your-brain-more.html.

03 Mathilde Groussard et al., "When Music and Long-Term Memory Interact: Effects of Musical Expertise on Functional and Structural Plasticity in the Hippocampus," *PLOS One* 5, no. 10 (October 5, 2010), https://www.ncbi.nlm.nih.gov/pmc/articles/PMC2950159/

04 Yovanka B. Lobo and Adam Winsler, "The Effects of a Creative Dance and Movement Program on the Competence of Head Start Preschoolers," *Review of Social Development* 15, no. 3 (August 2006): 501–19, https://doi.org/10.1111/j.1467-9507.2006.00353.x.

05 Lillie Therieau, "11 Rock Solid Statistics That Prove How Vital Art Education Is for Kids' Academic and Social Achievement," ipaintmymind.org, March 22, 2021, https://ipaintmymind.org/blog/11-rock-solid-statistics-that-prove-how-vital-art-education-is-for-kids-academic-social-achievement/.

06 Gil D. Rabinovici et al., "Executive Dysfunction," *Continuum* 21, no. 3 (June 2015): 646–59, https://doi:10.1212/01.CON.0000466658.05156.54.

07 Per Normann Andersen et al., "Art of Learning—an Art-Based Intervention Aimed at Improving Children's Functions," *Frontiers in Psychology* 10 (July 2019), https://doi.org/10.3389/fpsyg.2019.01769.

08 Reed W. Larson and Jane R. Brown, "Emotional Development in Adolescence: What Can Be Learned from a High School Theater Program?" *Human Development and Family Studies* 78, no. 4 (July 2007): 1083–99, https://doi.org/10.1111/j.1467-8624.2007.01054.x.

09 Andrea Brassard, "Mirror Neurons and the Art of Acting," Thesis, Concordia University, 2008.

10 Anne Fabiny, "Music Can Boost Memory and Mood," *Harvard Health Publishing*, February 14, 2015, https://www.health .harvard.edu/mind-and-mood/music-can-boost-memory-and-mood.

11 Ibid.

12 Sarah Figalora, "Laughing Makes Your Brain Work Better, New Study Finds," ABC News, April 20, 2014, https://abcnews.go.com/Health/laughing-makes-brain-work-study-finds/story?id=2339305.

13 Paula Felps, "This Is Your Brain on Humor," LiveHappy, February 24, 2017, https://livehappy.com/science/this-is-your-brain-on-humor/

14 Sarah Henderson, "Laughter and Learning: Humor Boosts Retention," Edutopia, March 31, 2015, https://www.edutopia.org/blog/laughter-learning-humor-boosts-retention-sarah-henderson.

15 Zak Stambor, "How Laughing Leads to Learning," American Psychological Association, June 2006, https://www.apa.org /monitor/jun06/learning.

16 Dave Neale et al., "Toward a Neuroscientific Understanding of Play: A Dimensional Coding Framework for Analyzing Infant-Adult Play Patterns," *Frontiers in Psychology* 9 (March 2018), https://doi.org/10.3389/fpsyg.2018.00273.

17 Helen Shwe Hadani, "Playful Learning Landscapes: Convergence of Education and City Planning," *Education in the Asia-Pacific Region: Issues, Concerns and Prospects* 58 (May 2021): 151–64, https://doi:10.1007/978-981-16-0983-1_11.

18 Alice Ferng, "Brain Power Has Created a Novel Google Glass Autism App," Medgadget, April 25, 2018, https://www .medgadget.com/2018/04/brain-power-google-glass-autism-app.html.

19 Catalin Voss et al., "Effect of Wearable Digital Intervention for Improving Socialization in Children with Autism Spectrum Disorder," *JAMA Pediatrics* 173, no. 5 (March 2019): 446–54, https:// doi:10.1001/jamapediatrics.2019.0285.

20 Peige Song et al., "The Prevalence of Adult Attention-Deficit Hyperactivity Disorder: A Global Systematic Review and Meta-Analysis," *Journal of Global Health* 11 (February 2021), https://doi:10.7189/jogh.11.04009.

21 Cecilia O. Ekwueme et al., "The Impact of Hands-On-Approach on Student Academic Performance in Basic Science and Mathematics," *Higher Education Studies* 5, no. 6 (November 2015), http://dx.doi.org /10.5539/hes.v5n6p47.

22 Jo Ann Boydston, ed., *John Dewey: The Later Works, 1925–1953* (Carbondale, IL: Southern Illinois Press, 1988).

Chapter 6

01 Tyler J. VanderWeele, "On the Promotion of Human Flourishing," *Proceedings of the National Academy of Sciences* 114, no. 31 (June 2017): 8148–56, https://doi.org/10.1073/pnas.1702996114.

02 Cortland J. Dahl, "The Plasticity of Well-Being: A Training-Based Framework for the Cultivation of Human Flourishing," *Proceedings of the National Academy of Sciences* 117, no. 51 (December 2020): 32197–206, ht tps://www.pnas.org/doi/full/10.1073/pnas.2014859117

03 Todd Kashdan, "Wired to Wonder," *Greater Good Magazine*, September 1, 2009, https://greatergood.berkeley.edu/article/item/wired_to_wonder.

04 Todd B. Kashdan et al., "Curiosity and Exploration: Facilitating Positive Subjective Experiences and Personal Growth Opportunities," *Journal of Personality Assessment* 82, no. 3 (June 2010): 291–305, https://doi.org/10.1207/s15327752jpa8203_05.

05 Roman Krznaric, "Six Habits of Highly Empathic People," *Greater Good Magazine*, November 27, 2012, https://greatergood.berkeley.edu/article/item/six_habits_of_highly_empathic_people1.

06 Catherine L'Ecuyer, "The Wonder Approach to Learning," *Frontiers in Neuroscience* 8 (October 2014), https://doi.org/10.3389/fnhum.2014.00764.

07 Jason Castro, "How the Brain Responds to Beauty," *Scientific American*, February 2, 2021.

08 Afdhel Aziz, "How the Nomadic School of Wonder Is Creating Transformational Experiences of Purpose and Meaning," *Forbes*, July 22, 2021.

09 Simone Kuhn et al., "In Search of Features That Constitute an 'Enriched Environment' in Humans: Associations Between Geographical Properties and Brain Structure," *Scientific Reports* 7, no. 1 (September 2017), https://doi:10.1038/s41598-017-12046-7.

10 Berit Brogaard, "How Deep Relaxation Affects Brain Chemistry," *Psychology Today*, March 31, 2015, https://www.psychologytoday.com/us/blog/the-mysteries-love/201503/how-deep-relaxation-affects-brain-chemistry.

11 Celeste Kidd and Benjamin Y. Hayden, "The Psychology and Neuroscience of Curiosity," *Neuron* 88, no. 3 (November 4, 2015): 449–60, https://doi.org/10.1016/j.neuron.2015.09.010.

12 Beau Lotto, "How We Experience Awe—and Why It Matters," TED Talk, October 2019, https://www.ted.com/talks/beau_lotto_and_cirque_du_soleil_how_we_experience_awe_and_why_it_matters.

13 Beau Lotto, "Awestruck! Part One," *Lab of Misfits Podcast*, December 17, 2021.

14 Diana Fosha et al., "Transforming Emotional Suffering into Flourishing: Metatherapeutic Processing of Positive Affect as a Trans-theoretical Vehicle for Change," *Counselling Psychology Quarterly* 32, no. 3–4 (2019): 563–93, https://doi.org/10.1080/09515070.2019.1642852.

15 Susan Young, "How the Brain Sees Beauty in Buildings," BrainFacts, February 24, 2021, https://www.brainfacts.org/neuroscience-in-society/the-arts-and-the-brain/2021/how-the-brain-sees-beauty-in-buildings-022421.

16 Roger Beaty, *The Creative Brain*, podcast, February 3, 2020.

17 Shelly L. Gable, "When the Muses Strike: Creative Ideas of Physicists and Writers Routinely Occur During Mind Wandering," *Psychological Science* 30, no. 3 (January 2019): 396–404, https://doi.org/10.1177/0956797618820626.

18 Philip Hernandez, "What Meryl Streep Says About Acting," *Backstage*, September 13, 2016, https://www.backstage.com/magazine/article/meryl-streep-says-acting-5578/.

19 Steven Brown et al., "The Neuroscience of Romeo and Juliet: An fMRI Study of Acting," *Royal Society Open Science* 6, no. 3 (March 2019), https://doi.org/10.1098/rsos.181908.

20 John DeSilvestri, "Drama Therapy and the Therapeutic Benefits of Theater," *Scleroderma, Vasculitis & Myositis eNewsletter*, August 2014, https://www.hss.edu/conditions_drama-therapy-benefits.asp.

21 John Lutterbie, "Neuroscience and Creativity in the Rehearsal Process," in *Performance and Cognition: Theatre Studies and the Cognitive Turn*, eds. Bruce McConachie and F. Elizabeth Hart (New York: Routledge, 2006).

22 Rami Gabriel, "Affect, Belief, and the Arts," *Frontiers in Psychology* 12 (December 2021), https://doi.org/10.3389/fpsyg.2021.757234.

23 Rachel Monroe, "Can an Art Collective Become the Disney of the Experience Economy?," *New York Times Magazine*, May 1, 2019.

24 Nico Bunzeck and Emrah Duzel, "Absolute Coding of Stimulus Novelt in the Human Substantia Nigra/VTA," *Neuron* 51, no. 3 (August 2006): 369–79, https://doi.org/10.1016/j.neuron.2006.06.021.

25 "The Brain Loves Surprises," ExploringYourMind, https://exploringyourmind.com/the-brain-loves-surprises/, accessed July 3, 2022.

26 Ahmed El Hady, "Your Brain on Surprise!," *Princeton Neuroscience Institute*, May 17, 2001, https://pni.princeton.edu/news/2021/your-brain-surprise

Chapter 7

01 Lisa Feldman Barrett, "Why Chimpanzees Don't Hold Elections: The Power of Social Reality," *Undark*, January 1, 2021, https://undark.org/2021/01/01/book-excerpt-seven-and-a-half-lessons-about-the-brain/.

02 Greg J. Stephens et al., "Speaker-Listener Neural Coupling Underlies Successful Communication," *Proceedings of the National Academy of Sciences* 107, no. 32 (July 2010): 14425–30, https://doi.org/10.1073/pnas.1008662107.

03 Manuella Yassa, "Why Our Brains Love Story," Center for the Neurobiology of Learning and Memory, December 4, 2018, https://cnlm.uci.edu/2018/12/04/story/.

04 Gabrielle Ahern, "Book Review: *Why Chimpanzees Don't Hold Elections: The Power of Social Reality,*" *Science of Learning*, January 22, 2021, https://npjscilearncommunity.nature.com/posts/book-review-why-chimpanzees-don-t-hold-elections-the-power-of-social-reality.

05 Jeanie Lerche Davis, "The Science of Good Deeds," WebMd, https://www.webmd.com/balance/features/science-good-deeds, accessed July 3, 2022.

06 Graham Ambrose et al., "Is Gardening Associated with Greater Happiness of Urban Residents? A Multi-Activity, Dynamic Assessment in the Twin-Cities Region, USA," *Landscape and Urban Planning* 198 (June 2020), https://doi.org/10.1016/j.landurbplan.2020.103776.

07 Jane Jacobs, *The Death and Life of Great American Cities* (New York: Random House, 1961). (『[新版]アメリカ大都市の死と生』ジェイン・ジェイコブズ著、山形浩生訳、鹿島出版会)

08 Vivek Murthy, *Together: The Healing Power of Human Connection in a Sometimes Lonely World* (New York: Harper, 2020).

09 Ibid.

10 Emily Esfahani Smith, "Social Connection Makes a Better Brain," *The Atlantic,* October 29, 2013.

11 University of California, Los Angeles, "Rejection Really Hurts, UCLA Psychologists Find," ScienceDaily, October 10, 2003, https://www.sciencedaily.com/releases/2003/10/031010074045.htm.

12 Daniel Alcalá-López et al., "Computing the Social Brain Connectome Across Systems and States," *Cerebral Cortex* 28, no. 7 (July 2018): 2207–32, https://doi.org/10.1093/cercor/bhx121.

13 Janneke E. P. van Leeuwen et al., "More Than Meets the Eye: Art Engages the Social Brain," *Frontiers in Neuroscience* 16 (February 2022), https://doi.org/10.3389/fnins.2022.738865.

14 Ibid.

15 Marta Zaraska, "Moving in Sync Creates Surprising Social Bonds Among People," *Scientific American*, October 1, 2020.

16 Ibid.

Conclusion

01 David D. Zhang et al., "Earliest Parietal Art: Hominin Hand and Foot Traces from the Middle Pleistocene of Tibet," *Science Bulletin* 66, no. 4 (December 2021): 2506–15, https://doi.org/10.1016/j.scib.2021.09.001.

02 Yuhao Liu et al., "Lab-on-Skin: A Review of Flexible and Stretchable Electronics for Wearable Health Monitoring," *American Chemical Society Nano* 11, no. 10 (October 2017): 9614–35, https://doi.org /10.1021/acsnano.7b04898.

03 John Koetsier, "Smart Thread Is the Future of Wearable Tech. Here's One Startup Making It Happen," *Forbes*, July 6, 2021.

04 Hei Wan Mak et al., "Predictors and Impact of Arts Engagement During the COVID-19 Pandemic: Analyses of Data from 19,384 Adults in the COVID-19 Social Study," *Frontiers in Psychology* 12 (April 2021), https://

doi.org/10.3389/fpsyg.2021.626263.

05 Emily Henderson, "Virtual Reality Can Help Boost Brain Rhythms Linked to Learning and Memory," *Science Focus*, June 28, 2021, https://www.news-medical.net/news/20210628/Virtual-reality-can-help-boost-brain-rhythms-linked-to-learning-and-memory.aspx.

06 Renuka Joshi-Modi, "New York's Rubin Museum of Art Hosts an Unusual Spiritual and Creative Experience," *Architectural Digest*, January 24, 2002.

07 Sarah Keating, "The World's Most Accessible Stress Reliever," BBC Future, May 18, 2020.

08 Bruce Becker, "The Brain and Aquatic Therapy," Presentation to American Physical Therapy Association, February 2020, https://www.hydroworx.com/blog/research-warm-water-therapy-brain/.

スーザン・マグサメン

Susan Magsamen

ジョンズ・ホプキンス大学医学部ペダーセン脳科学研究所の革新的な取り組みである、応用神経美学センターのインターナショナル・アーツ＋マインド・ラボ（International Arts + Mind Lab、IAMラボ）創設者で、現在は同施設のエグゼクティブ・ディレクターを務めている。

脳科学とアートを融合し、アートや美的体験に対する反応が、神経生物学的に人間の可能性をどのように増幅するのか研究している。マグサメンはインパクト・シンキング・モデルの考案者である。このモデルは、健康と幸福、学習に関わる問題を解決するために、アートや美学をより効果的に用いるべく、エビデンスに基づいた調査を行なうアプローチである。専門分野の垣根を越えたリサーチ方法を取り入れることで、実体験やコミュニティーの意見を含む、数多くの「知る方法」を広く採用している。

さらに、彼女はジョンズ・ホプキンス大学の神経学助教およびアスペン研究所と協力したニューロアーツ・ブループリント・プロジェクトの共同ディレクターでもある。

マグサメンはIAMラボ創設に先立ち、民間企業および公的機関での職務経験があり、幼児期から老年期に至るまで、人生のあらゆる段階に社会的影響を与えるプログラムや商品の開発に従事した。また、オンラインで個別学習のサービスを提供する企業キュリオシティヴィル（2014年にホートン・ミフリン・ハーコート社により買収）、多感覚に訴える玩具等を製造販売するキュリオシティ・キッツ（1995年にトースター社により買収）の創業者でもある。

マグサメンは作家として受賞歴があり、これまでに著書を7冊上梓している。主な著書に『*The Classic Treasury of Childhood Wonders*』『*The 10 Best of Everything Families*』『*Family Stories*』がある。

マグサメンは英国王立技芸協会よりフェローを授与されており、リーダーシップ、好奇心、イノベーションを育む戦略的アドバイザーとして、国際的な組織や取り組みで活躍している。また、北米神経科学学会、ナショナル・オーガニゼーション・フォー・アーツ・イン・ヘルス、建築神経アカデミー、アメリカ心理学会、ブレインフューチャーズ、プレイフル・ラーニング・ランドスケープス、クリエイティング・ヘルシー・コミュニティ：アーツ＋パブリック・ヘルス・イン・アメリカなどの会員でもある。

アイビー・ロス

Ivy Ross

2016年に正式に発足したグーグルのハードウェア部門でデザインを担当するバイス・プレジデント。

2017年以来、ロスとそのチームはスマートフォンからスマートスピーカーに至るまで、消費者向けにさまざまなハードウェア製品を発表しており、デザインの分野で200以上の国際的な賞を受賞している。これら一連の製品は、手触りが良く、大胆で感情に訴えかけるようなテクノロジー製品のデザイン美を確立した。

ロスはキャリアを通じ、カルバン・クライン、スウォッチ、コーチ、マテル、ボシュロム、ギャップなどの多くの企業において、製品デザインや商品開発の責任者から最高マーケティング責任者、社長に至る役職を経験してきた。

ロスは『*The Change Champion's Field Guide*』『*Best Practices in Leadership Development and Organization Change*』をはじめとする書籍に寄稿している。

また彼女は、『*The Ten Faces of Innovation*』『*Rules of Thumb*』『*Unstuck*』等の書籍において紹介されている。

ロスは『フォーチュン』誌主催の「最もパワフルな女性サミット」に講演者として出席し、『ビジネス・ウィーク』誌の「新しいリーダーシップの顔」に名を連ねた。2019年には、『ファスト・カンパニー』誌の「ビジネスにおいて最もクリエイティブな100人」で9位に選ばれた。

アーティストとしても名高いロスの革新的な彫金ジュエリーは、ワシントンD.C.のスミソニアン・アメリカ美術館をはじめとする10カ所の国際的な美術館で、常設コレクションとして収蔵されている。彼女は全米芸術基金より権威あるフェローを授与されており、その創造的なデザインによってウィメン・イン・デザイン・アワード、ダイヤモンド・インターナショナル・アワードを受賞している。ロスの創造の原動力は人間の可能性と絆にある。彼女はアートと科学を融合することで魔法が生まれ、偉大なアイデアとブランドに命を吹き込むと信じている。

須川綾子
すがわあやこ

翻訳家。東京外国語大学英米語学科卒業。訳書に『習慣超大全——スタンフォード行動デザイン研究所の自分を変える方法』『人と企業はどこで間違えるのか?』(ともにダイヤモンド社)、『綻びゆくアメリカ』『退屈すれば脳はひらめく』(ともにNHK出版)、『子どもは40000回質問する』(光文社)、『戦略にこそ「戦略」が必要だ』(日本経済新聞出版)などがある。

アート脳

YOUR BRAIN ON ART

How the Arts Transform Us

2024年7月3日　第1版第1刷発行

著者　スーザン・マグサメン／アイビー・ロス

訳者　須川綾子

発行者　永田貴之

発行所　株式会社PHP研究所
東京本部　〒135-8137　江東区豊洲5-6-52
ビジネス・教養出版部　☎03-3520-9619（編集）
普及部　☎03-3520-9630（販売）
京都本部　〒601-8411　京都市南区西九条北ノ内町11
PHP INTERFACE　https://www.php.co.jp/

ブックデザイン　新井大輔　中島里夏（装幀新井）

組版　石澤義裕（Kosovo）

編集　大隅元

印刷所
製本所　大日本印刷株式会社

ISBN978-4-569-85719-0